Zuchwały anioł

Kat Martin

Zuchwały anioł

przełożyła
Dorota Jankowska-Lamcha

Warszawa 2008

Tytuł oryginału: ***Bold Angel***
Projekt okładki: Olga Reszelska
Redakcja: Lily Paszkowska

ISBN 978-83-7551-042-3

Wydawnictwo BIS
ul. Lędzka 44a
01-446 Warszawa
tel. (0-22) 877-27-05, 877-40-33; fax (0-22) 837-10-84

e-mail: bisbis@wydawnictwobis.com.pl
www.wydawnictwobis.com.pl

Druk i oprawa: ARSPOL

Rozdział 1

Anglia, rok 1069

Powinna się bać. Wielu walecznych anglosaskich mężów uciekało już na sam widok rycerza w pełnym rynsztunku bojowym. Jednak w jasnych, błękitnych oczach, które przyglądały się jego twarzy, nie było nawet cienia lęku. Spod stożkowego hełmu obserwował, jak ku niemu podchodzi i jak jej drobne dłonie wyciągają się ku niemu z bukietem kolorowych kwiatów. Uśmiechnęła się, nie zważając na ciemne ślady zaschłej krwi pokrywające jego zbroję ani na przerażającego czarnego smoka na tarczy.

Powinna się lękać. Tymczasem podeszła jeszcze bliżej, zaciekawiona, dziwnie pogodna i wyraźnie zadowolona, że znalazła nowego przyjaciela.

Ral poprawił się w siodle, czując się niezręcznie, jakby uwierał go ten rodzaj zainteresowania, którym go obdarzyła. Wielki czarny rumak pod nim przestępował niespokojnie z nogi na nogę. Zarżał, nadstawił uszu i zwrócił głowę ku prześlicznej czarnowłosej dziewczynie, która nie była wyższa niż koń w kłębie.

Raolfe de Gere gotów był przysiąc, że nigdy nie widział piękniejszej istoty i bardziej ujmującego uśmiechu niż ten, który rozjaśniał jej twarz. Nie wyglądała na więcej niż osiemnaście wiosen. Jej ciało już dojrzało dla mężczyzny, a rumieniec na policzkach zdawał się świadczyć o tym, że gotowa jest na jego przyjęcie. Uczucie, które w nim wzbudziła, ku jego zaskoczeniu było jednak zgoła odmienne. To była tęsknota za ciepłem domowego ogniska, za końcem tej wojny i zaprzestaniem przelewu krwi.

Nie odezwała się, tylko wręczyła mu bukiet. Ral wyciągnął dłoń w rękawicy i wziął go. Kiedy jego palce musnęły jej dłoń, uśmiechnęła się szerzej. Odpowiedział uśmiechem. Czekał, aż przemówi, chciał usłyszeć dźwięk jej głosu i nie chciał, by prysnął czar, który roztoczyła. Zastanawiał się, skąd pochodzi i jakie nosi imię.

* * *

Gdzie się podziała siostra? Karyna z Ivesham okrążyła wielki granitowy głaz i przeszukała kępę dębów po prawej stronie. Słodka Mario, nie było jej tylko chwilę. Gweneth nie mogła odejść daleko.

Karyna omiotła wzrokiem łąkę i pagórek na jej przeciwległym końcu. Jasnobłękitna tunika lekko falująca na wietrze mogła należeć tylko do Gweneth, lecz obok, o Najświętsza Matko Chrystusa! Karyna aż wstrzymała oddech na widok Czarnego Rycerza. Czarny smok na krwistoczerwonym polu! Raolfe zwany Bezlitosnym! Gweneth stała tuż przy nim, boleśnie nieświadoma niebezpieczeństwa i wręczała mu bukiecik kwiatów.

Karyna uniosła rąbek zielonej jak leśna gęstwina tuniki i z mocno bijącym sercem rzuciła się biegiem przez łąkę.

– Gweneth! – krzyczała. *Na wszystkie świętości.* – Gweneth!

Siostra jednak w ogóle się nie odwróciła. Karyna biegła dalej, aż stanęła przy jej boku i utkwiła wzrok w ciemnej, surowej twarzy wielkiego normańskiego rycerza siedzącego na potężnym czarnym rumaku. Bezlitosny Raolfe, człowiek, który przemierzał kraj wzdłuż i wszerz, pustosząc go w imię króla Wilhelma*, zdecydowany stłumić anglosaskie powstanie.

– Puść ją! – krzyknęła Karyna, co nie miało sensu, ponieważ mężczyzna siedział nieruchomo w siodle. Ogromny rycerz milczał, nie odrywając wzroku od Gweneth, jakby była istotą nie z tego świata.

– Błagam cię – zaczęła Karyna. – Moja siostra nie chciała zrobić nic złego. Ona się nie boi. Nic nie rozumie. Ona jest nie... – Cóż mogła powiedzieć o Gweneth? O zupełnie innym świecie, w którym żyła, o jej słodyczy, anielskiej łagodności? Gdy jednak odczytała wyraz twarzy Czarnego Rycerza, zrozumiała, że nie ma potrzeby tłumaczyć.

– Jest urocza – powiedział z łagodnością i czcią, jakby połączył się z nią w tym jej świecie znajdującym się daleko stąd. Wielki rycerz wyprostował się w siodle, aż zasłonił słońce. Spod hełmu wysuwały mu się lśniące czarne włosy, dłuższe niż u większości Normanów, których widziała. Miał twardy zarys szczęki i ogorzałą skórę. Po raz pierwszy zwrócił uwagę na Karynę i jego łagodność gdzieś uleciała.

– Nie powinnyście się tu pokazywać. W lesie jest pełno rycerzy i wojów rozgrzanych walką. Mogą

---

* Wilhelm I Zdobywca, od 1066 r. król Anglii, od 1035 r. książę Normandii. Po bezpotomnej śmierci króla Edwarda Wyznawcy w 1066 r. najechał Anglię. W bitwie pod Hastings zwyciężył Harolda II i koronował się. Stłumił bunt anglosaskich baronów i rozdał ich ziemie normandzkim rycerzom – przyp. tłum.

wyrządzić wam straszną krzywdę. Na pewno wiesz, że nie wolno chodzić samopas, bo czasy są niespokojne. – Zwracał się do niej w jej ojczystej mowie, niezbyt płynnie, ale zrozumiale.

– Wracałyśmy z wioski do zamku – skłamała Karyna, gdyż w rzeczywistości umknęły przed kolejnym nudnym dniem robótek ręcznych. – Obrałyśmy złą drogę, lecz teraz już odnalazłyśmy właściwą. Zaraz będziemy w domu.

– Nie jesteście wieśniaczkami. Po waszych sukniach znać, żeście szlachetnie urodzone. Powinnyście być lepiej pilnowane.

Karyna zesztywniała.

– To nie twoje zmartwienie, panie. Strzegę siostry zupełnie dobrze, lepiej niż ktokolwiek inny. Opiekuję się dobrze nami obydwiema. – Złapała Gweneth za ramię, lecz siostra się oswobodziła. Z radosnym uśmiechem podała górującemu nad nią rycerzowi dłoń. Karyna szeroko otworzyła oczy, kiedy wielki rycerz wyciągnął swoją, ujął rękę siostry i delikatnie uścisnął.

– Spieszcie już! – ponaglił głosem szorstkim i władczym, patrząc na Karynę. – Wracajcie do domu, zanim stanie się coś złego. Następny napotkany mąż może chcieć o wiele więcej niż tylko przyjaźni. Idźcie czym prędzej!

Karyna przełknęła z trudem i odwróciła się. Szarpnęła Gweneth i odciągnęła ją w stronę kępy drzew. Dygotała, dopóki nie dotarły do lasu, chociaż Gweneth podążała za nią, beztrosko zrywając wiosenne kwiaty. Najwyraźniej zapomniała już o spotkanym na pagórku wielkim rycerzu.

Myśląc o ich ucieczce, Karyna oparła się o drzewo i z ulgą głęboko wciągnęła powietrze. Był olbrzymi! Jedno uderzenie jego masywnej pięści mogło zakończyć życie niejednego człowieka. Powiadano, że położył tuziny anglosaskich wojów, że rabował i gwałcił całą drogę od wybrzeża. Tymczasem ujrzała wielkiego, ciemnowłosego Normana dzierżącego bukiet kolorowych leśnych kwiatów i delikatnie ściskającego dłoń jej siostry.

Zmarszczyła się, nie umiejąc pogodzić ze sobą tych odmiennych wizerunków. Nie powinny z siostrą w ogóle tego dnia przebywać poza dworem. Wiedziała to od samego początku, lecz ostatnio mówiono, że Normanowie są wiele mil stąd, a ona już zbyt długo przebywała w zamknięciu.

Zamyśliła się nad słowami Czarnego Rycerza, że ona i siostra powinny być lepiej pilnowane. Prawdę mówiąc, ich wuj rzadko wiedział, gdzie się podziewały. Podejrzewała, że odczuwał ulgę, gdy ona i Gweneth nie plątały mu się pod nogami. Jednak nic nie zagrażało Ivesham. Choć po cichu wuj sprzyjał anglosaskim braciom, głośno udawał lojalność względem króla.

Nikt nie wiedział o tym, że pomaga powstańcom. Nie wiedziała tego nawet Karyna, dopóki nie podsłuchała go którejś nocy.

Puściła rękę siostry i schyliła się, by zerwać żółte nagietki. Dzień był prześliczny, słoneczny i ciepły. Z żalem spojrzała na bezchmurne błękitne niebo. We dworze nie było nic do roboty poza kobiecymi robótkami, których wprost nienawidziła. Kopnęła kamyk stopą obutą w płócienną ciżemkę i usłyszała, że plusnął, wpadając do pobliskiego strumyka.

Powinny wrócić do Ivesham i na pewno wrócą, jakaż jednak szkoda wyniknąć może z tego, jeśli opóźnią powrót o godzinę lub dwie? Czarny Rycerz odjechał, będą teraz ostrożniejsze i nikt ich nie zaskoczy. Nacieszą się przechadzką, spędzą trochę więcej czasu na słońcu, a potem wrócą sobie do domu.

* * *

Ral zapatrzył się w kępę drzew, wśród których znikły dziewczęta, rozdarty pomiędzy troską o prześliczną czarnowłosą a nakazem, by dołączyć do swego wojska. Powstańcy zostali pokonani, jednak zawsze istniało niebezpieczeństwo, że powrócą. Gdyby się tak stało, byłby potrzebny swoim ludziom.

Słońce bezlitośnie prażyło, rozgrzewając hełm i ciężką kolczugę. Szatan, jego wielki czarny wierzchowiec, szedł stępa z rosnącym rozdrażnieniem. Myśli Rala krążyły jednak wokół uroczej dziewczyny, która zapragnęła się z nim zaprzyjaźnić i która na kilka krótkich chwil wymazała z jego pamięci wszelkie okropności wojny. Z pewnością dziewczęta uczyniły to, co im przykazał, i bezpiecznie wróciły do domu. Na wspomnienie panny o kasztanowych włosach, która przeciwstawiła mu się tak żarliwie, opuściła go jednak pewność.

Uśmiechnął się i przeklął pod nosem jej niewybaczalną lekkomyślność, która pozwoliła im samotnie włóczyć się po łąkach. Nie była taką pięknością jak jej siostra, lecz z czasem może jeszcze wyładnieć. Obie były smukłe i miały jasną skórę, lecz kasztanowłosa dziewczyna była o wiele szczuplejsza, będąc jeszcze niedojrzałą kobietą. Zastanawiał się, jak będzie wyglądać, kiedy dorośnie.

Spojrzał w ślad za nimi po raz ostatni. Nie ma się czym martwić. Zauważył, jak młodsza zadrżała, słysząc surowość w jego głosie. Nawet ona nie będzie tak niemądra, żeby nie posłuchać jego rozkazu. Popatrzył na kwiaty, które wciąż miał w ręku, i ich zapach znowu wzbudził w nim wspomnienie czystych, błękitnych oczu i niewiarygodnej słodyczy. Z wahaniem odrzucił bukiet i pospieszył ku swoim towarzyszom.

* * *

– Ral! Jak dobrze, że jesteś. Zaczynałem się już trapić, że cię tak długo nie ma. – Odo, najbardziej zaufany rycerz i długoletni przyjaciel, wyjechał mu na spotkanie z kopią w dłoni.

– Jakie wieści? – spytał Ral. – Nasi zwiadowcy wrócili?

Rudowłosy rycerz lekko skinął głową.

– Mówili, że siły powstańcze ciągną na ludzi Montreale'a. Dobrze będzie, jeśli dopadniemy ich pierwsi. – Współzawodnictwo między Ralem a Stephenem de Montreale, panem na zamku Malvern, było legendarne, a wzajemna wrogość przeniknęła nawet w szeregi ludzi pod ich komendą.

– Którędy jadą?

Odo pokazał kierunek, z którego właśnie nadjechał. Ral pomyślał o dziewczętach i nieprzyjemny dreszcz przeszedł mu po plecach.

– Zbierz ludzi. Uprzedź, że mają być czujni, i ruszajmy.

Dwie godziny później znaleźli niewielki oddział powstańców, zmierzyli się z nimi i rozgromili. Schwytano dwudziestu Anglosasów, a drugie tyle pozostawiono martwych i konających na polu bitwy. Wciąż daleko było do zakończenia powstania. Wkrótce nadejdą wieści od króla ujawniające nową anglosaską zdradę. Zadaniem Rala było rozprawiać się ze zdrajcami. Wilhelm chciał zaprowadzić pokój w rozdartym wojną kraju.

Ral zaś chciał ziemi.

– Ludzie wykonali dziś kawał dobrej roboty – rzekł po zlustrowaniu pokonanych i zmęczonych walką swoich ludzi.

– Niedaleko stąd jest łąka. To będzie dobre miejsce na obóz.

Śmiertelnie zmęczony jechał obok Oda przez gęste zarośla w stronę miejsca, gdzie spotkał dziewczęta. Nie było ich nigdzie w polu widzenia i przez chwilę poczuł ulgę. Po chwili jednak jego uwagę przyciągnął jakiś hałas. Zatrzymał się i zaczął nasłuchiwać. Po swojej prawej stronie usłyszał szum strumienia i podniesione męskie głosy mówiące normańskim francuskim.

– Stać! – zawołał do uzbrojonych oddziałów konnych i pieszych. – Odo, ty i Geoffrey, Hugh i Lambert ze mną! – To muszą być ludzie Stephena. Nie powinni go obchodzić, niemniej uważał, że powinien wiedzieć, co tam robią.

Zbliżyli się konno do drzew, słuchając grubiańskich wybuchów śmiechu, gdy Ral usłyszał wysoki, przeraźliwy krzyk kobiety. Spiął rumaka ostrogami i zwierzę skoczyło do przodu. Po chwili dotarł do miejsca skąd dochodził dźwięk, i ku swemu przerażeniu ujrzał to, przed czym ostrzegał go przez cały dzień jego szósty zmysł. Zeskoczył z konia i dobył miecza z pochwy przy pasie.

– Hej, wy tam, dość tego!

Śmiech zamarł na dźwięk twardego i nieprzejednanego tonu jego głosu. Ludzie Stephena, zbroczeni krwią i zmęczeni walką, odwrócili głowy, by mu się przyjrzeć.

– Malvern może zezwalać na gwałcenie i zabijanie, lecz ja tego nie pochwalam. Jeśli chcecie ujść z życiem, zostawcie dziewki i wracajcie, skąd przyszliście!

Do przodu wyszedł krępy żołnierz.

– Dziewki są nasze! Takie jest prawo wojny. Na mocy jakiego prawa nam ich odmawiasz?

– A takiego! – Ral machnął mieczem, którego szerokie ostrze błysnęło złowrogo w promieniach zachodzącego słońca. Z tarczy ostrzegawczo spozierał atakujący smok.

– To on – szepnął jeden z piątki mężów. – Uważaj, Bernart, masz przed sobą Czarnego Rycerza. Na pewno o nim słyszałeś. – Przełknął z trudem, aż Ral dostrzegł, jak poruszyło się jabłko Adama na jego szyi.

– Jest ich pięciu przeciwko nam pięciu. Damy sobie radę!

– Zostaw mu dziewki! – zawołał inny. – Po co skąpić? Myśmy już się nasycili.

Kompani gruchnęli śmiechem, chociaż nieco niepewnym. Zanim odsunęli się od kobiet, które otaczali, poprawili im tuniki i zawiązali tasiemki koszul.

Ral przyjrzał się leżącym na ziemi dziewczętom. Obydwie były obnażone. Czarnowłosa leżała skręcona i zapatrzona w niebo niewidzącymi oczami. Uda miała umazane krwią, a czarne włosy splątane wokół bladych ramion. Obok, parę stóp dalej, podnosiła głowę kasztanowłosa, walcząc o zachowanie przytomności. Była pobita i posiniaczona, miała rozciętą i spuchniętą wargę. Jedno oko znikło zupełnie pod nabrzmiałą powieką. Z kącika ust płynęła strużka krwi.

Jego palce same zacisnęły się na rękojeści miecza.

– Ostrzegam was po raz ostatni – precz od kobiet!

Krępy wojak o brudnych brązowych włosach posłuchał pierwszy.

– Weź sobie tę chudą w darze od lorda Stephena – prychnął pogardliwie. – Jest nietknięta. Rób sobie z nią, co chcesz.

– Za to ta soczysta czarna dziewka była niezła. – rzekł inny. – Wzięliśmy ją wszyscy po kolei. Bóg świadkiem, że znalazła w tym przyjemność nie mniejszą niż zdrowa chłopska dziewucha!

Szybki atak Rala zaskoczył go zupełnie. Ręka w rękawicy zacisnęła się mocno na jego gardle, odcinając mu dopływ powietrza i odrywając go od ziemi. Nieszczęśnik skręcał się i kopał, walcząc o odzyskanie oddechu, lecz uścisk Rala zacieśniał się jeszcze bardziej. Kiedy woj zacharczał po raz ostatni i zwiotczał, Ral wymamrotał przekleństwo i ze wstrętem rzucił nim o ziemię, jakby to był worek ze zgniłymi flakami.

– Zabierajcie go i idźcie precz! – rozkazał Ral.

Poszeptawszy między sobą, odciągnąwszy nieprzytomnego, kamraci pozbierali broń, zabrali konie i cicho przemknęli się do lasu.

– Przynieś jeszcze jeden koc – rzekł Ral do Oda, kiedy wyjął własny z boku siodła i kiedy ostatni z ludzi Malverna zniknął z pola widzenia. Ukląkł koło czarnowłosej i delikatnie owinął koc wokół niej, podniósł i umieścił w wyciągniętych ramionach Oda. Kiedy ukląkł, by przykryć kasztanowłosą, ta poruszyła się i zaczęła z nim walczyć, tłukąc pięściami z większą, niż się po niej spodziewał, siłą.

– Zostaw ją! – krzyczała, trafiając go zwiniętą w pięść dłonią w szczękę. – Nie wolno ci jej skrzywdzić!

Złapał ją za nadgarstki i delikatnie uciszył.

– Uspokój się, *ma petite.* Ty i twoja siostra jesteście już bezpieczne.

Walczyła jeszcze przez chwilę, wyprężając drobne ciało, aż zwiotczała w jego ramionach. Ral podniósł ją i zaniósł do koni.

– Dotarliśmy w samą porę. Obie niechybnie by zginęły – zauważył Odo.

Ral potaknął.

– Ależ wstyd! – Odo podniósł dziewczynę. – Czarnowłosa jest niezwykle urodziwa, a ta młoda – niczym wilczyca.

– Znać, że walczyła dzielnie.

– Co z nimi zrobimy?

Ral zawahał się przez krótką chwilę.

– Nie wiemy, gdzie mieszkają. Jeśli ich krewni biorą udział w powstaniu, nie będą bezpieczne nawet w murach własnego domu. – Wręczył swój ciężar Geoffreyowi, jasnowłosemu młodzieńcowi lat około siedemnastu, który służył jako giermek Oda.

– Zabierz je do Zakonu Świętego Krzyża. Siostry ustalą, do kogo należą dziewczęta, i zawiadomią rodzinę.

– Tak, to dobry pomysł, zważywszy, co jeszcze przed nami.

Ral skinął lekko głową. Nie mógł pozbyć się obrazu prześlicznej czarnowłosej dziewczyny rozdzieranej na kawałki przez brutalnych ludzi Stephena. Ani pobitej twarzyczki młodszej, która tak zaciekle walczyła w obronie siostry.

Ral zacisnął szczęki. Powinien był dopilnować, żeby nic im się nie stało. Były takie młode, takie niewinne. I takie ufne. On znał niebezpieczeństwo, które im zagrażało. Przywykł jednak, że słuchano jego rozkazów, i nawet przez myśl mu nie przeszło, że dziewczęta go nie posłuchają.

Niemniej czuł się winny.

Ciężar winy kamieniem przygniatał mu serce jeszcze długo po tym, jak odjechały pod troskliwą opieką jego ludzi.

Rozdział 2

Anglia, rok 1072

Bicie dzwonów wzywało na jutrznię, rozbrzmiewając głucho w opustoszałych salach klasztoru. W kaplicy w dalekim wschodnim skrzydle przyodziane w czerń zakonnice klęczały na kamiennej, zimnej posadzce i szykowały się do modlitwy.

– Gdzie ta dziewczyna przepadła tym razem? – spytała przeorysza, lustrując zakonnice i małą grupkę nowicjuszek klęczących po jej lewej stronie. Obok stała siostra Agnes z surową miną, równie zagniewana.

– Nie widziałam jej. – Kobieta po trzydziestce była chuda i tak sztywna, jakby nie była w stanie się schylić. – Dziś rano nie wstała razem ze wszystkimi, a wcześniej dwa dni z rzędu zasnęła podczas popołudniowej modlitwy.

– Znajdź ją. Chcę z nią zaraz pomówić – poleciła przeorysza z zatroskaną twarzą.

Dwie godziny później Karyna z Ivesham ubrana w tunikę z szorstkiej wełny i sztywną białą spódnicę, z kasztanowymi włosami splecionymi w jeden warkocz stanęła przed matką Teresą, wysoką, surową przeoryszą Zakonu Świętego Krzyża. Karyna splotła palce i starała się wyglądać możliwie grzecznie.

Przeorysza westchnęła, przerywając ciszę.

– Musisz nauczyć się posłuszeństwa – rzekła, nawiązując do tyrady, którą wygłosiła jakiś czas temu. – Nie przychodzi ci to łatwo. Niemniej musisz dążyć do tego, by się nauczyć.

– Tak, matko Tereso.

– Musisz nauczyć się pokory i skromności – ciągnęła przeorysza. – Twoi najbliżsi nie żyją, Karyno. Rodowa siedziba popadła w ruinę. Cała twoja rodzina to rodzona siostra Gweneth i siostry w klasztorze. Gweneth jest tutaj szczęśliwa. Musisz pogodzić się ze swoim losem.

Karyna usłyszała tylko ostatnie słowa, ponieważ jej uwagę przyciągnęło stadko ptaków za oknem. *Pogodzić się z takim nudnym życiem? Nigdy!* – pomyślała. Nie miała jednak śmiałości powiedzieć tego na głos.

– Musisz się podporządkować, by stać się jedną z nas – ciągnęła przeorysza. – Jeżeli osiągnięcie tego jest możliwe jedynie przy użyciu ścisłej dyscypliny, należy się jej poddać.

Karyna oderwała oczy od podłogi, gdzie długonogi pająk wykonywał fascynujące ruchy.

– Słuchasz mnie, Karyno?

– Tak, matko. – *Słodki Jezu, co powiedziała ta kobieta?*

– Dobrze, zatem powtórz.

– Słucham?

– Powtórz, co powiedziałam przed chwilą.

Karyna zaczęła kręcić się niespokojnie, miętosząc fałdy brzydkiej brązowej tuniki.

– Pokora i pobożność, tego muszę się nauczyć – rzuciła na chybił trafił. Przeorysza najczęściej mówiła właśnie o tych dwóch rzeczach.

– I co jeszcze?

– Jeszcze?

– Na pewno słyszałaś pytanie.

– Dyscyplina. Rzekłaś, matko, że potrzeba mi dyscypliny. – Zmarszczone brwi matki Teresy oznaczać mogły, że Karyna zgaduje trafnie, lecz równie dobrze mogły oznaczać coś zupełnie przeciwnego.

– Dziękuję, że mi przypomniałaś. Za zasypianie w czasie modlitwy powtórzysz sześćdziesiąt psalmów, leżąc na mokrej posadzce. Jeśli następnym razem poczujesz się śpiąca, na pewno przypomnisz sobie tę karę.

Karyna zadrżała na samą myśl. Klasztor był zimny i wilgotny. Rzadko rozpalano w nim ogień, podłogi były gołe i mokre. Bez wątpienia zostanie rozebrana do spódnicy, a potem, kiedy płótno się zmoczy, będzie zmuszona założyć wełnianą szorstką tunikę na gołe ciało.

– Siostra Agnes dopilnuje wykonania kary. Miłego dnia.

Karyna westchnęła i podeszła do drzwi. Może jednak nie będzie tak źle. Z pewnością nie okaże się to gorsze od skrobania patyczkiem posadzki przed ołtarzem albo od pozbawienia przez dwa wieczory z rzędu posiłku w postaci fasoli okraszonej tłuszczem.

– Zaczekaj na mnie w sali – poleciła siostra Agnes z uśmieszkiem zadowolenia na twarzy. Karynie wydawało się, że wychudzona, drobna kobieta sama kiedyś często była poddawana pokucie. – Przyniosę cebrzyk z wodą i zaraz do ciebie dołączę.

– Dziękuję, droga siostro – odpowiedziała Karyna, uśmiechając się sarkastycznie.

Niespiesznie poszła sprawdzić, co dzieje się z siostrą. Znalazła ją ślęczącą nad haftem w swojej celi. Kiedy się odezwała, Gweneth uśmiechnęła się ciepło, lecz ani na chwilę nie przestała przekłuwać igłą trzymanej na kolanach serwetki.

W tym stanie umysłu życie było łatwe, spokojne i pełne radości. Karyna westchnęła. A jej życie zawsze wydawało się najeżone próbami, stanowiło pogoń za czymś, czego nie umiała nazwać. Znajdzie swój cel, tego była pewna. Wtedy zazna podobnego spokoju jak siostra.

Karyna skinęła jej głową na pożegnanie, zbierając się do odbycia kary. Kiedy wróciła do sali, siostra Agnes obficie polewała podłogę wodą i niecierpliwie czekała na powrót Karyny.

– Zdejmij tunikę – poleciła.

Karyna uczyniła to z ociąganiem, starając się nie myśleć o zakonnicy z nienawiścią.

– Może następnym razem, kiedy przyjdzie ci chętka wymigać się od obowiązków, będziesz pamiętać o następstwach takiego zachowania.

– O, tak, bez wątpienia, siostro Agnes. Będę pamiętać. – Dygocząc z zimna, Karyna położyła się twarzą w dół na twardej kamiennej posadzce. Spódnica powoli nasiąkała wodą i Karyna zaczęła dygotać jeszcze bardziej. Posłusznie jęła powtarzać psalmy, jak chciała tego przeorysza, mówiąc je tak szybko, jak tylko mogła, wiedząc, że siostra Agnes będzie je skrupulatnie liczyć.

Zanim skończyła, miała siną z zimna skórę i nie mogła opanować drżenia. Wstała, zmusiła się, by uśmiechnąć się do siostry Agnes, odwróciła się i sztywno pomaszerowała do swojej celi.

* * *

– Dobrze się czujesz?

Karyna spojrzała na stojącą w drzwiach siostrę Beatrycze. To była jej najlepsza przyjaciółka, drobna dziewczyna o wielkich, zielonych oczach, w których od czasu do czasu płonął taki sam ogień jak w jej własnych.

Siedząc na twardym materacu, Karyna szczelniej owinęła się wełnianym kocem.

– Zimno mi, to wszystko.

– Gdzie byłaś dziś rano?

Wzruszyła ramionami.

– Był to pierwszy słoneczny poranek od bardzo dawna i kwiaty zaczęły już kwitnąć. – Uśmiechnęła się. – Chciałam urwać trochę dla Gweneth.

Beatrycze odpowiedziała uśmiechem.

– Ona je tak kocha. Posiada błogosławiony dar, że zdolna jest cieszyć się z najmniejszych rzeczy.

– Tak. Czasem chciałabym być taka szczęśliwa jak ona.

Beatrycze podeszła do przyjaciółki.

– Nauczysz się pewnego dnia. Będziesz zdolna pogodzić się z życiem takim, jakie ono jest.

– Pewnego dnia stąd odjadę, Beatrycze. Zobaczysz. Pewnego dnia ucieknę stąd sama.

– Teraz jednak uciekaj lepiej do kaplicy. Przez jakiś czas będą ci się baczniej przyglądać.

Karyna westchnęła.

– Przypuszczam, że masz słuszność. Wydaje mi się, że siostra Agnes znajduje szczególną przyjemność, obserwując moje potknięcia. – Odrzuciła koc i nałożyła wełnianą tunikę. Starała się nie zwracać uwagi na to, że szorstka tkanina drapie jej skórę.

Zaczęły schodzić do sali, kiedy głośne walenie w dębowe wrota zatrzymało je w miejscu. Ciekawość popchnęła Karynę w tamtą stronę.

– Jak ci się zdaje, kto to może być?

– To nie nasze zmartwienie. Chodź! Spóźnimy się!

Karyna jednak zbliżyła się do wrót, zmuszając Beatrycze, by poszła za nią. Jeszcze zanim drobna siostra furtianka zdołała całkiem otworzyć skrzydła, uzbrojeni woje dosłownie wlali się do środka.

– To pan na zamku Malvern, Stephen de Montreale – wyszeptała Beatrycze, ze zdumieniem rozpoznając wysokiego jasnowłosego mężczyznę, bogato odzianego w purpurę, który szedł na przedzie. – Mój ojciec często go wspominał, przeważnie przeklinając.

Malvern. Karyna także go znała, jak wszyscy Anglosasi. Wiedziała, że to on krwawo rozprawił się z wioską Beatrycze, która z lęku przed tym normańskim najeźdźcą schroniła się w klasztorze. Malverna nienawidziła większość jej anglosaskich pobratymców, a jego okrucieństwo było wręcz legendarne.

– Przyjechałem po nowicjuszki – oświadczył przeoryszy, która ze złością wyszła mu na spotkanie. – Kobiety, które jeszcze nie złożyły ślubów. Przyprowadź je tu natychmiast.

– Czego od nich chcesz, panie? – Przeorysza zmierzyła go podejrzliwym wzrokiem.

– W Malvern jest mnóstwo pracy. Potrzeba mi młodych, silnych rąk do pomocy. Ty zaś masz ich aż nadto. – Był wysoki i nie tyle muskularny, co solidnie zbudowany. Miał szerokie ramiona, szczupłe biodra, twarz niemal bez skazy. Gdyby nie zbyt spiczasty nos i zaciśnięte męskie usta, mógłby uchodzić za pięknego. A tak, był zaledwie przystojny, i emanował brutalną siłą.

– Te dziewczęta znajdują się pod opieką Kościoła – broniła się przeorysza.

– Znajdą się pod moją opieką.

– Ale...

– Zrobisz, jak mówię. – Kiedy się nie poruszyła, krzyknął: – Natychmiast!

Karyna odwróciła się, kiedy z rządka zakonnic wyszła siostra Agnes.

– Co tu się dzieje? Dlaczego jest tutaj lord Stephen?

– Przyszedł po nowicjuszki.

– Nowicjuszki? Czego od nich chce? Jakim prawem...

– To Malvern – odparła Karyna. – Kieruje się wyłącznie swoim prawem. – Zwróciła się do siostry Beatrycze: – Cokolwiek się stanie, trzymaj Gweneth z dala od niego. Jest jeszcze w celi. Musisz ją ukryć, żeby była bezpieczna.

– Cóż takiego...

– Obiecaj!

– Masz moje słowo.

Kiedy zbrojni zaczęli sprawdzać klasztorne pomieszczenia, Beatrycze pobiegła do mieszkalnej części klasztoru. Kobiety, które nie nosiły welonów, zebrano i zaprowadzono przed bramę, między nimi Karynę. Rzucała niespokojne spojrzenia w stronę części mieszkalnej, lecz ani Beatrycze, ani Gweneth się nie pojawiły.

– To wszystkie nowicjuszki – rzekła wyraźnie przestraszona przeorysza do Malverna. – Tych sześć dziewcząt. – To, że jednak próbowała oszczędzić Gweneth, sprawiło, że Karyna pożałowała wszystkich gorzkich myśli na jej temat.

– Sześć wystarczy na nasze potrzeby. – Malvern zlustrował młode dziewczęta, z których żadna nie miała mniej niż osiemnaście lat. Rycerz stojący przy ciężkich dębowych wrotach przyglądał się im łakomie i wydał z siebie gardłowy śmiech.

– Jak to wyjaśnię? Co powiedzą ich rodzice? – spytała przeorysza.

Malvern przybrał surowy wyraz twarzy, a jego nos nagle stał się jeszcze bardziej spiczasty.

– Wyjaśnij anglosaskim świniom, że świetnie wiemy, co dzieje się w tych murach. Tak zwane zakony są kryjówką dla córek tych anglosaskich rodów, które knują przeciwko nam. Takie miejsca jak to tylko szerzą niepokoje i niezadowolenie. Wspierają buntowników i udzielają schronienia wrogom króla. Macie szczęście, że Wilhelm jest chrześcijaninem, inaczej kazałby to miejsce puścić z dymem.

Matka Teresa zadrżała.

– Zabrać dziewki! – rozkazał Stephen i wojowie siłą wyciągnęli dziewczęta za bramę.

Niektóre płakały i opierały się. Karyna myślała tylko o tym, że opuszcza klasztor. Nawet zamek okrutnika Malverna wydawał jej się lepszy niż czekające ją długie lata zakonnego życia.

Wtem usłyszała, o czym rozmawiają między sobą rycerze Malverna. We francuskiej mowie, której uczyła się przez lata, wymieniali między sobą sprośne uwagi o tym, co dziewczęta mają pod tunikami, i o tym, jak szybko poradzą sobie z ich nędznymi sukniami, kiedy tylko stąd odjadą.

Malvern zapowiedział, że będą musieli z tym poczekać, aż znajdą się pod dachem. Mogą to zrobić najwcześniej w Braxton.

Karyna zadrżała. Dobry Boże, rycerze zamierzali zhańbić dziewczęta! Walcząc z ogarniającą ją falą przerażenia, poczuła, że obejmuje ją podstępne męskie ramię. Została posadzona w siodle przez zarośniętego rycerza o długiej twarzy.

– Nie bój się, *demoiselle* – powiedział wyraźnie, żeby zrozumiała. – Nie pozwolę ci spaść. – Ścisnął ręką jej pierś i spiął konia ostrogami.

– Pokładajcie ufność w Bogu! – wołała przeorysza za oddalającą się galopem grupą jeźdźców. – Będziemy się za was modlić!

Po raz pierwszy od nie wiadomo jak dawna Karyna modliła się naprawdę żarliwie i szczerze.

* * *

Raolfe de Gere przekroczył lodowatą strugę, jadąc w kierunku domu, i stanął na przeciwległym brzegu w oczekiwaniu na swoich ludzi i maruderów. Dzień był bardzo długi, gdyż wracał z Pontefact, gdzie z kilkoma baronami odbył naradę w sprawie wyjętych spod prawa rabusiów grasujących w pobliskich górach.

Obok niego jechał Odo. Byli przyjaciółmi od dzieciństwa, razem uczyli się sztuki rycerskiej u wuja Rala. Gdy zostali rycerzami, też trzymali się razem, zdobywając doświadczenie w bitwach, i razem wrócili do Normandii służyć księciu Wilhelmowi, zanim jeszcze został królem.

– Co powiesz, Ralu? Rozbijemy obóz tutaj czy wrócimy prosto do domu? To będzie za dużo jak na jeden dzień, ale czekające nas w domu wygody – ogień i dobra wieczerza – warte są może tego trudu.

– Tak. Ja też tęsknię za widokiem domu – zgodził się Ral. Braxton. Był teraz panem zamku Braxton, który otrzymał w nagrodę za wieloletnią wierną służbę królowi.

Podobnie jak jego ojciec, a wcześniej dziadek, Ral stał przy boku swojego suzerena, związany przysięgą wierności i honoru, którego musiał bronić nawet swoim życiem. Jego ród był znany z wiernej rycerskiej służby tak szeroko, że począł się zwać de Gere – ludzie wojny. W skrytości ducha Ral modlił się jednak o to, by jego syn nie musiał spędzać całego życia, walcząc w krwawych bitwach.

– Zatem jedziemy dalej? – nalegał Odo.

– Tak – uśmiechnął się Ral. – Może Lynette jeszcze nie śpi. Wtedy trudy podróży zostaną nam wynagrodzone parą miękkich ud i jazdą o wiele przyjemniejszą niż ta.

Odo uśmiechnął się.

– Nie ma wątpliwości, że będzie należycie ujeżdżona dziś w nocy, czy wyleguje się już w łożu, czy też nie.

Ral roześmiał się dobrodusznie.

– Niech ludzie napoją konie i odpoczną przez chwilę, a potem ruszamy do domu.

Bardzo mu było spieszno do powrotu. W ciągu trzech lat, które minęły od przyznania mu tej ziemi należącej kiedyś do Harolda z Ivesham, od czasu rozbudowy warowni, zamku i otaczającego ich muru, przywykł do myśli, że to jego dom.

Bo i był to jego pierwszy dom od czasów dzieciństwa. Ziemie zgromadzone przez lata przez ojca dostały się w całości Alainowi, jego starszemu bratu. Mógł otrzymać swoją część, ale po podziale nie było tego zbyt wiele, a poza tym wierzył, że może sam wywalczyć sobie ziemię. Wilhelm zobowiązał się do tego po bitwie na polach Senlac*, nadając mu majątek zdobyty na spiskującym anglosaskim thanie**.

---

* Senlac – wzgórze w pobliżu miasta Hastings w hrabstwie East Sussex w południowo-wschodniej Anglii. 14 października 1066 roku odbyła się tam bitwa, znana jako bitwa pod Hastings, pomiędzy Normanami Wilhelma Zdobywcy a pospolitym ruszeniem anglosaskim króla Harolda II. Bitwa pod Hastings zadecydowała o podboju Anglii przez Normanów – przyp. tłum.

** Than – tytuł szlachcica anglosaskiego – przyp. tłum.

– Ja też znajdę sobie dziś w nocy chętną dziewkę – rzekł Odo, kiedy ruszyli w drogę. – Bretta – służąca kuchenna wygląda na chętną, by za jedną albo dwie srebrne monety rozłożyć nogi.

– Obawiam się, że możesz nie zostać dobrze obsłużony.

– Tak, wiem o tym. Żona lepiej by mnie zadowoliła. – Uśmiechnął się, a jego popstrzona piegami twarz wydała się młodsza niż twarz trzydziestolatka. Był o rok starszy od Rala. – O ileż lepiej być witanym przez posłuszną kobietę, która grzeje łoże i daje krzepkich synów. Przysięgam, że rozejrzę się za żoną, zanim nadejdzie zima. I tobie radzę pomyśleć o tym samym.

Prawdę mówiąc, Ral już o tym myślał. Teraz, kiedy posiadał już zamek, chłopów i był jednym z najbardziej zaufanych baronów Wilhelma, przydałaby mu się pomocna dłoń. I synowie – dziedzice ziemi i majątku, który spodziewał się jeszcze pomnożyć.

Pomyślał o matce, delikatnej i opiekuńczej, posłusznej we wszystkim ojcu, sprawnie zarządzającej gospodarstwem. Kochająca matka, żona... Kobieta. Jego siostry poświęciły się mężom w równym stopniu. W kuchni wyczyniały cuda, pięknie i starannie haftowały, otaczały opieką dzieci i chorych. Dobrze służyły swoim mężom.

Wilhelm powinien wyrazić zgodę, a nawet pomóc w wyborze odpowiedniej partii. Z pomocą króla kobieta bez wątpienia okaże się posażna. *Małżeństwo... czemu nie!* Lekki uśmiech zaigrał mu koło ust. Musi się tym zająć. Lynette rozzłości się wprawdzie, lecz od samego początku świadoma była, że to kiedyś nastąpi. Poza tym małżeństwo nie powinno oznaczać większych zmian – Lynette nadal może być jego kochanką i ogrzewać mu łoże.

Ral uśmiechnął się jeszcze szerzej i przyspieszył.

* * *

Karyna dobrze znała ścieżkę w lesie, którą teraz jechali. Wiodła przez porośniętą gęsto wyżynę i jeszcze wyżej – w góry. Ścieżka prowadziła do warowni Ivesham – miejsca, w którym spędziła dzieciństwo. Teraz drewniana budowla wraz z ogrodzeniem z bali popadła w ruinę, a wuj zginął podobnie jak jej rodzice, dołączając do licznych ofiar buntu przeciwko rządom króla Wilhelma.

Karyna nie widziała zamku ani razu od dnia, w którym zabrano ją do klasztoru. W czasie gdy dochodziła do zdrowia, dotarła do niej wieść o tym, że napadnięto na Ivesham, że wuj zginął, a pozostali przy życiu nieliczni obrońcy złożyli broń. Ktoś wspomniał przy tym imię Czarnego Rycerza, lecz powiadano, że to inny okrutny rycerz zniszczył zamek. Wkrótce rozpoczęła się odbudowa zamku Braxton, i podobno już ją ukończono. Karyna nigdy dotąd go nie widziała. Tej nocy domyśliła się, że wkrótce go zobaczy, i nieprzyjemne niepożądane uczucie ścisnęło jej wnętrzności.

– Już niedaleko – rzekł burkliwy rycerz, z którym jechała. – Wkrótce się rozgrzejemy.

Rozgrzeje się nie przy ogniu, a w gorących lubieżnych łapskach jednego z ludzi Malverna. Święta Mario, wiedziała, jak to będzie wyglądało! Nigdy nie zapomni żałosnych jęków siostry, gdy brutalny Norman wtargnął między jej uda. Karyna walczyła, robiła co mogła, by powstrzymać gwałcicieli. Jeśli zajdzie taka potrzeba, pokaże, co potrafi, ale najpierw musi spróbować ich przechytrzyć.

Udawała, że przysnęła w czasie jazdy, lecz spod na wpół przymkniętych powiek czujnie obserwowała otoczenie. Jak mówił rycerz, niebawem wyrosły przed nimi kamienne mury Braxton – wysoka, masywna forteca ciemniejąca w świetle księżyca.

Lord Stephen z dwoma ludźmi pojechał przodem, by pomówić ze strażami i poprosić o nocleg, podczas gdy reszta nie mogła się już doczekać uciech dzisiejszego wieczoru i niecierpliwie wyczekiwała, aż opadnie most zwodzony.

Kiedy nareszcie padła komenda, końskie kopyta zadudniły głucho po ciężkich, dębowych balach, zdradzając wyczerpanie niemal równe temu, jakie odczuwała Karyna.

Odrętwienie, uczucie niedowierzania połączone z przejmującym chłodem, pozwoliło jej zachować przytomność. Los zgotowany dziewczętom nie był już tajemnicą. Zbyt wiele obmacujących rąk i zbyt wiele sprośnych uwag w obu językach zapowiedziało okrutny zamiar Normanów.

Podczas gdy inne dziewczęta szlochały i błagały o litość, w odpowiedzi otrzymując wulgarne ostrzeżenia i brutalne razy, Karyna pozostała milcząca i zdecydowana, że ten straszny los nie stanie się jej udziałem.

Wspięli się po drewnianych schodach na pierwsze piętro kamiennej kwadratowej wieży o boku trzydziestu metrów. Grube mury tej wieży u podstawy dochodziły do sześciu metrów. Przeszli do wielkiej sali. Była wysoka na dwie kondygnacje i zwieńczona łukowatym sklepieniem z jednej strony otwartym, by wypuszczać dym z paleniska. Salę otaczała galeria na drugim piętrze, a wielkie kamienne schody prowadziły spiralnie wysoko w górę, aż znikały gdzieś w mroku.

– Niedobrze, że lord Raolfe jeszcze nie wrócił – zwrócił się ktoś do de Montreale'a po francusku z ciężkim anglosaskim akcentem. Karyna odwróciła się w ramionach rycerza, który ją trzymał, po czym aż wstrzymała oddech na widok Richarda z Pembroke, dwudziestokilkuletniego mężczyzny o brązowych włosach, który kiedyś służył jej wujowi.

– Musisz przekazać mu nasze serdeczne dzięki za gościnę – uśmiechnął się lord Stephen, co czyniło go pociągająco przystojnym. – Moi ludzie są znużeni. Muszą się najeść i napić. Wyjedziemy natychmiast, gdy odpoczną.

– Zechcesz powiedzieć, panie, jak długo zamierzacie u nas pozostać? – zapytał Richard nieco nieuprzejmie. Nieukrywana niechęć do Stephena de Montreale nie uszła uwagi Karyny.

– Może dwa dni, najwyżej trzy. Teraz daj nam jeść i pić, a spiesz się! Wszak w Braxton nie zbywa na niczym. Chcę widzieć moich ludzi najedzonych.

– A kobiety? – Richard rzucił w ich kierunku ukradkowe, badawcze spojrzenie.

– To nie twój interes. Moim ludziom potrzeba odmiany. Te zupełnie dobrze nadają się do naszego celu.

Richard skurczył się, lecz nic więcej nie powiedział. Wycofał się, składając ukłon, gdy wtem przystanął i szeroko otworzył oczy na widok znajomej twarzy Karyny, bladej i wychudzonej. W ułamku sekundy przywrócił jednak obojętny wyraz twarzy i pospieszył w stronę kuchni. Niewiele mógł zrobić, lecz dodał Karynie nadziei i odwagi, żeby nie zemdlała.

– Zestawić razem stoły! – rozległy się wołania. – Mamy głodnych wędrowców do nakarmienia!

Po chwili miejsce, gdzie drzemała służba, zamieniło się w wielką salę przygotowaną do uczty dla ludzi lorda Stephena. Napełniono rogi piwem i wniesiono pełne tace: baranie udźce, bochny pszennego chleba, gomółki sera, zimne gotowane mięsiwa.

Burkliwy rycerz zaciągnął Karynę do jednego ze stołów i zmusił, by usiadła na ławie.

– Najedz się, dziewko, bo będzie ci dziś w nocy potrzebna siła, to ci obiecuję – zaśmiał się drwiąco i brutalnie ścisnął jej pierś.

Karyna podskoczyła, lecz nic nie powiedziała, tylko odsunęła się od niego tak daleko, jak się dało. Udając, że zabiera się do jedzenia, do czego ją zachęcał, rozejrzała się dokładnie po wielkiej sali, szukając możliwości ucieczki. Zamiast tego zobaczyła kolejną znajomą twarz, twarz, której widok ogrzał ją w środku i przyniósł nową falę nadziei. Chociaż kobieta była bardziej zgarbiona od czasu, kiedy Karyna widziała ją po raz ostatni, była to bez wątpienia Marta, mamka, która matkowała jej częściej niźli rodzona matka. Karyna długo była przekonana, że Marta nie żyje.

– Marto! – wyszeptała, a ledwo wypowiedziała to imię, zrozumiała, że kobieta już ją rozpoznała. Ostrzegawczo położyła palec na ustach. Może jednak w tym miejscu – w zamku wroga, lecz na ojczystej ziemi, nadejdzie jakaś pomoc.

Zwróciła się do swojego prześladowcy:

– Jeśli byłbyś tak łaskaw... Muszę iść do ustępu. Czy zezwolisz mi...

– Mogę ci zezwolić jedynie na ogrzanie mojego posłania, to wszystko.

– To była bardzo długa jazda, panie. Ty udawałeś się za potrzebą do lasu. Czy nie mogłabym teraz udać się za swoją?

Burknął coś niemiło, po czym poderwał ją z ławki.

– Jeśli się tam wybierasz, idę za tobą! – Uśmiechnął się szeroko, ukazując braki w uzębieniu. – Prawdę mówiąc, to może i lepiej, że oddalimy się od reszty. Może na pierwszy raz przyda ci się trochę prywatności.

Święta Matko Jezusa, cóżem ja uczyniła? Zanim zdołała wymyślić, jak go od tego odwieść, już prowadził ją korytarzem. Karyna potykała się co krok. Dochodzący zza pleców nieprzyjemny rechot i łzawe błagania dziewcząt sprawiały, że jej żołądek ścisnął się do rozmiarów małej twardej kulki.

Boże miłosierny! Dopiero za zakrętem, kiedy znikli z pola widzenia, rozległ się za nią łomot padającego ciała i chwyt ręki na ramieniu zelżał.

– Chodź, dziecinko – dobiegł ją uspokajający głos Marty. – Musimy ci znaleźć jakąś kryjówkę. – Kobieta wyszła z cienia, a Karyna z płaczem rzuciła się w jej objęcia.

– Myślałam, że nie żyjesz! – wyszeptała. – To prawdziwy dar niebios, że cię odnalazłam.

– Dar niebios będzie dopiero, jeśli zdołamy dziś ocalić twoją cnotę. Spiesz się, trzeba uciekać. – Marta poprowadziła ją w dół jednym korytarzem, a potem drugim. Przycupnęła dopiero za zasłoną w kuchni na szorstkim, wypchanym twardą trawą sienniku. Karyna uczyniła to samo.

– Musisz pozostać w ukryciu. Nie wychodź stąd, choćbyś słyszała najgorsze rzeczy.

– A co z resztą?

– Nie możemy zrobić nic więcej, jak tylko modlić się o rychły powrót lorda Rala.

– Mówisz o Braxtonie? Wierzysz, że nam pomoże?

– On nie jest taki jak inni. Nie da krzywdzić młodych niewinnych dziewcząt.

– Ależ to Norman!

– Zaklinam cię na wszystko, rób, co mówię. – Surowy wyraz twarzy starej kobiety złagodniał. – Słuchaj mnie dziś w nocy, dziecino, jak nigdy dotąd. Błagam cię, choć raz bądź posłuszna.

Karyna skinęła głową. Kiedyś zbyt często lekceważyła rady starej kobiety. Wymigiwanie się od żmudnych robótek albo wyprowadzanie w pole opiekunów zawsze ją kusiło. Tak też było tego dnia, kiedy opuściła zamek, by iść na łąkę, chociaż gdyby została wtedy w domu, jej los potoczyłby się zapewne podobnie.

Karyna zadrżała. Tej nocy rady starej Marty były wyjątkowo cenne. Musiała zostać tu, gdzie ukryła ją Marta, modlić się, by nikt nie szukał burkliwego rycerza i aby wkrótce powrócił pan zamku. Zagryzła dolną wargę. Gdyby można było pomóc innym! Chociaż splotła ręce i uklękła, była pewna, że modlitwa nie wystarczy.

* * *

Ral dostrzegł chorągiewkę sygnalizacyjną na górze kamiennej wieży nad bramą. Goście na zamku. Powinien się dowiedzieć, kim są, zanim wprowadzi ludzi do środka.

Wyprzedził wojsko, zbliżył się ostrożnie, lecz wszystko wydawało się w porządku. Strażnik przy bramie uprzedził go, że na zamku bawi z wizytą Stephen de Montreale, ale nie jak zwykle z dużą siłą wojska, lecz zaledwie z tuzinem zbrojnych.

Ral odetchnął z ulgą, po czym wrócił do Oda i pozostałych rycerzy.

– To de Montreale. Richard przyjął go na nocleg, choć gdyby miał wybór, pewnie by się na to nie zgodził.

– Do Malvern jest trzy dni drogi. Ponieważ wróciłeś, zapewne długo nie zabawią.

Ral westchnął cicho. Godzina w obecności Stephena to i tak dla niego aż nadto.

– Daj znak ludziom. Chcę, byśmy wjechali jak najciszej. – Zobaczy w ten sposób, co zamierza Malvern, zanim wszyscy zjawią się w wielkiej sali.

Odo skinął głową i ruszył wzdłuż szeregów. Po chwili po zwodzonym moście wjechali na dziedziniec, gdzie znajdowały się liczne stajnie, stodoły, komory i kwatery dla wojska. Kilku sennych paziów ruszyło na pomoc zbrojnym, podczas gdy giermkowie zajęli się swoimi rycerzami, końmi i paszą.

Ral skierował się do wielkiej sali, zadowolony, że nie zdjął jeszcze kolczugi – pięćdziesięciu funtów żelaznych łusek, które przed świtem znacznie już mu ciążyły.

W sali zamiast pijackiego rechotu i pokrzykiwań rozlegało się tylko chrapanie śpiących rycerzy. Ral przystanął cicho w zacienionym miejscu i do jego uszu dobiegło łkanie kobiety. W migotliwym świetle pochodni zatkniętych w ściennych uchwytach dostrzegł obnażone blade uda rozłożone szeroko pod podskakującymi owłosionymi pośladkami jednego z ludzi Malverna. Kobieta nie była stąd. Richard nigdy nie naraziłby się na gniew swojego pana i nie pozwolił na skrzywdzenie którejkolwiek zamkowej dziewki.

To Stephen zadbał o uciechę dla swoich ludzi, oby go piekło pochłonęło!

– Panie, to ja, Marta. – Stara kobieta wyłoniła się z ciemności. Wyprowadziło go z równowagi to, że poruszała się bezszelestnie. – Chciałabym z tobą pomówić, panie.

– Nie widzisz, że dość mam zmartwienia z Malvernem pod moim dachem?

– Właśnie o nim chcę mówić. To szakal, nie człowiek. – Usta Marty wykrzywiły się w wyrazie pogardy.

– Te kobiety... One nie są ze wsi?

– Nie. Malvern przywiózł je ze sobą. Te dziewczęta dopiero co dorosły. To nowicjuszki z klasztoru. Malvern je stamtąd uprowadził.

Dłonie Rala zacisnęły się w pięści. Oto czyn, którego można się było spodziewać po człowieku takim jak Stephen.

– Powinienem im pomóc, jednak niczego nie mogę uczynić. Malvern cieszy się łaskami króla. Ma większą władzę niż ja. Mój powrót może jedynie skłonić go do szybszego wyjazdu, to wszystko.

– Panie, ale...

Szamotanina w sali przykuła ich uwagę.

– A, nareszcie ją znaleźliście! – przepity głos Stephena rozbrzmiał gromkim echem. – Dawać ją tutaj!

– Schowała się w korytarzu. Przebrała się, suka, za pomywaczkę, ale to nikogo nie zmyli. Mało która ma takie wielkie, brązowe oczy i gęste, kasztanowe włosy. Jest powabniejsza od reszty, to pewne.

Kiedy wysoki rycerz zawlókł dziewkę bliżej światła, Marta jęknęła:

– To lady Karyna.

Malvern zarechotał, kiedy ścisnął dziewczynę za ramię.

– Myślałaś, że uda ci się przed nami uciec?

– Pomogła też innym – odezwał się rycerz i przyciągnął ją bliżej do siebie. – Jeszcze dwie się zawieruszyły, panie.

Stephen się zaśmiał.

– Ma dziewka odwagę, ale przekona się, że przechytrzyła samą siebie. – Wstał i odwiązał sobie nogawice. – Osobiście ją napocznę. – Sięgnął do jej tuniki, chwycił za krawędź materiału i rozdarł do pasa.

– Puść mnie! – wrzeszczała dziewczyna i szarpnęła się, by się wyrwać. Stephen objął ją jednak w pasie i mocno przycisnął do siebie. Zadarł jej spódnicę i naciągnął na ramiona.

Nadal kryjąc się w cieniu, Marta złapała Rala za ramię.

– Błagam cię, panie! Lady Karyna jest córką starego thana.

– Harolda?

– Nie, jego brata Edmunda. On był tu panem jeszcze wcześniej.

Wydawało się, że Ral nie słyszy słów starej kobiety. Jego oczy spoczęły na dziewczynie. Była smukła, lecz nie krucha, o dojrzałych, w pełni kobiecych kształtach. Nie przypominał sobie dokładnie co, ale rozpoznawał w niej coś znajomego.

– Uspokój się – rzekł Stephen i ujął ją za podbródek. – Umiem napocząć nietkniętą dziewczękę. Ulegnij mi, a zrobię to powoli. – Uśmiechnął się złowrogo. – Walcz ze mną, a rozerwę cię na strzępy. – Unieruchomił ją w mocnym uścisku i rozwiązał wstążkę przytrzymującą ciężkie kasztanowe włosy. Zanurzył palce w ich lśniącej gęstwinie i rozłożył wokół ramion.

Gdy Ral to zobaczył, rozproszone obrazy ułożyły mu się w całość. Nagle zrozumiał, kim jest nieznajoma.

– O Chryste! – jęknął. – To ona. – Tę twarz pamiętał aż nazbyt dobrze sprzed trzech lat. Wynurzył się z cienia i wyszedł prosto na środek sali. Za nim otworzyły się ciężkie dębowe drzwi i grupa jego ludzi weszła do środka.

Malvern zaśmiewał się z daremnej walki toczonej przez dziewczynę. Przechylił ją do tyłu na ramieniu i zaczął ściskać jej piersi. Były pełne i wysokie, co zauważył Ral, i natychmiast poczuł napięcie w lędźwiach. W niczym nie przypominały maleńkich jabłuszek, które widział tamtego dnia na łące. Rysy dziewczyny też się zmieniły, policzki się wygładziły i stały pełniejsze, a usta płonęły ciemną purpurą. Nie była już podlotkiem, którego poznał. Nic nie mogło wymazać z jego pamięci jej twarzy i twarzy jej pięknej kruczowłosej siostry.

– Stój, Stephenie! – zawołał Ral, zmierzając prosto ku niemu z chrzęstem kolczugi i brzękiem ostróg.

– O... Braxton. Nareszcie w domu! Mógłbym powiedzieć, że rad cię widzę, ale obaj wiemy, że to nieprawda.

– Ofiarowałem ci gościnę. To nie mniej, niż oczekiwałbym od ciebie. Masz dość kobiet, by pofolgować swojej chuci. Proszę cię, byś tę zostawił.

Stephen przerwał zabawianie się z Karyną. W jego jasnobłękitnych oczach pojawiły się złe błyski.

– Te kobiety dają wsparcie wrogowi. Zabrałem je w imieniu króla. – Drobna dziewczyna podniosła rozdartą tunikę i zasłoniła drżącą ręką piersi. – Ta ogrzeje moje łoże dziś w nocy. Należy do mnie, a obaj wiemy, że nie wypuszczam z garści swojej własności.

– Masz inne do uciechy.

– Ta jedna ma w sobie ogień. – Wsunął palce w jej włosy połyskujące ciemną purpurą i złotem i odciągnął jej głowę do tyłu. – Chcę widzieć, jak pode mną rozkłada nogi. Jest moja.

– Nigdy! – jęknęła dziewczyna i szarpnęła się. – Nie należę do żadnego mężczyzny.

Ral zacisnął szczęki. Spoglądał to na twarz dziewczyny, to na Stephena, którego ludzie zbliżyli się, otaczając go kręgiem z rękami na rękojeściach mieczy. Za sobą usłyszał kroki swoich ludzi.

– Oboje się mylicie – rzekł. – Dziewczyna należy do mnie!

Malvern brutalnie ją odepchnął.

– Ośmielasz się ze mną spierać? – Porwał się na nogi z ręką na mieczu.

– Dziewka jest moja. To córka starego anglosaskiego thana. – Rzucił w jej kierunku ostrzegawcze spojrzenie. – Karyna z Ivesham jest moją narzeczoną. – Uśmiechnął się do niej, lecz nie odwzajemniła spojrzenia. – Prawda, moja miła?

Rozdział 3

Karyna zachwiała się, jakby otrzymała cios. Czarny Rycerz jej narzeczonym? Nigdy! Nie zapomniała go, nigdy nie zapomni jego zimnych, błękitnoszarych oczu, stanowczego zarysu szczęki i gęstych czarnych włosów. Ciężkie pukle były teraz nawet dłuższe, nie przycięte tak, jak u większości Normanów, ale spływały po karku na kolczugę. Święta Mario, chyba stracił rozum!

Przyjrzała mu się dokładniej, starając się pokonać swoje obawy i odczytała ostrzeżenie czające się w jego spojrzeniu. Był przystojny, czego wcześniej nie zauważyła, lecz w zupełnie inny sposób niż lord Stephen. Miał prosty nos, piękny krój ust, jedynie szczęka była odrobinę zbyt kanciasta, a mocno zarysowane kości policzkowe nadawały mu surowy wygląd. Był masywny i długonogi. Miał szeroką pierś, mocny kark i potężnie umięśnione ramiona.

– Czyż nie? – powtórzył z błyskiem wyraźnego ostrzeżenia w oczach. Jeśli zaprzeczy, lord Stephen i jego ludzie zgwałcą ją tak jak inne.

Z trudem przełknęła ślinę i popatrzyła na wysokiego ciemnego rycerza, który górował nad nią jak wieża. Nie zapomniała tego, co on i jego pobratymcy zrobili jej siostrze. Jeszcze teraz zobaczyła tam jego twarz wśród innych, choć obraz zamazywał się i przywoływał strach, gniew i ból. Nie pamiętała, jaką wtedy odegrał rolę, wiedziała jednak, że na pewno tam był.

To nikczemnik, taki sam jak Malvern.

Z drugiej strony trzeba grać na zwłokę. Nie ma wyboru. Starając się powstrzymać drżenie pod ciężarem uważnego spojrzenia, powiedziała: – Tak, panie, to prawda.

Cienkie jasne brwi Malverna połączyły się nad płonącymi furią oczami. Wiedział, że Czarny Rycerz kłamie, lecz kłamstwo to było skuteczne. Policzki zapłonęły mu z gniewu. Rozciągnął twarz w szerokim uśmiechu, szczerząc zęby. Wyglądał jak niosący śmierć drapieżnik, którym w istocie był.

Jego ręka zsunęła się z miecza.

– Gdybym to wiedział, zostawiłbym ją w klasztorze. Może to jednak błogosławieństwo. – Uśmiechnął się złośliwie. – Wiedząc, jak ociągałeś się dotąd z ożenkiem, mogę odczuwać tylko radość, że chcesz uczynić to teraz. Co jeszcze powiesz, Ralu? Zaplanowałeś już wesele?

– Czekam na wieści od króla. Kiedy otrzymam jego błogosławieństwo i roześlę gońców z zaproszeniem na wesele, sprawa będzie zakończona. – Zwrócił się do Karyny. – Co z twoją siostrą? Czy ona także jest w tej sali?

– Gweneth jest bezpieczna w klasztorze. *Z dala od ciebie i reszty tych ścierw, dzięki Ci, błogosławiona Dziewico!*

Wielki rycerz chciał jeszcze coś powiedzieć, lecz jego wzrok powędrował ku schodom, skąd dobiegały odgłosy poruszenia. Z góry zuchwale patrzyła na mężczyzn kobieta w lawendowej tunice.

– Cóż takiego rzekłeś, mój panie? Czy dobrze słyszę? – Była jasnowłosa o jasnej karnacji, gibka i pełna wdzięku. Usta jednak miała zaciśnięte, a w zielonych oczach nie było ani śladu łagodności. – Z pewnością uszy mnie zawiodły.

Szczęka Czarnego Rycerza zacisnęła się mocno.

– To nie twoja sprawa, Lynette. Wracaj do swojej komnaty.

– Och, złotowłosa Lynette – powiedział Stephen. – Nie spodziewałem się, że cię tu zobaczę.

– Nie pozwolę na to, Ralu! To prawda – niczego mi nie obiecywałeś, ale ja na to i tak nie pozwolę!

– A ja powiedziałem, że masz stąd zaraz iść! Jeszcze jedno słowo, a poczujesz siłę mojej ręki!

Przez chwilę zdawało się, że Lynette nadal będzie się z nim spierać. Tymczasem złość znikła z jej twarzy i rozjaśnił ją przymilny uśmiech.

– Wybacz mi, panie. To dlatego, że tęskniłam za tobą przez tych kilka długich dni. Czekam na ciebie w sypialni, by dać ci rozkosz, panie.

Karyna spoglądała to na Czarnego Rycerza, to na wysoką, jasnowłosą dziewczynę. Bez wątpienia była to jego konkubina. Jeśli miał konkubinę, zastanawiała się Karyna, czego właściwie mógł chcieć od niej?

– Zatem nareszcie lord Braxton weźmie sobie żonę. – Usta Malverna wygięły się ironicznie. – Osobiście opowiem Wilhelmowi, jak bardzo ci spieszno do żeniaczki. Z błogosławieństwem króla może będziecie mogli sobie ślubować już za dwa tygodnie. Co ty na to, Ralu? Nie cieszysz się?

Psi syn, przeklął w duchu Ral, zły, że znalazł się w tej sytuacji, i wiedząc, że Stephen cieszy się za każdym razem, kiedy może mu dopiec. Jego zachowanie zostało podyktowane poczuciem winy.

Zawiódł czarnowłosą dziewczynę. Tak słodką i niewinną, że zasługiwała na jego obronę. On jednak nie zadbał o jej bezpieczeństwo. Chciał naprawić swój błąd w jedyny sposób, jaki mu przyszedł do głowy – przez ocalenie młodszej siostry, słodkiego nieziemskiego zjawiska.

– Rad jestem niezmiernie. – Mógł wyzwać de Montreale'a na pojedynek, i był pewien zwycięstwa. Przelałby jednak bratnią krew, za co król kazałby mu słono zapłacić. Ojciec Stephena i Wilhelm byli dobrymi przyjaciółmi. Rala bez wątpienia pozbawiono by ziemi i tytułu – wszystkiego, na co tak ciężko zapracował.

– Wilhelm rad przystanie na ten związek – rzekł Ral. – Chce mieć w swoim lennie ziemie na północy. Z dziećmi ze związków normańsko-anglosaskich będzie to łatwiejsze. – Ral zmusił się do uśmiechu. – Spocząć w łożu z tą szlachetną dziewczyną to obowiązek, na który trudno się doczekać.

Małżeństwo było jedynym rozwiązaniem jego problemu. Był tego świadom od chwili, kiedy się wtrącił. Skoro Stephen zrozumiał, że Ral podjął się jej obrony, dziewczyna nie była bezpieczna nigdzie poza murami zamku.

Malvern rozbierał dziewczynę oczami, jakby jeszcze należała do niego.

– Ta przyjemność może przypaść mi w udziale, jeżeli okaże się, że twoje słowa nie są prawdą – ostrzegł. Przeszedł blisko niej i od niechcenia musnął jej pierś. Ral zesztywniał na taką obrazę.

– Zostaw, Stephenie. Nawet król nie poprze cię w tym przypadku. – Można było przypuszczać, że naprawdę wyraził już zgodę na to małżeństwo.

Malvern uśmiechnął się do dziewczyny.

– Wybacz mi, pani, jeśli dopuściłem się obrazy względem ciebie. Zmyliły mnie twoje proste szaty. – Przeniósł wzrok na Rala. – Szczerze radzę, byś odział ją stosownie do jej urodzenia. Każdy może powtórzyć moją pomyłkę.

Ral udał, że nie słyszy drwiny.

– Moi ludzie są zmęczeni. Muszę zadbać, by zostali nakarmieni i udali się na spoczynek, zanim zacznie świtać. – Sięgnął po rękę Karyny, sztywną i chłodną, ścisnął mocno i pociągnął ją za sobą. – Do jutra, Stephenie.

Karyna powstrzymała chęć ucieczki i pozwoliła Normanowi zaprowadzić się na schody. Zamknął drzwi, gdy tylko znaleźli się w sypialni. Karyna natychmiast rzuciła się na niego.

– Straciłaś rozum? – Wielki mężczyzna stanął przed nią z surowym wyrazem twarzy. W świetle pochodni kruczoczarne włosy połyskiwały gdzieniegdzie, a szare oczy lśniły ogniem. – Zważywszy na to, co cię spotkało, może i tak jest.

– Dlaczego to robisz? Co spodziewasz się zyskać? Czy naprawdę wierzysz, że cię poślubię?

Czarny Rycerz zesztywniał.

– Spodziewam się, że uczynisz to, co będzie trzeba, żeby ocalić skórę.

– Nigdy nie poślubię Normana, zwłaszcza tak okrutnego jak ty. Jesteście wszyscy mordercami! Wszyscy bez wyjątku rabujecie i zabijacie, podpalacie nam domy i pola!

– To prawda, co mówisz. Po obu stronach dokonano niemało haniebnych czynów. Wszystko w imię wojny. Byłoby lepiej, gdyby większość z tego, co się tu działo, odeszło w przeszłość.

– Jesteś Normanem. Czas nie wymaże nienawiści, którą do ciebie żywię. Myślisz, że nie widziałam, co się dziś wieczorem tu wydarzyło? Moje towarzyszki pobito, wzięto siłą. Na Matkę Przenajświętszą, zabrano je z poświęconej ziemi, spod opieki Kościoła!

– Mówisz o czynach Malverna, nie moich. Gdybym mógł pomóc, pomógłbym. Nie mogłem.

– Dlaczego? Boisz się go?

– Boję się króla. Wilhelm jest moim suzerenem. Złożyłem mu przysięgę na wierność. A Stephen jest człowiekiem króla.

– A ty nie?

– Malvern posiada ogromną fortunę. Jego ojciec jest jednym z najbliższych przyjaciół Wilhelma. Nie w mojej mocy mu się przeciwstawić.

– Jesteś zatem nie tylko tchórzem, ale i lizusem.

Uczynił groźny krok w jej kierunku.

– Pozwoliłem ci, byś szczerze powiedziała, co ci leży na sercu. Ostrzegam cię jednak, pani, naucz się powściągać ostry język. Żaden mąż nie ośmieliłby się tak mnie nazwać. Dziewce tym bardziej na to nie pozwolę.

Mówił poważnie. Szerokie, czarne brwi ściągnęły się w gniewnym wyrazie, a usta zacisnęły się groźnie.

– Jeżeli zamierzałaś złożyć śluby zakonne, jest za późno. Śluby mogą coś znaczyć dla mnie, lecz nie dla Kościoła. Jeśli mi odmówisz, Stephen wykorzysta pierwszą okazję, kiedy choćby jedną stopę postawisz poza murami tej twierdzy.

– Nigdy nie chciałam pędzić żywota zakonnicy. Prawdę mówiąc, nie przychodzi mi do głowy nic bardziej odpychającego, niż tkwić latami w tej samej wilgotnej celi. – Uniosła podbródek. – Może poza małżeństwem z tobą.

– Ja też nie planowałem tego związku. Jesteś jeszcze dziewczęciem. Gdybym miał wybór, poślubiłbym dojrzałą kobietę, w pełni kształtów. – Karyna najeżyła się. – Nie masz posagu. Nie wniesiesz do tego związku niczego poza tymi szmatami, które masz na grzbiecie. Ale jest już za późno, żeby się wycofać.

– Nie jest za późno. Nie możesz mnie zmusić, a ja nie wyrażę zgody. – Odwróciła się do niego plecami i podeszła do wąskiego otworu w ścianie, który służył za okno.

Nie podobało jej się, jak jego oczy przywarły do fragmentów odsłoniętego ciała. To było spojrzenie, od którego ścisnęło ją w dołku. Było surowe, brutalne i nawet bardziej pożądliwe niż wzrok lorda Stephena i była w nim... pewność. Jakby już oceniał jej przydatność do obowiązków małżeńskiego łoża.

– Jeżeli odmówisz – rzekł – Malvern uczyni cię swoją nałożnicą. A kiedy już się tobą nasyci, zacznie się dzielić z towarzyszami. Jak to będzie wyglądało, przekonałaś się dziś wieczór.

Będzie bita i zmuszana, może stać się ofiarą gwałtu albo nawet morderstwa. Karyna zadrżała pod naporem jego wzburzonego wzroku.

– To dlaczego... Skoro taka ze mnie marna partia, dlaczego mnie chcesz?

Poruszył masywnymi ramionami, aż zagrały mięśnie.

– Jestem ci to winien. To, co zdarzyło się tamtego dnia, na łące... nie powinno było się wydarzyć. Gdybym mógł, zmieniłbym przeszłość. Ponieważ nie mogę, przynajmniej zapewnię ci bezpieczeństwo.

A zatem olbrzymi brutal miał sumienie. Tak bardzo przeklinała zło wyrządzane przez niego i jemu podobnych, że zaskoczyła ją ulga, którą poczuła na tę myśl. Równie dziwne było to, że nie budził w niej lęku. W każdym razie nie tak jak Malvern.

– Dlaczego mam uwierzyć, że z tobą będzie mi lepiej?

– Będziesz moją żoną.

Żona. Nad tym słowem nader rzadko się zastanawiała, będąc w klasztorze. Z całą pewnością nie był to stan, którego by sobie życzyła. Nade wszystko ceniła sobie wolność. Teraz tęskniła za nią tak samo mocno jak każdego dnia przez ostatnie trzy lata. A może nawet jeszcze bardziej. Pragnęła żyć samodzielnie, nie należeć do żadnego mężczyzny, doświadczać świata i jego wszystkich cudów. Obrała niełatwą drogę, lecz zawsze wierzyła, że znajdzie sposób, aby to osiągnąć.

Potrzebowała czasu. Czasu na zaplanowanie ucieczki. Zmusiła się do uśmiechu, ale myśl o tym już formowała się gdzieś w zakątkach jej umysłu.

– Może masz słuszność, mój panie. Dla przeszłości nie ma miejsca w teraźniejszości. Poza tym zdaje się, że nie mam innego wyjścia. Jeśli zechcesz mnie poślubić, powiem „tak". – Matko Boska, słowa te niemal ugrzęzły jej w gardle.

– Mam na imię Ral.

Ral Bezlitosny. Czarny Rycerz. Nigdy by nie zgadła, że to on zostanie panem zamku Braxton.

– A mnie zwą Karyna.

– Tak też powiedziała mi twoja mamka, Marta. Dobrze ci się przysłużyła tego wieczoru i odtąd pozostanie w twojej służbie. – Podszedł do drzwi i otworzył, wołając służbę. Zjawiła się Marta.

– Pokaż pani jej komnatę. – Mimo że słowa te skierowane były do Marty, mówił je odwrócony do Karyny. Jego chłodne, szaroniebieskie oczy jakby straciły swój chłód, kiedy przesuwały się po jej kształtach. – W wiosce jest krawiec. Mijaliśmy go po drodze. Wyślij rano posłańca, niech się tu zjawi ze swoim warsztatem. Chcę ujrzeć panią odzianą jak przystoi.

Karyna chciała zaprotestować i powiedzieć, że niczego nie weźmie od normańskiego łotra, powstrzymała się jednak w samą porę. Zamiast tego zerknęła na ścianę, na której wisiała tarcza, a obok skórzany kołczan wypełniony strzałami. Wielki czarny smok na krwistoczerwonym tle. Karyna zadrżała.

Kiedy spojrzała w twarz Czarnego Rycerza, dostrzegła, że wciąż się jej przygląda. Nie odrywał wzroku od jej falujących piersi. Czuła się tak, jakby ich dotykał, lecz nie w szorstki, brutalny sposób, jak czynił to Malvern, lecz delikatnie, pieszczotliwie, muskając niczym piórko.

– Nie schodź na dół, póki Stephen nie wyjedzie – ostrzegł, kiedy skierowała się w stronę drzwi.

Karyna zatrzymała się i odwróciła, by spojrzeć w przystojną twarz.

– Na pewno nic mi już nie grozi?

– Nie, *ma petite.* Jeśli chcesz wejść do mojego łoża nietknięta, musisz zrobić dokładnie to, co mówię.

Karyna oblała się purpurą. Nie chciała w ogóle wchodzić do jego łoża, lecz nie ośmieliłaby się mu tego powiedzieć.

– Twoja wola, panie. – Schowała się za Martą, po czym obie pospiesznie opuściły komnatę.

* * *

Ral popatrzył na małe dłonie dziewczyny ściskające rąbek tuniki i na jej gęste, ciemnokasztanowe włosy wijące się do pasa. Nie była błękitnooką pięknością jak jej siostra, lecz miała miłą powierzchowność. Rozkwitła, zamieniając się w pociągającą młodą kobietę. Ze swoim delikatnym prostym nosem, pięknie zarysowanymi łukami brwi i namiętnymi rubinowymi ustami mogła rozpalić pożądanie w lędźwiach niejednego mężczyzny. W jej brązowych, otoczonych gęstymi rzęsami oczach palił się żar, którego próżno by szukać u starszej siostry.

Usłyszał odgłos zamykanych dębowych drzwi i uspokoił się, że bezpiecznie dotarła do swojej komnaty. Walczyła ze Stephenem, nie uroniwszy jednej łzy, świetnie poradziła sobie z samym Ralem, po czym przyjęła swój los z dumnie podniesionym czołem. Będzie mu posłuszna, dowiodła już tego.

I wniesie trochę żaru do jego łoża.

Choć Ralowi jego męskość twardniała na samą myśl o tym, to nie dawała mu spokoju lekka obawa. Nigdy dotąd nie wziął do łoża istoty tak kruchej i drobnej. Do tej pory zawsze starał się tego unikać. Był wielki, dwa razy większy od Karyny. Był także mężczyzną o wielkiej żądzy i zamierzał spłodzić dużych, silnych synów. Czy jej kruche kobiece ciało zdoła go przyjąć? Czy będzie mogła urodzić jego dzieci?

Jakkolwiek wyglądała prawda, odwrotu już nie było. Wkrótce się pobiorą, a ona znajdzie się pod nim. Jego podniecenie rosło, stwardniał na myśl o wejściu w jej ciało, o rozrzuconych jasnych udach i lśniących włosach płonących wokół jej twarzy niczym rozgrzewający ogień.

Ral potrząsnął głową, próbując odegnać tę wizję. Zbyt długo nie miał kobiety. Wymamrotał pod nosem przekleństwo. Lynette będzie w podłym nastroju po tym, co usłyszała w sali. Noc u niej nie przyniesie mu ulgi. Jutro rano też będzie jeszcze za wcześnie, by oznajmić jej, że będzie musiała wyprowadzić się na czas wesela, i przekonać ją, że po weselu niczego między nimi nie trzeba będzie zmieniać.

Może to odpowiedź na kłopoty z kasztanowłosą dziewczyną. Zdobyć się na delikatność, by nie uczynić jej krzywdy, póki nie zajdzie w ciążę, a potem odstawić i zwrócić się ku kochance. Znajdował upodobanie w wyczynach miłosnych z kobietami równie pożądliwymi jak on. Karyna może i ma temperament, lecz za każdym razem, gdy będzie ją brał, będzie musiał uważać, by czynić to delikatnie.

Westchnął i zaczął spacerować po sypialni. Dobrowolnie nie wybrałby sobie takiej żony jak ta dziewczyna, lecz danego słowa nie sposób cofnąć. Dając jej nazwisko, zapewni bezpieczeństwo jej, a tym samym także jej siostrze. Poza tym potrzebna mu była na dworze kobieca ręka. Ta nadawała się do tego tak samo dobrze jak każda inna. Dziewczyna wkrótce się nauczy, gdzie jest jej miejsce.

Ral nie mógł powstrzymać uśmiechu. Wyszedł z sypialni, by zawołać giermka do pomocy w zdjęciu ciężkiej kolczugi.

* * *

Stephen de Montreale opuścił zamek po dwóch dniach, przyrzekając powrócić na wesele lorda Braxton. Po raz pierwszy życiu Karyna uczyniła to, co jej kazano, i pozostała w swojej sypialni. Obawiała się zalotów Malverna i potrzebowała czasu, by zaplanować ucieczkę.

Nim minął tydzień, przedzierzgnęła się w damę, którą nie była od czasu, gdy wymknęła się z zamku Ivesham. Lord nakazał przygotowanie jej garderoby składającej się z drogich szat. Sprzeciwić się oznaczało przyznać się, że nie zamierza ich nosić i że wkrótce wyjedzie.

Włożyła zieloną aksamitną tunikę i haftowany złotą nicią pas na białą lnianą koszulę, po czym po raz pierwszy od wielu dni opuściła swoją komnatę i zeszła na dół.

– Lady Karyno – powitał ją Ral, podnosząc się, gdy do niego podeszła. – Już najwyższy czas, byś do nas dołączyła. – Ubrany w tunikę z granatowego aksamitu podkreślającą jego szerokie ramiona lord uczynił zapraszający gest, by zasiadła przy nim na drewnianej, bogato rzeźbionej ławie.

– Z radością, panie. – Niemal udławiła się tymi słowami, mając nadzieję, że Braxton tego nie zauważył. – Nie mogłam się doczekać. – Dostrzegła w jego spojrzeniu podejrzliwość.

– Podczas naszej ostatniej rozmowy wyglądało na to, że moje towarzystwo nie sprawia ci przyjemności – odparł. – Cieszę się, że teraz zmieniłaś zdanie.

Nie zmieniłam, pomyślała, lecz odpowiedziała lekkim uśmiechem.

– A jakież inne wyjście ma biedna dziewczyna, taka jak ja? Ślub z wielkim, normańskim rycerzem to marzenie niejednej. Wstyd mi, że z początku nie chciałam przyjąć tak szlachetnej propozycji. Uczynię wszystko, by okazać się jej godną.

Lord Raolfe milczał, przypatrując się jej uważnie swoimi bystrymi, szarymi oczami. – Zatem teraz starasz się za wszelką cenę mnie zadowolić.

– Naturalnie, mój panie.

– Jakie to szczęście, że wybrałem sobie taką słodką, układną kobietę na żonę. – Uśmiechnął się, bardziej chytrze niż przyjaźnie. – Skoro jesteś chętna, by sprawić mi przyjemność, chciałbym prosić, żebyś coś dla mnie uczyniła.

– Cóż takiego, panie?

– Chętnie dostałbym całusa.

– Co takiego?!

– Całusa od narzeczonej. Pocałunek, który przypieczętowałby nasz związek. To na pewno nie za wiele od tak wdzięcznej istoty.

– Możesz pocałować mnie – *w tyłek, ty normańska świnio* – w... rękę, lordzie Ralu. To musi wystarczyć nam do ślubu.

– Twoja ręka, tak? – Ujął jej drobne palce w swoje duże dłonie i podniósł do ust. Poczuła na skórze usta – mocne i zaskakująco gorące, ale też delikatne i pociągające w sposób, którego się nie spodziewała. Stojąc, próbowała uwolnić rękę, lecz nieoczekiwanie pociągnął ją do siebie i znalazła się na jego kolanach.

– Prawdziwy pocałunek, pani, będzie znacznie bardziej stosowny w tych okolicznościach. – Otworzyła usta, by zaoponować, lecz on odwrócił jej twarz i zasłonił jej usta swoimi.

Wargi miał twarde i delikatne zarazem. Gorący oddech mężczyzny przesiąknięty aromatem wina. Jej zmysły poddane zostały nieznanym dotąd wrażeniom, w brzuchu poczuła ciepło. Jego język wtargnął do jej ust, wyzwalając uczucie gniewu, lecz z drugiej strony gorąco wzmagało się. Z jej gardła wydostał się zduszony dźwięk.

Karyna wyrwała się, cała drżąc i czując się dziwnie wytrącona z równowagi. Zamachnęła się, zamierzając go spoliczkować. Złapał jej rękę w pół drogi i unieruchomił. Zauważyła, że jest równie rozgniewany jak ona.

– Jaką prowadzisz ze mną grę? – Wstał i odstawił ją na bok. – Myślisz, że nie czuję jadu, jakim jest podszyte każde twoje słodkie słówko? Chcę, żebyś pogodziła się z tym, że się pobieramy, a tymczasem ty masz wymalowane na twarzy, że tak nie jest. Nie rób ze mnie głupca, *chèrie*. Nie jestem człowiekiem, który dobrze znosi kłamstwa.

Zatem ten diabeł o czarnym sercu przejrzał ją na wylot. Nigdy nie nauczyła się dobrze kłamać, a on nie był człowiekiem, którego łatwo można wyprowadzić w pole.

– Skoro chcesz usłyszeć prawdę, wiedz, że istotnie nie życzę sobie tego małżeństwa. Skoro Malvern już wyjechał, chcę cię prosić, byś mnie zwolnił z obietnicy.

– Wysłałem posła do Wilhelma. Pewien jestem, że lada dzień nadejdzie zgoda od króla. Twoja prośba przychodzi zbyt późno, nawet gdybym był skłonny przychylić się do niej – a tego nie mam zamiaru uczynić.

– Nie możesz mnie zmusić do małżeństwa.

– Nie mogę? – Ze złości zadrgały mu nozdrza, wyglądał na rozjuszonego. – Wydaje ci się, że kobieta nie większa od dziecka może mi się sprzeciwić?

– Ja... ja wierzę, że dostrzeżesz swoją pomyłkę. To pewne, że nie jestem kobietą, z którą chciałbyś spędzić życie. Sam to powiedziałeś. Ożeń się z tą złotowłosą, którą zwiesz Lynette. Ona jest bardziej w twoim guście.

– Ty, ognista mała bestio, jesteś wystarczająco w moim guście.

– Nie oddam ci swojej ręki.

Przyciągnął ją do siebie.

– Oddasz. Jeśli nadal będziesz odmawiać, zaciągnę cię siłą do łoża i pozbawię dziewictwa. Tak głęboko wpuszczę swoje nasienie, żeby na pewno zapuściło korzenie, a wtedy nie będziesz miała innego wyjścia, jak przyjąć rolę mojej żony.

– Przeklęty ludojad! Czy nie dość zadałeś mi bólu? Musisz zadawać więcej i więcej?

Na te słowa złagodniało normańskie, twarde spojrzenie. Ral musnął jej podbródek końcami palców.

– Słuchaj uważnie, *chèrie.* Robię to, co najlepsze dla ciebie i dla twojej siostry. Niechroniona moim nazwiskiem prędzej czy później skończysz w łożu Malverna. On nie spocznie, póki nie dopnie swego. Uczynić może też gorsze rzeczy. Nie masz dokąd pójść, nie ma miejsca, gdzie byłabyś bezpieczna.

– Proszę tylko o wolność. To wszystko, czego pragnęłam od dnia, w którym znalazłam się w klasztorze. Wszystko, czego pragnęłam od zawsze.

– Kobieta nie może być wolna. Przez całe życie należy do mężczyzny, który jest jej panem. W dzieciństwie był to twój ojciec. Jeśli teraz nie byłbym to ja, byłby to Wilhelm albo ktoś inny. Zrób, co każę. Poddaj się i przyjmij swój los.

– Obyś sczezł w piekle!

Ral ścisnął ją za ramię.

– Byłem dotąd cierpliwy, Karyno. Jeśli jednak nadal będziesz tak się do mnie odzywać, poczujesz, jak ciężką mam rękę. – Popchnął ją na ławę i przysunął na pół wypełnioną tacę. – Jedz. Potrzebna ci siła.

Karyna spojrzała oszołomionym wzrokiem na tacę i na ciemną brodę ze śladami pieczonej baraniny i rosołu. Paź napełnił winem puchar i Karyna pociągnęła łyk dla uspokojenia. Czarny Rycerz rzucił jej ostatnie ostrzegawcze spojrzenie, po czym nie zwracał już na nią uwagi. Przez chwilę poczuła gniew, że jej obecność znaczy dla niego tak niewiele, po czym powróciła do postawionego przed nią posiłku.

Siedzący obok lord Raolfe zajął się rozmową ze swoimi ludźmi, z zapałem rozprawiając o grupie rzezimieszków, którzy zapewne kryli się w pobliskich lasach.

Karyna zaczęła przysłuchiwać się uważniej. Musieli to być angielscy powstańcy. Norman i jego ludzie planowali atak. Zamierzali wyjechać o poranku, skierować się do Baylorn, gdzie, jak niosła wieść, banda rozbiła jakiś czas temu obóz. Ci ludzie byli jej pobratymcami. Gdyby tylko mogła im pomóc.

Właściwie to nic trudnego. W zamku roiło się od anglosaskiej służby. Gdyby wysłać którąś z kuchennych do wsi, na pewno ktoś tam będzie wiedział, jak ostrzec powstańców. Pomyślała, żeby porozmawiać najpierw z Martą, po czym się rozmyśliła. Stara kobieta była zbyt lojalna wobec normańskiego pana. Poza tym nie pochwaliłaby tego. Karyna poradzi sobie bez niej. Płynie w niej anglosaska krew i musi uczynić to, co należy.

Zjadła jeszcze trochę, po czym poprosiła lorda Braxton o pozwolenie, by się oddalić. Jedna bitwa dziennie wystarczy. Poza tym miała na głowie ważniejsze sprawy. Starała się nie wychodzić z sali zbyt pospiesznie.

* * *

Ral wyprostował się na swoim czarnym rumaku i dłonie w skórzanych rękawicach zacisnął w pięści. Wokół niego leżały bezładnie rozrzucone pozostałości po obozowisku bandy. Polana w ognisku jeszcze dobrze nie ostygły.

– To pewne, że ruszyli stąd w pośpiechu – rzekł Odo. – Gdyby dowiedzieli się wcześniej, że tu jedziemy, nie pozostawiliby najmniejszego znaku. Zazwyczaj nie zostawiają śladów.

– Wyślij Geoffreya i dziesięciu najlepszych jeźdźców. Niech sprawdzą, czy trop jest na tyle świeży, by warto było jechać za nimi.

– Nie zostawiają śladów, rozpływają się w powietrzu. Wiesz to równie dobrze jak ja. Od samego początku tak robią.

– Przeklęci rozbójnicy. Mordują i rabują, a wciąż znajdują się angielscy głupcy gotowi ich ostrzec.

– Większość życzy im śmierci. Poza tym nikt nie znał naszych planów. Tylko, ci, którzy byli w sali. A spośród nich jedynie Richard i twoja narzeczona rozumieją naszą mowę.

Ral pilnował się, by używać wyłącznie normańskiego, kiedy planowali atak. Richard nie zbliżał się do nich na tyle, by słyszeć, poza tym nienawidził tych rozbójników niemal tak samo jak Ral, ale dziewczyna... Nie, przy swojej niechęci na pewno nie posunęłaby się do takiej zdrady. Lękałaby się jego gniewu. Drżałaby ze strachu na myśl, co by się stało, gdyby wyszło na jaw, że miała swój udział w ucieczce rzezimieszków.

Próbował przywołać obraz dziewczyny kulącej się ze strachu, ale zamiast tego zobaczył ją prychającą z nienawiści niczym zapędzona w kąt kotka. Wiedział już, kto jest tym anglosaskim zdrajcą.

– To dziewka! – zaryczał, spiął Szatana ostrogami i szarpnął wodze. – Dajmy sobie spokój z pościgiem. Wytropimy ich kiedy indziej.

A tymczasem należy zająć się dziewczyną. Mała awanturnica pozna wkrótce cenę swojej głupoty.

Rozdział 4

Karyna dostrzegła wściekłość wielkiego Normana, już kiedy zmierzał przez salę w stronę kamiennych stopni. Lord Raolfe zrzucił kolczugę, lecz nadal miał na sobie skórzany kaftan. Jego twarz wyrażała furię. Energicznie stawiał długie kroki, mięśnie jego ramion były napięte, a dłonie zwinięte w pięści.

Słodka Błogosławiona Dziewico! Jakim cudem tak szybko ją przejrzał? Z miejsca na galerii widziała, że dał Richardowi polecenie, by mu nie przeszkadzano, po czym ruszył po schodach na górę. Karyna odwróciła się i skoczyła w stronę swojej komnaty. Sądząc, że zdoła się w niej schronić, zanim Ral ją dopadnie, stanowczo go nie doceniła.

– Puść mnie! – krzyknęła na cały głos, gdy chwycił ją wpół i podniósł z podłogi. Otworzył drzwi kopniakiem i wniósł ją do środka, po czym zatrzasnął drzwi za sobą. Postawił ją brutalnie na podłodze przed sobą.

– To twoja sprawka! To ty ostrzegłaś rozbójników?

– Ja... ja nie wiem, o co ci chodzi...

– Nie wiesz? Wierutne kłamstwo!

Karyna dumnie uniosła podbródek. Z mocno bijącym sercem czekała, co jeszcze powie. Święta

Mario, co on uczyni? Starała się, by jej głos brzmiał spokojnie, lecz ręce drżały. Ukryła je w fałdach tuniki.

– Wybacz mi, panie, jeśli uczyniłam coś, co sprawiło ci przykrość.

Na twarzy Rala malowała się wściekłość, a oczy przybrały kolor otaczających ich kamiennych ścian. Ścisnął ją za ramiona, niemal unosząc z podłogi, a szczęki zacisnęły mu się tak mocno, że z trudem przemówił.

– Uczyniłaś o wiele więcej niż przykrość, o czym świetnie wiesz! Dlaczego to zrobiłaś? Dlaczego?

Karyna z trudem przełknęła ślinę. Nie było odwrotu i nie powinna tchórzyć. Uniosła dumnie głowę i spojrzała mu prosto w oczy.

– Ponieważ płynie we mnie anglosaska krew. Ponieważ jestem winna swoim braciom lojalność. To mój lud, który walczy w słusznej sprawie!

– Ty mały głuptasie! – Ral puścił ją tak nieoczekiwanie, że aż się zachwiała. Upadłaby niechybnie, gdyby jej nie podtrzymał. – Ci ludzie to nie powstańcy. To mordercy i rabusie. Zbóje wypędzeni z miast. Zabijają Anglosasów na równi z Normanami, a może nawet częściej.

– Co takiego?!

– Czyżbyś nie wiedziała? No, myślę, że mogłaś nie wiedzieć, będąc zamknięta przez trzy lata w klasztorze.

– Nie! To nie może być prawda.

– Nie? Zapytaj wieśniaków. Sami przyszli do mnie, błagając o obronę. To dla ich dobra, nie tylko dla swojego, ścigam tych bandytów.

– Ci ludzie to nie powstańcy? Nie okłamujesz mnie?

Oczy Rala uważnie badały wyraz jej oczu. Musiały dostrzec w nich narastające przerażenie, gdyż wściekłość nieco go opuściła.

– Ich hersztem jest człowiek, którego zwą Ferret. Morderca i rabuś, zbój najbardziej okrutny ze wszystkich, jakich znam. Jego imię budzi podobny strach zarówno wśród Normanów, jak i Anglosasów.

Dolna warga Karyny zadrżała. Słodki Boże, cóż najlepszego uczyniła?

– Nie sądziłam... Nigdy bym się nie ważyła. – Wyprostowała się. – To za mało powiedzieć, że jest mi przykro. Gdybym wiedziała to, co teraz wiem, nic takiego by się nie wydarzyło.

– Gdybyś wiedziała... – powtórzył i przeczesał palcami kręcone gęste włosy. – A nie bałaś się, że każę cię wychłostać? Nie bałaś się o siebie?

Zaskoczona tym tonem Karyna przyjrzała się uważnie jego twarzy.

– Następstwa były dla mnie bez znaczenia. Wierzyłam, że to mój lud. Czułam, że moją powinnością jest pomóc im. – Odważnie odparła jego surowe spojrzenie. – Mówiąc szczerze, sądziłam, że nie odkryjesz tego.

– Tylko ty i Richard mówicie moim językiem.

Karyna ścisnęła mocno jego ramię.

– Nic nie zrobisz Richardowi, obiecaj! Jest niewinny. Twój zarządca nie miał w tym żadnego udziału.

– Martwisz się zatem o Richarda, a nie o siebie? – Chrząknął. – Richard z Pembroke przysiągł mi wierność. Nie uwierzę, że zdradził. Ty sama dopuściłaś się tego czynu, i tylko ty zasługujesz na karę. Jak mam cię ukarać?

– Ty... ty mnie o to pytasz?

Kąciki jego ust drgnęły.
– Jeżeli kara, którą wybierzesz, nie wyda mi się odpowiednia, bądź pewna, że sam zdecyduję.
Karyna gryzła dolną wargę. Chłosty – kary okrutnej i ciężkiej, nie mogła wybrać.
– W klasztorze matka Teresa kazała mi zeskrobywać brud z podłogi patykiem. – Spojrzała na Rala spod spuszczonych rzęs. – Nie poszłam na mszę. Był ładny dzień i...
– To jasne, co przeskrobałaś. Przekonałem się już, że nie słuchasz poleceń.
– Nie będzie mi miło, jeśli każesz mnie wychłostać, panie.
– Nie przypuszczałem, że ci będzie miło. I chociaż pewnie w to nie uwierzysz, mnie także nie będzie to w smak.
– Może powinnam przez jakiś czas nie dostawać jedzenia? To będzie stosowna kara, jako że zbójcy pozbawiają swe ofiary pożywienia.
Potrząsnął głową.
– Wolałbym, żebyś miała trochę ciała. Lubię pod sobą krągłe i miękkie kobiety.
Karyna zaczerwieniła się po czubek głowy. Wlepiła wzrok w podłogę, studiując uważnie szparę między deskami.
– Mogę pracować w kuchni.
– Wkrótce będziesz moją żoną. Nie życzę sobie, by mówiono, że poślubiłem kuchtę.
Nie zważając na to niemiłe przypomnienie, miała już poddać następny pomysł, on jednak uniósł rękę i ją uciszył.
– Do końca tygodnia zostaniesz w swojej komnacie, a przez dwa tygodnie nie wyjdziesz poza zamek. – Wyglądała na porażoną. – Znając ciebie i wiedząc, że nie znałaś prawdy o Ferrecie, sądzę,

że kara ta jest dostatecznie surowa za przewinienie, którego się dopuściłaś.

Rozejrzała się w popłochu, przyjrzała szarym ścianom, po raz pierwszy widząc, jak mała jest jej sypialnia i jak ciasny w gruncie rzeczy jest cały zamek.

– Słodki Jezu – rzekła schrypniętym głosem. – Wolę raczej chłostę.

Ral zacisnął usta.

– Może następnym razem najpierw się zastanowisz, zanim coś uczynisz. Jesteś tu nowa. Dostałaś lekką karę, ale pamiętaj, że nie toleruję nielojalności. Pamiętaj, Karyno. – Powiedziawszy to, wyszedł z komnaty.

– Zbiłeś ją? – spytał Odo, gdy Ral wszedł na podest. – Szkoda, bo to taka kruszyna. Modliłem się, żebyś jej nie okaleczył na stałe.

– Myślała, że to powstańcy. Przez ostatnie trzy lata żyła w zamknięciu, nic nie wiedząc o świecie. Rozkazałem jej pozostać w komnacie.

Odo rozdziawił usta ze zdumienia.

– Ja tu się martwię, że ją zabijesz, a ty każesz jej tylko zostać w komnacie? To do ciebie niepodobne.

– Niepodobne do mnie jest uczynić krzywdę kobiecie, a zwłaszcza tak kruchej, która niewiele większa jest od dziecka.

– Dziecko? Kiedy na nią patrzysz, widzisz dziecko? Ja widzę pełną temperamentu drobną dziewkę, której potrzeba twardej męskiej ręki. Kogoś, kto będzie ją dobrze ujeżdżał i nauczy, gdzie jest jej miejsce. Gdyby nie była twoja, sam z przyjemnością bym się tym zajął.

Ral poczuł ukłucie gniewu, którego nigdy by się nie spodziewał. On i Odo byli przez wiele lat najlepszymi przyjaciółmi. Ten człowiek nigdy nie sięgnąłby po jego własność, a mimo to jego uwaga rozzłościła Rala.

– Jest moja i sam nauczę ją posłuszeństwa.

– A ja nie będę jej ufać. Ty też powinieneś być ostrożny.

– Możesz być pewien, że będę – potaknął Ral. – Kiedy już złoży małżeńską przysięgę i wejdzie do mego łoża, musi dochować mi wierności. Dopóki to nie nastąpi, jest Anglosaską. Trudno rozsądzić, komu powinna być wierna.

– Mnie się wydaje, że ta dziewka cię omotała. Gdyby to była Lynette, nie oszczędziłbyś jej chłosty – parsknął Odo.

– Lynette w ogóle nie stać na takie zachowanie. Troszczy się tylko o siebie, jest samolubna. Nie trzymałbym jej tutaj, gdybym nie miał z niej pociechy w łożu.

– Nie pozwól, by ta mała zawładnęła twoim sercem, *mon ami*. To niebezpieczne, gdy kobieta posiądzie tego rodzaju władzę.

Ral się najeżył.

– Bredzisz jak ostatni głupiec – syknął. – Jeszcze się taka nie urodziła, która by tego dokonała. Widziałem, jak wiele zła może to wyrządzić. Widziałem mężów doprowadzonych do stanu nie do pomyślenia dla trzeźwego umysłu. – Ral pomyślał o Stephenie de Montreale i przeszył go chłód.

– W rzeczy samej, święte słowa – przytaknął Odo. Wzrokiem jednak wyraźnie błagał przyjaciela o ostrożność. Ral nie mógł zlekceważyć ostrzeżenia.

* * *

– Nie martw się, dziecino. Już jutro będziesz mogła chodzić po całym zamku. – Marta przeszła skromnie urządzoną sypialnię, gdzie jej pani siedziała na skraju łoża bawiąc się palcami.

Prócz ciężkiego żelaznego zydla, dębowego stołu, na którym stała na wpół wypalona świeca i taca z mizernymi resztkami duszonej porcji mięsa, paleniska z wygasłymi polanami po płonącym każdego wieczoru ogniu, komnata była zupełnie pusta.

– To jednak nadal więzienie. Chciałabym zobaczyć słońce, usłyszeć śpiew ptaków.

– Masz szczęście, że cię nie wychłostał.

– To gorsze od bicia.

Marta uśmiechnęła się, rada, że już wkrótce dziewczyna będzie umilać swoją obecnością wielką salę.

– Możesz popracować nad swoim haftem. Sama dobrze wiesz, że należy to i owo w nim poprawić.

– To dziecko zawsze sprawiało mnóstwo kłopotów. Nawet trzy lata w klasztorze nie mogły tego zmienić. Lekkomyślna, nieodpowiedzialna marzycielka. Mimo to pełna słodyczy i zdolna do troskliwości i czułości.

– Chyba pamiętasz, jak tego nie znoszę!

– Wiem, że wolisz uganiać się po łąkach i lasach, przyglądać się owadom i studiować wzór kory na drzewach. Wiem, żeś gotowa marnować całe godziny w chłopskiej chacie i uczyć się, jak się uprawia rośliny i jak się bronuje. Uwierz mi, dziecino, że to strata czasu. O wiele lepiej by było, gdybyś poświęciła się nauce, jak zadowolić męża.

– Nie chcę żadnego męża.

– Wolałabyś zostać w klasztorze? – spytała z niesmakiem Marta.

– Wiesz, że nie.

Marta pokręciła głową. Biedna lady Anna dokładała wszelkich starań, by chronić córkę, która ustawicznie dostarczała rozczarowań ojcu. Kiedy lady umarła w czasie zarazy, Karyna nie miała jeszcze siedmiu lat. Zamiast wymierzać nieposłusznej córce baty, czego tak obawiała się jej matka, ojciec Karyny w ogóle nie zauważał jej istnienia. Dorastała dziko i stawała się coraz bardziej nieposłuszna – niezależna, jak określała to jej ukochana matka. Zawsze jednak było to dziecko dobre i czułe, chętne do pomocy, a nade wszystko chętne do nauki.

– Mówiłam ci już, że lord Ral jest inny niż reszta. – Marta zmierzyła wzrokiem dziewczynę, oceniając jej rozkwitłą niedawno urodę. Nie była tak piękna jak Gweneth, przynajmniej nie w taki nieziemski sposób. Tamta miała kruczoczarne włosy i była wdzięcznym stworzeniem, które natychmiast potrafiło zaskarbić sobie serca wszystkich, którzy ją znali. Karyna zaś z kasztanową burzą lśniących włosów, wielkimi brązowymi oczami otoczonymi złocistobrązowymi rzęsami i dorodnymi kobiecymi kształtami kierowała myśli każdego bez wyjątku mężczyzny ku uciechom łoża i chęci zdobycia jej na zawsze.

– Nie jest inny. To Norman – spierała się Karyna.

– Chce cię pojąć za żonę. Który Norman by tak postąpił? Czyni to, by cię bronić.

– Raczej żeby uciszyć sumienie.

– Opowiedziałaś mi, o tym co zdarzyło się na łące. Powiedziałaś, jak obeszli się z wami zbrojni Stephena... jak zgwałcili twoją siostrę. Mówiłam ci, że czasami mężczyźni nie są sobą. Żądza krwi przejmuje nad nimi władzę... Walka i zabijanie... Śmierć. Widziałam to i wśród naszych. Tak nie powinno być, ale tak jest. Nie powinnaś była tam chodzić, ale poszłaś. Jeśli życzeniem lorda jest to naprawić, twoim chrześcijańskim obowiązkiem jest na to zezwolić.

– Poprzez parzenie się z nim? – Usta Karyny zacisnęły się w wąską kreskę.

– Poprzez zaszczyt zostania jego małżonką. Jeśli nie chcesz myśleć o sobie, myśl, ile dobrego będziesz mogła uczynić dla ludzi. Jako Anglosaska i żona normańskiego lorda będziesz miała prawo ujmować się za swym ludem. Z czasem, pomału, może będziesz mogła poprawić nasz los.

Karyna rozważała te słowa. Nie przyszło jej wcześniej do głowy, że mogłaby w ten sposób przysłużyć się swoim braciom. Być żoną jednego z baronów Wilhelma to przede wszystkim ogrom obowiązków. Trzeba prowadzić gospodarstwo na zamku, pilnować plonów i spichlerzy, ubrań, leków, zaopatrzenia – nie wspominając o wieśniakach. Już od samego myślenia o tym Karynę bolała głowa.

– Nie poślubię go.

– Nie widzisz, że to twoje przeznaczenie? Od pierwszego spotkania wasze ścieżki się splotły. To na pewno jest ci pisane.

– To, co mi jest pisane, to moja wola, a nie wola jakiegoś normańskiego strażnika. – Karyna ześlizgnęła się z łoża i podeszła do okna. Przesunęła na bok cienką taflę z rogu, która wpuszczała do środka światło, lecz chroniła przed chłodnym powietrzem z zewnątrz.

– Zostaw mnie, Marto. Jakiś czas muszę pobyć sama.

Marta podeszła do drzwi, lecz zatrzymała się w nich jeszcze na chwilę.

– Posłuchaj mnie dobrze, dziecino. Lord Ral nie jest człowiekiem, z którym można igrać. Nie będzie ci pobłażał. Nie waż się nawet próbować.

Karyna nie odezwała się, czekając, aż ciężkie dębowe drzwi zamkną się na dobre. Jutro będzie mogła zejść do sali, co jeszcze nic jej nie da. Musi dostać się na dziedziniec, by zdobyć konia i zapasy na drogę. Jak tylko zdoła to uczynić, ruszy w drogę.

Popatrzyła tęsknym wzrokiem na pola, świeżo zaorane i gotowe do siewu. Widziała dachy wiejskich chałup. Poniżej okna, na dziedzińcu, wielkie szare psy, które często wałęsały się w sali, zapędziły kota do kopy siana.

Jakże pragnęła być tam razem z nimi, a jeszcze bardziej pędzić na grzbiecie małego białego kucyka, jakiego kiedyś miała, przez łąki i lasy. Już wkrótce będzie znów wolna.

* * *

Karyna wyszła z sypialni wczesnym rankiem. Lord Raolfe wychodził właśnie z kaplicy, niewielkiego pomieszczenia wydzielonego z wielkiej sali ścianą, w którą wstawiono wąskie witraże. Towarzyszył mu przysadzisty ksiądz, którego Karyna nigdy wcześniej nie widziała.

– Lady Karyno! – zawołał głębokim i schrypniętym głosem Ral. Sam ten dźwięk złościł Karynę. – Jest tu ktoś, z kim chciałbym cię poznać.

Zamkowa załoga skończyła właśnie poranny posiłek składający się z chleba i piwa i opuszczała salę, aby udać się na dziedziniec na ćwiczenia bojowe.

– Jeśli taka twoja wola, panie – przykleiła uśmiech do twarzy i ruszyła w jego kierunku.

Górujący nad niskim księżulem Ral wydawał się jeszcze większy niż wtedy, kiedy wpadł do jej komnaty, gdy ostatni raz się widzieli. Większy i – w tunice haftowanej ciemnym fioletem, który podkreślał czerń jego włosów – jeszcze przystojniejszy.

Złość zawrzała w niej jeszcze mocniej, gdy to zauważyła, chociaż mogłaby przysiąc, że to nieprawda. Czuła na sobie przenikliwy wzrok szarobłękitnych oczu, kiedy szła ku niemu ubrana w nową rdzawą tunikę nałożoną na kremową koszulę. Jego wzrok zdawał się nabierać ciepła, w miarę jak z uznaniem oceniał nowy ubiór, po czym spoczął na jej twarzy.

– Dobrze dobrałaś sobie szaty. Mam nadzieję, że przypadły ci do gustu.

Wyglądał bardzo pociągająco – gładka ciemna cera, miękka linia pełnych ust, czarne gęste brwi nad niezwykłymi oczami. Zobaczyła, że się uśmiecha, i mimowolnie przypomniała sobie żar, który wzniecił w niej swoim pocałunkiem.

– Ubrania są piękne. Jestem ci bardzo wdzięczna, panie.

– Karyno, to ojciec Burton. Wrócił do nas z opactwa Świętego Marka. Ojcze, oto Karyna z Ivesham, moja narzeczona.

Po twoim trupie, pomyślała, lecz zdobyła się na uśmiech.

– Witaj, ojcze.

– Teraz, kiedy ojciec Burton jest już znowu na zamku – rzekł Ral z ledwo dostrzegalną ostrzegawczą nutą w głosie – msza będzie się odprawiać w kaplicy każdego ranka.

Karyna lekko skinęła głową. Nie miała nic przeciwko mszy. Kościół odgrywał w jej życiu ważną rolę i na swój sposób była pobożna. Jednak wolała modlić się własnymi słowami, płynącymi z głębi serca, rozmawiać z Bogiem wtedy, kiedy czuła taką potrzebę, niż tracić na mszę godzinę, podczas gdy w tym czasie mogła się tyle dowiedzieć o świecie.

– Miałam o to zapytać – powiedziała tylko.

– Przerwałaś już post? – spytał Ral. – Jest chleb i piwo, może nawet znajdzie się dla ciebie kawałek sera, jeśli jesteś głodna.

– Zaczekam do południa. – Na dźwięk otwieranych drzwi rozejrzała się i dostrzegła wpadający przez nie promień słońca. Westchnęła smutno, kiedy drzwi się zamknęły, odgradzając ją od światła.

– Spałaś dobrze? – spytał Ral, kiedy ksiądz wygłosił pożegnanie i oddalił się.

– Nie.

– To dobrze, powinnaś mieć wyrzuty sumienia.

Pomyślała o rozbójnikach, którym tak nierozważnie pomogła, więc nie mogła się z tym nie zgodzić.

– Też tak sądzę.

Zmarszczył się na ten pozbawiony życia nastrój.

– Może łyk świeżego powietrza doda ci ducha?

Karyna nagrodziła ten pomysł szczerym uśmiechem, ożywiona myślą o spędzeniu choćby chwili poza murami.

– Tak, panie. Nawet krótka przechadzka bardzo by mi pomogła.

– Wyjdę z tobą na chwilę. Wrócisz do zamku, kiedy rozkażę.

Serce Karyny zabiło niespokojnie. Dziki normański rycerz będzie jej towarzyszył. Jęknęła w duchu na myśl o tym, że spędzi jakiś czas w jego obecności. Po chwili jednak ponury nastrój się ulotnił. W końcu nie ma to żadnego znaczenia. Ral oprowadzi ją po dziedzińcu, a ona przyjrzy się okolicy i znajdzie drogę, by się stąd wydostać. Jeśli musi się pogodzić z obecnością ponurego Normana, to się pogodzi. To w końcu niezbyt wysoka cena.

* * *

Ral ujął ją pod ramię i poczuł jak się napina pod jego dotykiem. Poprowadził ją przez ciężkie frontowe drzwi. Małą dziewkę łatwo było przejrzeć. Nie znosiła go, winiąc go za to, co spotkało jej siostrę. Jednak i tak ją poślubi. Z czasem ją oswoi. Poradzi sobie z jej nieposkromionym duchem, sprawi, że złagodnieje i dobrowolnie pójdzie z nim do łoża.

Przyglądał się jej pociągającym krągłościom, pełnym piersiom skrytym pod tuniką. Była nieduża, lecz zgrabna, o wiele ładniejsza, niż zdawała się na początku. *Cóż to będzie za przyjemność, demoiselle* – pomyślał, czując, że w okolicach przyrodzenia robi się twardy. – *To będzie zaiste wielka przyjemność.*

Zeszli po drewnianych schodach na wilgotną, ubitą ziemię dziedzińca i minęli grupy jego ludzi. Rycerze, giermkowie i paziowie, wszyscy zbrojni zgromadzili się tutaj w pełnym bojowym rynsztunku i ćwiczyli z zapałem, jak tego oczekiwał ich pan. Ral wymagał od swoich ludzi ustawicznej gotowości. Chciał jak najlepiej przygotować giermków do chwili, kiedy będą mogli zostać rycerzami. Chciał, by paziowie byli znakomitymi giermkami.

– Witaj, panie – odezwał się Odo, zdejmując hełm i z chrzęstem kolczugi podszedł bliżej. Błękitne oczy błyszczały spod ogniście rudej czupryny przyciętej wedle normańskiej mody – wysoko wygolonej na karku z pozostawioną długą grzywką opadającą na czoło. Ral nie przepadał za tą modą.

– Pani. – Odo skłonił się i badawczo przyjrzał dziewczynie wspartej na ramieniu Rala, a następnie rzucił mu spojrzenie pełne przygany za to, co uważał za oznakę słabości – zwolnienie od kary.

Ral uśmiechnął się w duchu. Odo nie miał powodu do zmartwienia – dziewka zaraz znajdzie się i to szybciej, niż się spodziewa. Będzie wdzięczna za jego dobroć, a to krok w urzeczywistnieniu planu, by zaczęła jeść mu z ręki.

– Piękny mamy dziś dzień, prawda? – zwrócił się do Karyny Odo.

– Tak. Cudowne wytchnienie od chłodu kamiennych ścian. – Karyna spojrzała na błękitne niebo, na którym zbierały się pojedyncze chmury. – Chociaż wygląda na to, że wkrótce może nadejść burza.

Ralowi podobał się dźwięk jej głosu – pozornie pełen słodyczy i dźwięczny, zabarwiony jednak nutą pewnej zmysłowości. Tej, która czaiła się w łukach jej krągłych bioder ukrytych pod rdzawą tuniką, i której cień dostrzegał w długich, splecionych w warkocz włosach. Zmysłowość igrała w pełnych ustach, kiedy się uśmiechała, i w sposobie, w jaki jej długie rzęsy zasłaniały aksamitnie brązowe oczy, gdy próbowała ukryć swoje prawdziwe myśli.

– Jak idą ćwiczenia? – spytał Ral i zmarszczył się, widząc, że najmłodszy z rycerzy, Geoffrey, otrzymał cios w ramię, bo nie odparował w porę, zapatrzony w stronę Karyny.

– Całkiem dobrze. Paru stało się zbyt pewnych siebie. Dobrze by im zrobiło, gdybyś ich nauczył pokory.

– Jutro jedziemy na polowanie. Pojutrze zaś przyłączę się do ćwiczeń. Sakiewka srebra dla tego z dziesięciu przeciwników, który mnie powali.

– Lepiej po sztuce srebra dla każdego, kto spróbuje i przegra – zaśmiał się Odo. – Będą musieli opłacić medyka.

Ral zawtórował śmiechem.

– Jako że nie mamy tu teraz dość dobrego, postaram się nie kaleczyć ich zbyt mocno.

– Zmierzysz się z dziesięcioma naraz? – spytała Karyna, patrząc na Rala ze zdumieniem. – Z całą pewnością jesteś mocny w rycerskiej sztuce, lecz dziesięciu...

– Będę walczył z jednym naraz, *chèrie*. To nie takie trudne.

– To nie... co? Wynika z tego, że słońce w Normandii musi grzać znacznie mocniej niż tutaj, bo pewne jest, że zagotowało ci umysł.

Brwi Rala wystrzeliły do góry, a Odo wybuchnął serdecznym śmiechem.

– Dziesięciu dla twojego pana znaczy tyle co nic. Nader często byłem świadkiem takich zmagań, pani. Może należy ci zezwolić, byś popatrzyła. Co o tym myślisz, Ralu?

– Myślę, że lepiej, jeśli spędzi dzień w zamku. Następnym razem wyjdzie tutaj już jako moja żona.

– Co takiego?!

– Otrzymałeś odpowiedź od króla? – spytał Odo.

– Posłaniec przybył dziś rano. Król Wilhelm śle swoje błogosławieństwo i nalega, by z uwagi na okoliczności małżeństwo zostało zawarte jak najszybciej. Wydał specjalne zezwolenie. Wesele ma się odbyć za sześć dni.

Król wydał zgodę na małżeństwo, odmówił za to ziem między Braxton a Malvern, ziem, których Ral tak rozpaczliwie potrzebował.

– Wie on dobrze, równie dobrze jak ty, jak złe jest serce Stephena. Wie też, niestety, że przyznanie tego otwarcie nie przysłuży się jego interesom.

Ral kiwnął tylko głową, zmagając się w myślach z goryczą nieoczekiwanej odmowy króla. Dlaczego? Obawiał się, że stoi za tym Malvern.

Przy jego boku stała Karyna, wprost kipiąc ze złości. Przerzuciła przez ramię gruby kasztanowy warkocz.

– Chętnie zatem zobaczę resztę tego, co wkrótce będę zwać swoim domem – powiedziała z przekąsem. – Choć lepiej by było obejrzeć mury tego, co wkrótce stanie się moim więzieniem.

Ral zacisnął zęby. Dziewka nie zamierzała się poddać. Nie szkodzi. Ich los został przypieczętowany przez króla i ta mała uparciucha nie zmieni tego. Teraz nawet on nie jest w stanie niczego zmienić. Ani nawet Stephen.

Ral wymamrotał przekleństwo pod nosem, niespodziewanie wytrącony z równowagi brakiem wdzięczności ze strony Karyny. Zacisnął zęby, łapiąc ją za ramię. Dziewka już wkrótce okaże swoją wdzięczność – kiedy jej drobne, ale wspaniałe ciało rozciągnie się pod nim.

– Chodź – zakomenderował, szorstko ciągnąc ją za sobą. – Tracimy czas. Przejdziemy się, a potem wrócisz do dworu.

* * *

Idąc u boku wysokiego, muskularnego Normana, Karyna powstrzymywała złość, zdecydowana przejąć nad nią kontrolę, uspokoić wroga i przywrócić mu dobry nastrój. To nie była dobra chwila na konfrontację. Nie chciała wzmagać jego wściekłości ani też budzić podejrzeń – zwłaszcza że miała bardzo mało czasu.

Dusząc w sobie kwaśny humor, uśmiechnęła się do niego promiennie, aż się rozpogodził. Słuchała z uwagą, kiedy prowadził ją przez dziedziniec, spichrze, stajnie, piece chlebowe, zbrojownię i kuźnie, rozprawiając o wykonanej przez siebie pracy i o udoskonaleniach, jakie dopiero ma zamiar wprowadzić.

– Któregoś dnia będę miał wieże po obu bokach bramy, z których kierować się będzie mostem zwodzonym, a może też dużą kaplicę z wejściem z dziedzińca. Chciałbym, żeby rozwinęło się tu miasto. Braxton leży na skrzyżowaniu głównych traktów. To wymarzone miejsce na handel i rzemiosło.

W głosie jego słychać było dumę i Karyna nie mogła mieć o to urazy. Zamek Braxton i okalające go potężne mury znacznie przewyższały świetnością drewnianą konstrukcję z niewielkim dziedzińcem, która kiedyś zwała się zamkiem Ivesham.

– Wygląda na to, że wielkie masz ambicje, mój panie. Nie spodziewałam się tego po tobie.

– Zmęczyła mnie już ustawiczna wojna. Chciałbym więc uczynić tyle, ile mogę dla miejsca, które stało się teraz moim domem.

Było to odważne wyznanie jak na człowieka jego pokroju. Karyna poczuła lekki podziw. Nie miała jednak najmniejszej ochoty stać się częścią planów Czarnego Rycerza.

W miarę jak jej wszystko pokazywał, rozmawiał ze zbrojnymi i sługami, Karyna rozglądała się pilnie, żeby zaplanować, gdzie zdobyć zaopatrzenie na drogę i inne potrzebne do ucieczki rzeczy. Szczęśliwie do czasu powrotu do dworu miała już ułożony plan.

Rzeczywiście była to udana przechadzka. Bowiem w krótkim czasie, kiedy razem przemierzali dziedziniec, zdarzyło się coś jeszcze.

Kiedy niezadowolenie Rala minęło i uśmiechnął się do niej ponownie, Karyna spostrzegła, że bez przymusu odpowiada uśmiechem, a nawet śmiechem i rumieni się przy jego pochlebnych uwagach. Ilekroć potężna ręka pana muskała jej ramię albo kiedy pomagał jej przejść przez przeszkodę, na jej skórze pojawiała się gęsia skórka.

Obok kołowrotów, które podnosiły i opuszczały most zwodzony, pochwycił ją wpół, by podtrzymać, kiedy obok przegalopował jeden z wielkich wierzchowców. Poczuła łaskotanie w żołądku.

Błogosławiona Mario! Uczucia, które wzbudzał, były bardzo niebezpieczne. Znała ten rodzaj mężczyzn, do których należał, pamiętała, że brał udział w tym, co spotkało jej siostrę, a mimo to...

Niemniej najważniejsze było to, że mogła wyjść, i teraz już wiedziała, jak poradzić sobie z ucieczką. Po powrocie Braxtona i jego wojska do zamku czujność załogi w widoczny sposób osłabła. Żaden z napotkanych strażników nie wyglądał na poinformowanego o nałożonej na nią karze, a jutrzejszego dnia, jak usłyszała, Ral wybierał się na polowanie.

Jej plan był prosty. Ubierze się w strój do konnej jazdy, każe któremuś z paziów osiodłać niewielkiego siwka, którego upatrzyła sobie w stajni, i powie, że musi jechać do wsi i wkrótce wróci.

Tymczasem weźmie dwa srebrne lichtarze, które rozpoznała jako pochodzące z grabieży Ivesham, i jeden z wysadzanych drogimi kamieniami pucharów, które należały do jej ojca. Opuści zamek i skieruje się do Willingham, najbliższego miasta, gdzie sprzeda zabrane przedmioty – odzyskane, poprawiła się w myśli – i po prostu stąd odjedzie. Sługa, by zostać wolnym człowiekiem, musi uniknąć schwytania przez rok i jeden dzień. Z pewnością dla kobiety, która tak jak sługa jest własnością swojego pana, zasada jest podobna.

Co dalej uczyni ze swoją wolnością, pozostawało niewiadomą, lecz możliwości wydawały jej się nieskończone. W miastach były karczmy i gospody, po drogach wędrowały grupy aktorów, trubadurów i kupców. Na pewno znajdzie się ktoś, komu przyda się pomoc.

Karyna uśmiechnęła się, a jej serce zabiło mocniej na myśl o wolności. Pomyśleć tylko, ile będzie mogła się nauczyć, ile przygód przeżyć! I te wszystkie miejsca, które zobaczy, cuda świata za murami zamku. Jutro będzie gotowa.

Nim nadszedł wieczór, Karyna mogłaby przysiąc, że jutro będzie wolna.

Rozdział 5

Ral otworzył drzwi do wielkiej sali i wkroczył do wnętrza. Na ramieniu siedział mu Cezar – brunatny nakrapiany sokół. Porywisty wiatr wpadał przez otwarte drzwi za nim. Słońce zasłoniły ciemne chmury. Mimo to cieszył go dzień spędzony poza murami.

– Jak udały się łowy, *sir*? – Zbliżył się do niego Richard. Był to człowiek tak wierny i bystry, że Ral czuł wdzięczność za to, że ma go u siebie. – Wróciłeś wcześniej, niż się spodziewaliśmy.

– Zabawa była przednia. – Ral pogładził dużego brunatnego ptaka. Przyuczył do polowania wielkiego samca, co było o tyle niezwykłe, że zazwyczaj do łowów używano większych samic tego gatunku. – Na kolację będą duszone zające, a jutro będziemy zajadać się pieczonym dzikiem.

– A ptak dobrze już przyuczony?

Ral pogładził dłonią w rękawicy nastroszone piórka. Przyniesienie ptaka do gwarnej sali było częścią oswajania sokoła.

– Cezar to najlepszy myśliwy, jakiego kiedykolwiek miałem. Śmigły i piękny. To prawdziwa przyjemność widzieć go przy pracy.

– Też chciałbym to zobaczyć, panie.

– Chciałbyś? Obiecuję zatem, że wezmę cię na następne łowy.

Richard na chwilę rozpromienił się, ale zaraz spochmurniał. Był to wysoki, szczupły, lecz muskularny mężczyzna o miłym uśmiechu i orzechowych oczach.

– Jest tyle pracy na miejscu. Nie mam zbyt dużo czasu na rozrywki.

Ral pokiwał głową.

– To prawda, lecz wkrótce będziesz miał pomoc. Zapomniałeś, że się żenię.

– Lady Karyna? Nie sądzisz chyba, panie, że pokieruje pracami na zamku?

– Potrzebuję pani na zamku. Teraz te obowiązki wypełniasz ty, ale przecież masz jeszcze swoje zajęcia. Myślałem, że będziesz wdzięczny.

Richard przybrał układną minę.

– Oczywiście, panie. Przepraszam najmocniej, nie chciałem cię urazić.

– Nikt się nie obraził, przyjacielu. – Ral rozejrzał się po sali. – A gdzie jest nasza *lady*?

– Sądzę, że w swojej komnacie. Cały dzień zajęty byłem przy rachunkach, nie widziałem jej od rana.

Ral zmarszczył brwi.

– W komnacie? To niepodobna. Ta dziewczyna nie usiedzi długo w klatce. – Pomyślał w tym momencie, że przypomina ptaka, którego wciąż miał na ramieniu. Na początku stworzenie walczyło o wolność. Pomału Ral przyzwyczaił je do siebie i usidlił. Z dziewczyną zrobi tak samo.

Nie zważając na prowadzone wokół rozmowy, na mężczyzn poklepujących się nawzajem po ramionach i głośno rozprawiających o udanych łowach, Ral wszedł na górę. Przeszukał komnaty Karyny, lecz tak jak się spodziewał, były puste. Udał się na poszukiwanie Marty. Znalazł ją w drzwiach do głównej sypialni.

– Gdzie twoja pani? Chciałbym z nią pomówić.

Pytanie wprawiło Martę w zakłopotanie.

– Ja, ja... nie widziałam jej, panie. Na pewno przechadza się gdzieś po zamku. Nudzi się i nie śpi dobrze. Nawet jako dziecko wiecznie gdzieś przepadała.

– Zakazałem jej stąd wychodzić. Na pewno nie ośmieliłaby się nie posłuchać.

Marta zwilżyła usta.

– Moja pani nigdy nie okazuje nieposłuszeństwa. Czasami tylko daje się skusić jak dziecko słodyczami. Gdybyś ją znał lepiej, wiedziałbyś, że nigdy nie ma złych zamiarów.

– Dziewka nie jest przecież głupia. Musi nauczyć się zasad, które obowiązują wszystkich innych. Każ służbie ją znaleźć i przyprowadzić do mnie.

Marta splotła w błagalnym geście stare, spracowane ręce.

– Rzekłeś, że może swobodnie chodzić po zamku. Błagam cię, panie, nie...

– Niepotrzebnie się boisz, kobieto. Życzę sobie tylko zamienić z nią słowo o weselu.

Marta skłoniła się, lecz nie wyglądała na uspokojoną. Ral wrócił na dół, by napić się wina, pewien, że słudzy wnet ją znajdą. Minęła jednak godzina, a zadanie nie zostało wykonane.

– Wygląda na to, że *lady* nie ma wśród nas, panie. – Bretta, jasnowłosa, pulchna służąca, na którą często Ral miewał chętkę, stanęła przy jego boku. Jej głos, który dawniej rozgrzewał mu krew, teraz wywołał falę rozdrażnienia.

– Przeszukajcie dziedziniec. To najdalej, gdzie mogła się oddalić. – Zacisnął mocno pięść na nóżce kielicha. Jeśli nie znajdą jej na dziedzińcu, będzie to znaczyło, że go nie posłuchała. Swoją jawną samowolą przypierała go do muru.

Spostrzegł, że modli się o to, żeby ją znaleziono w jej komnacie.

* * *

Karyna uniosła się w siodle, starając się usadowić wygodniej. Odwykła już od konnej jazdy, której zażywała często w czasach, kiedy mieszkała w zamku Ivesham. Bolały ją uda i pośladki.

Jedyne dostępne siodło, było dla niej o wiele za duże i już tym samym niewygodne. Należało do Lynette. Młody giermek Geoffreya, Etienne, chudy wyrostek z głęboko osadzonymi oczami i szerokim uśmiechem, z galanterią zaoferował je Karynie.

Do pomocy w ucieczce specjalnie wybrała niebudzącego podejrzeń Normana, by nie ściągać gniewu pana na któregokolwiek z jej anglosaskich braci. Żal jej było młodego giermka, nie miała jednak innego wyjścia. Poza tym z Etienne'em poszło jej gładko.

– Muszę pojechać do wsi – powiedziała, gdy zauważyła, że pracuje w stajni sam. – Zachorowało dziecko. Matka poprosiła mnie o pomoc.

– Pomoc, pani?

Pokazała torbę z medykamentami i płótnami.

– Lekarstwa. Chłopiec gorączkuje i może umrzeć.

– Lord Ral jest na łowach. Kto pojedzie z tobą?

– Richard z Pembroke wybrał dwóch najbardziej zaufanych ludzi lorda. Czekają na mnie za bramą. Błagam, pospiesz się. Dziecko jest bliskie śmierci.

– Jasne, pani. Zaraz sam się tym zajmę. – Etienne wrócił z siwkiem. Karyna uśmiechnęła się do niego i pozwoliła, żeby pomógł jej dosiąść wierzchowca.

– Mam cię odprowadzić? – spytał.

– Nie! To zupełnie zbyteczne. Ale my tu gawędzimy, a na mnie już czekają. – Uśmiechnęła się ponownie i uścisnęła mu rękę. – Dziękuję, Etienne.

Odwzajemnił uśmiech i popatrzył, jak odjeżdżała. Zatrzymała się przy bramie, gdzie powtórzyła tę samą historię, z tym wyjątkiem, że ludzie Rala mieli czekać na nią w lesie. Nikt nie podał w wątpliwość jej słów. Lord Ral nie dał im ku temu powodów. Naiwnie wierzył, że będzie siedziała bezczynnie i nie odrzuci szlachetnej propozycji małżeństwa.

Matko Boska, nigdy w życiu!

Gdy zamek został daleko za nią, Karyna odetchnęła. Dzień mijał szybko, siwek niezmordowanie podążał gościńcem. Kiedy znaleźli się już dostatecznie daleko, pozwoliła sobie na krótki odpoczynek, po czym podążyła dalej. Kiedy Norman zauważy jej zniknięcie, zapadnie już noc. A może nawet będzie już ranek. Do tego czasu ona będzie już wiele mil od zamku.

Z tą myślą Karyna zwolniła, pozwalając sobie na podziwianie otoczenia – pokrytych lasem gór, wzgórz porośniętych paprociami, łąk gęstych od traw, pałek, kupkówek, tymotek, drżączek. Na kiepsko utrzymanej drodze napotkała handlarza oferującego na sprzedaż rozmaite towary, który już na pierwszy rzut oka wyglądał na oszusta. Tkaniny domowej roboty wymieniał na gęsie pióra, wosk pszczeli i szarfy do obszywania ubrań.

Minęła też siwowłosego wędrowca o dobrodusznym wyglądzie mieszkańca Northwich, który zamiótł przed nią drogę kapeluszem niczym dworzanin. Minęła także kilku chłopów. Z każdym zamieniła słowo, pewna, że znalazła się już dostatecznie daleko, chcąc zdobyć jak najwięcej informacji, które mogłyby się przydać w dalszej drodze.

Z zapadnięciem zmierzchu powinna być już w lesie. Tam zamierzała znaleźć miejsce na popas, nakarmić i napoić konia i posilić się zimną baraniną, chlebem i serem zabranymi z zamkowej kuchni. Spać będzie w podszytym futrem płaszczu. Po raz pierwszy poczuła wdzięczność dla Czarnego Rycerza, że je dla niej kupił.

Zaniepokoiło ją dopiero zachmurzone niebo. Wczorajszego dnia na dziedzińcu widziała gromadzące się chmury. Dziś jednak były znacznie większe i ciemniejsze, zapowiadały burzę. Miała nadzieję, że zdąży przed burzą dotrzeć do Willingham i poszukać schronienia w gospodzie. Tymczasem zapowiadało się, że burza jest coraz bliżej i może zastać ją bez dachu nad głową.

Karyna jednak tylko się uśmiechnęła. Deszczowa noc w drodze to niewielka cena za wolność. Poza tym to także przygoda.

Popędziła wierzchowca i pojechała dalej.

* * *

Ileż kłopotu przez tę dziewczynę! Lekkomyślną, nieułożoną, upartą i głupią ponad wszelkie granice. Ral ściągnął wodze. Szatan poszedł w bok i nerwowo grzebnął w ziemi kopytem. Ral popuścił wodze i podjął pościg, podążając po śladach, które koń dziewczyny zostawił na drodze.

Nietrudno było ją tropić. Siwek był mniejszy niż większość koni, a gościniec nie był zbytnio uczęszczany. Dzięki Bogu, że łowy się udały i wrócił do domu wcześniej, niż można było przypuszczać. Przetrząsnął cały zamek w poszukiwaniu Karyny i ze zdumieniem i wściekłością odkrył jej zniknięcie. Kiedy tylko zrozumiał, że zbiegła, łatwo odgadł, w którą stronę pojechała. Przeklinał siebie za głupotę, że wierzył, iż się nie odważy.

– Wybacz mi, panie – tłumaczył się Etienne bliski łez. – Gdybym tylko wiedział, że to przeciw twojej woli...

– To nie twoja wina, chłopcze, lecz moja. Nie martw się, już ja dopilnuję, że wróci. – Przeklęta dziewka! Okrutnie się mylił, nie doceniając jej, nie wierzył, że trzeba trzymać ją pod strażą. Wyobrażał sobie naiwnie, że posłucha jego rozkazów.

Ral zaklął pod nosem. Czyżby nie wiedziała, na jakie niebezpieczeństwo się naraża? Poza rozbójnikami, którzy grasowali w górach, dzikami i wilkami, był jeszcze Stephen de Montreale i jego ludzie. Stephen wziąłby ją bez chwili wahania. Użyłby sobie na niej brutalnie i porzucił. Może nawet zostawiłby ją na pewną śmierć.

Rala ścisnęło w żołądku. Ledwie znał tę dziewkę, ale czuł się w obowiązku jej bronić. Nie zniósłby jej krzywdy. Poprawił się. Gdyby ją teraz dopadł, postarałby się o to, żeby cierpiała, ale z jego ręki, a nie z ręki ludzi de Montreale'a.

Gdy zobaczył ślady, które zboczyły z gościńca prosto w las, popędził Szatana do galopu. Zapadał zmierzch. Z każdą chwilą Karyna była w większym niebezpieczeństwie. Nieposkromiona, mała dziewka była nieprawdopodobnie lekkomyślna i bardziej nieposłuszna niż jego najbardziej nieposłuszny giermek.

Ral zacisnął szczęki. Już on ją nauczy, obiecywał sobie. Kiedy będą bezpieczni, dopilnuje, by drogo zapłaciła za swój czyn.

* * *

Karyna się rozejrzała. Nie spodziewała się, że długie, cienkie cienie drzew będą wyglądały tak strasznie. Nie myślała wcale, że będzie podskakiwała i odwracała się na każdy dźwięk, a siwek będzie zbaczał i drżał pod nią. Nie sądziła także, że może zrobić się tak zimno.

– Nie ma czego się bać – powiedziała sobie na głos, słysząc trzask gałązki gdzieś za sobą. – To tylko wiatr.

Nie mógł to być wielki Norman, bowiem, o ile poznała jego zwyczaje, zwykł polować do późna w nocy. Nie mógł jeszcze nawet odkryć jej zniknięcia, a już na pewno nie mógł odnaleźć drogi, którą wybrała. Było jasne, że w lesie mieszkają ludzie wyjęci spod prawa, lecz ich Karyna się nie obawiała. Gdyby to byli oni, powiedziałaby im, że to ona ich ostrzegła. Powinni okazać wdzięczność. Nie mieliby żadnego powodu czynić jej krzywdy.

Wtem usłyszała za sobą tętent. Podkute kopyta. Zbliżał się, zdała sobie sprawę z przerażeniem, jednak była pewna, że słyszy tylko jednego jeźdźca.

– To tylko samotny podróżny – szepnęła do konia i sprowadziła go ze ścieżki, kryjąc się za drzewami. – Nie ma się czego bać.

– Nie bądź taka pewna – odezwał się twardy, męski głos. Karyna krzyknęła, kiedy wielki wierzchowiec Czarnego Rycerza pojawił się między drzewami. – Mnie powinnaś się bać i powinnaś była to wiedzieć już dawno temu.

Matko Boska! Karyna wykręciła konia i z bijącym jak oszalałe sercem uderzyła mocno piętami boki zwierzęcia.

– Stój! – zakomenderował Ral, gdy zwierzę skoczyło naprzód. Ona jednak tylko pochyliła się nad szyją konia, przynaglając go do galopu. Wiatr smagał jej twarz, gałęzie targały ubranie, lecz Karyna gnała naprzód, jadąc tak, jak nie jechała od lat, przypominając sobie wszystko, czego się nauczyła w dzieciństwie, a co, jak sądziła, na dobre zapomniała.

– Zatrzymaj się, przeklęta!

Karyna jednak gnała dalej uskrzydlona strachem przed upadkiem na równi ze strachem przed ogromnym, mrocznym Normanem.

Słodki Boże, jak on ją odnalazł? I co z nią zrobi, kiedy ją schwyta? Przerażenie dodawało jej umiejętności. Przytulona do szyi wierzchowca gładko przeskoczyła zwalone drzewo, po czym pięknie skoczyła przez strumień, wznosząc za sobą mgiełkę rozpryśniętych kropel wody, gdy wylądowała na drugim brzegu. Płaszcz łopotał za nią. Dudnienie podkutych kopyt rozlegało się daleko po lesie, głośniejsze nawet od bicia jej strwożonego serca.

Las przed nią zgęstniał. Po bokach ścieżki, którą pędzili, pojawiły się zarośla. Bała się jednak bardziej tego, co miała za plecami, niż tego, co było przed nią. Zaczerpnęła tchu, by dodać sobie odwagi i zanurzyła się w gęstwinę, poganiając siwka do szybszego galopu. Zwierzę stęknęło, Karyna poczuła, że się potknęło, i myślała, że się przewraca, tymczasem to Norman porwał ją z siodła. Trzymając ją w pasie, przerzucił twarzą w dół przez siodło i ściągnął wodze swojego rumaka.

– Słodki Jezu! Chcesz się zabić?

Karyna odwróciła się, żeby spojrzeć mu w twarz. Matko Boska, aż pociemniała z gniewu. Rumak tańczył i ciągnął, lecz nawet to wielkie zwierzę wiedziało, że lepiej nie narażać się panu w tak wielkim gniewie.

– Puść mnie! – krzyknęła, próbując się wyrwać, lecz lord Raolfe jedną ręką przycisnął ją do siodła. Jakaś kropla spłynęła jej na policzek, po chwili druga. Zaczęło padać. Jeszcze raz uczyniła wysiłek, żeby usiąść, lecz ręka mocno przytrzymywała ją na miejscu. Norman przerzucił jej płaszcz przez głowę i świat pogrążył się w absolutnej ciemności. Karyna zamilkła, widząc jedynie błoto pod końskimi kopytami i czując twarde mięśnie uda wciskające się w jej żołądek. Drugie udo gniotło boleśnie jej piersi. Był twardy jak skała i każdy jego mięsień i ścięgno drżały z wściekłości.

Kilka razy Karyna próbowała coś powiedzieć, lecz napięcie jego ciała ostrzegało ją, by tego nie czynić. Mijały godziny, rozpętała się ulewa i Karyna zaczęła drżeć z zimna. Płaszcz przemókł do cna, a potem tunika i koszula, aż wreszcie wszystkie warstwy ubrania doszczętnie przemokły. Bolały ją ręce i nogi, nie czuła brzucha ugniatanego nogą Normana, a lodowato zimne, wilgotne powietrze przenikało ją wskroś do kości.

Nie przerywali jednak jazdy.

– Czy mogłabym przynajmniej dosiąść własnego konia? – spytała, odwracając się twarzą w jego stronę. Czyżby rzeczywiście udało jej się pokonać w ciągu dnia taki kawał drogi? Wiedziała jednak dobrze, że byli zaledwie w połowie.

– Będziesz jechać na moich udach, tak jak teraz. Niedaleko jest szałas pasterzy. Musimy się zadowolić tym skromnym schronieniem dziś w nocy. Tak zmarznięta nie przeżyjesz drogi do domu.

Jego głos brzmiał surowo, a szczęki mocno się zaciskały. Modliła się, żeby chłód nocy choć trochę ostudził jego złość.

– Skąd... Skąd wiedziałeś, gdzie mnie szukać?

Ral ściągnął wodze. Widocznie zbliżali się już do szałasu, bo ją podniósł i trzymając mocno, przełożył nogę w długich butach przez końską szyję, po czym zwinnie zeskoczył na ziemię.

– Czy naprawdę sądziłaś, że możesz mnie oszukać? – westchnął. – Nie ma takiego miejsca, gdzie mogłabyś przede mną uciec, żebym cię nie znalazł. – Podszedł do drzwi, otworzył je kopnięciem, bez pukania, i postawił ją na podłodze w małej, prawie pustej izdebce. – Niech Bóg ma cię w swojej opiece, jeśli ruszysz się stąd choćby na cal.

Karyna z trudem przełknęła ślinę. Norman odwrócił się i wyszedł. Czarne, długie włosy lepiły mu się do karku, a w oczach gorzał ogień jaśniejszy od błyskawic. Karyna rozejrzała się po izbie. Nie było w niej niczego prócz pustej beczki, stołka na trzech nogach używanego do dojenia i pustego wiadra. Odtrąciła je na bok kopnięciem i syknęła z bólu, który poczuła w zesztywniałej z zimna stopie.

Lord Ral niebawem opatrzył konie i wrócił. Przytaszczył tobołek Karyny, pas ze swoimi sakwami przerzucony przez ramię i naręcze drewna, które zrzucił na klepisko przed paleniskiem. Przykląkł, rozłożył resztki suchej słomy i za pomocą hubki i krzesiwa wzniecił ogień. Po paru zaledwie chwilach błysnął wysoki, jasny płomień. Karyna przestała drżeć.

– Mam pled w sakwie. Zdejmij przemoczone ubranie i owiń się.

Pobladła trochę na samą myśl o obnażeniu się, niemniej wiedziała, że dotkliwy chłód nie ustąpi, dopóki nie pozbędzie się mokrych ubrań.

– Niczego od ciebie nie chcę. Ja też mam koc. – Sięgnęła do swojej torby, lecz rycerz otworzył ją pierwszy i wyciągnął koc razem z zawiniątkiem z baraniną i serem.

– Dobrze, że obrabowałaś mi kuchnię. Przynajmniej nie będziesz głodna.

Wypowiedział „przynajmniej" w sposób, który obudził jej czujność. Odsunęła się jak mogła najdalej i odwróciła. Nieco drżącymi rękami zdjęła tunikę, po czym przez głowę ściągnęła mokrą lnianą koszulę z rękawami. Spodnia luźna koszulka bez rękawów była bardziej sucha, niż jej się początkowo wydawało, przylegała wprawdzie do ciała, lecz czyniła zadość skromności. Owinęła koc szczelnie wokół ramion i spojrzała na Normana, by pochwycić jego zimne szare oczy, ześlizgujące się z jej piersi i wracające do twarzy.

– Uczyniłaś rzecz bardzo niemądrą. Nie pojmujesz, na jakie niebezpieczeństwo się naraziłaś? – Zrzucił tunikę i ukazał się jej oczom nagi do pasa, tylko w obcisłych nogawicach i wysokich do kolan miękkich, skórzanych butach.

– Im dalej od ciebie, tym bezpieczniej.

Słysząc te słowa, napiął się cały, aż zagrały mu mięśnie na brzuchu. Owinął się kocem w pasie. Nigdy dotąd nie widziała mężczyzny tak szerokiego w ramionach, a tak wąskiego w biodrach. Na obszernej piersi wiły się czarne włosy i zwężającym się pasem znikały niżej, we wnętrzu koca. Był to widok, którego wcześniej nigdy nie spodziewała się oglądać, a mimo to przykuł jej uwagę, tak jakby Ral miał w sobie jakiś wabik.

– Przykazałem ci pozostać w wieży. – Ton głosu odwrócił jej uwagę ku jego twarzy. Szerokie, czarne brwi były ściągnięte, a usta wyrażały zaciętość.

– Nie masz prawa mi rozkazywać.

– Nie mam? Jestem twoim panem. Jestem też twoim narzeczonym. Już samo to daje mi takie prawo. Wkrótce zostanę twoim mężem. Czy wtedy także będziesz nieposłuszna?

– Nie poślubię cię. Nie uda ci się zmusić mnie do tego. – Hardo uniosła podbródek i przybrała uparty wyraz twarzy. Dłoń mrocznego Normana zacisnęła się w pięść, lecz zmusił się do spokoju.

– Nie boisz się mnie, prawda?

– Boję się. Przecież jesteś Normanem. Dlaczego miałabym się ciebie nie bać?

– To wydaje się logiczne. Jesteś ode mnie o połowę mniejsza, a na dodatek jesteś kobietą. Oboje wiemy, że to nieprawda. Gdybyś się mnie bała, nie opuściłabyś zamku. Skoro to zrobiłaś, każesz mi wierzyć, że za nic masz karę.

Karynę ścisnęło w gardle. Wbiła mocno palce w koc.

– Karę, *sir*?

– A myślałaś, że nie będzie żadnej?

– Wystarczającą karą za mój błąd jest to, że mnie odnalazłeś. To wystarczająca kara.

Mięsień nerwowo zagrał mu w twarzy.

– Karę za twój występek właśnie omawiamy. W ogóle się mnie nie boisz, dlatego nie słuchasz tego, co mówię. Po dzisiejszej nocy doskonale będziesz wiedziała, co znaczy mi się przeciwstawić.

Przyciągnął do siebie pustą beczkę, postawił do góry dnem i usiadł na niej.

– Chodź tutaj!

Serce Karyny zaczęło bić mocniej, krew zaszumiała w skroniach. Potrząsnęła w odpowiedzi głową.

– Nauczysz się mnie słuchać. Musisz rozpocząć tę naukę już dziś. Rozkazuję ci, zbliż się do mnie.

Karyna cofnęła się.

– Stoję wystarczająco blisko, żeby słyszeć, co masz mi do powiedzenia.

– Nie zamierzam teraz mówić, ale robić.

Karyna krzyknęła rozdzierająco, kiedy wielki rycerz wstał i ruchem szybszym niż błyskawica złapał jej koc i pociągnął ją do siebie. Odwinęła się, pozostawiając go z kocem w dłoni i gniewem malującym się na twarzy.

– Jeśli nadal będziesz stawiać opór, pójdzie znacznie gorzej.

– Nigdy nie przystanę na twoje układy, Normanie. Ani teraz, ani kiedykolwiek.

– Ależ przystaniesz, mała dziewko! Nauczysz się zaraz, że nie rzucam słów na wiatr! – To mówiąc, wykonał jeszcze jeden ruch i kiedy usiłowała zrobić unik, chwycił ją za rękę. Przyciągnął ją do siebie, otoczył stalowym ramieniem i na wpół ją niosąc, na wpół wlokąc, zbliżył się do postawionej dnem do góry beczki. Usiadł na niej i przełożył Karynę przez kolano.

– Już raz dzisiaj jechałaś na moich udach, teraz pojedziesz sobie znowu i wierzę, że tej przejażdżki nie zapomnisz łatwo.

Zadarł jej koszulę do pasa, aż Karyna otworzyła usta ze zgrozy. Oblała ją fala zawstydzenia, że ujrzał ją nagą z tej strony. Ciężka ręka opadła na pośladek. Karyna krzyknęła, czując ogień, który wdarł się do jej ciała. Raz, dwa, trzy – wkrótce straciła rachubę.

– Puszczaj! – wrzeszczała, próbując się oswobodzić z jego uścisku. Dłoń miał tak wielką, że każde piekące uderzenie czuła na całym pośladku. Skóra paliła ją żywym ogniem.

– Wyjdziesz za mnie – odparował, nie przerywając razów. – Pogodzisz się z tym, że jestem twoim panem i nauczysz się być mi posłuszną.

– Nigdy! – Kiedy jednak Ral nie przestawał wymierzać klapsa za klapsem bezlitosną, silną dłonią, w duszy Karyny zagościła coraz silniejsza niepewność.

– Ty mała uparciucho! – wysapał i następnych kilka klapsów wywołało łzy w jej oczach. – Niewielu mężczyzn na ziemi ośmiela mi się przeciwstawić tak jak ty. Masz szczęście... że nie wybrałem dla ciebie cięższej kary.

Wiła się na jego twardych nieporuszonych udach, lecz uchwyt w pasie był mocny.

Plask, plask, plask! Jego ręka stawała się coraz gorętsza. Chciał dać jej nauczkę i Karyna musiała przyznać, że mu się udało. Z gardła wyrwał jej się szloch, a potem drugi. Nie chciała płakać, za nic nie chciała. Nie mogła pozwolić, żeby w ten sposób ją pokonał. Ale musiała wreszcie przyznać, że wygrał. Nawet nie poczuła, kiedy przestał jej wymierzać klapsy, poczuła tylko, że nasunął koszulę zsuwającą się wzdłuż bioder.

Przytulił ją i kołysał.

– Nie płacz, *chèrie*. Najgorsze już za tobą.

Odgarnął włosy z jej wilgotnej twarzy i przytulił ją jeszcze mocniej. Ku swojemu zaskoczeniu Karyna pozwoliła mu na to, położyła dłonie na jego piersi, wtuliła w nią twarz i rozpłakała się rzewnie.

– Przepraszam cię, maleńka. Wołałbym tego nie robić. Nie zostawiłaś mi jednak wyboru.

Karyna nie odezwała się, kiedy kciukiem pogładził jej policzek, ścierając łzy. Dobroć była ostatnią rzeczą, jakiej się po nim spodziewała. Pogrążyła się we łzach i pochlipywała cicho.

– Nie miałeś wyboru? Musiałeś mnie zbić?

Pod policzkiem słyszała dudnienie w jego piersi.

– To nie było żadne bicie. Mała, prosta nauczka. Chcę, byś była bezpieczna, Karyno. To, o co cię proszę, jest dla twojego dobra.

– Jesteś brutalny i nieokrzesany!

– A ty, *ma chèrie,* jesteś małą, krnąbrną uparciuchą, której odwaga dopisuje znacznie bardziej niż rozum.

Karyna spojrzała na niego przez łzy. W sposobie, w jaki wypowiedział te słowa, brzmiało głównie rozbawienie, ale też odrobina uznania.

– Chcę tylko wolności. Tylko tego pragnęłam przez całe swoje życie. – Odwróciła się od niego i wstała, próbując rozruszać obolałe pośladki. Przeszła w drugi koniec izby, schyliła się i podniosła koc, po czym w odruchu obronnym otuliła się nim szczelnie po szyję.

– Wolności dać ci nie mogę. Nawet ja jej nie mam. Jestem poddanym króla, związanym z tym krajem tak samo, jak ty będziesz związana ze mną.

– Czy sądzisz, że zapomniałam, co się stało z moją siostrą? Nie zapomnę i nigdy nie wybaczę.

– Możesz nas o to winić, to prawda. Normanowie pokonali twój lud i brali wszystko, co napotkali po drodze. Twoja siostra stała się niewinną ofiarą wojny. To wielka szkoda, że znalazła się w wojennej zawierusze, lecz teraz wojna jest już przeszłością.

– Dla mnie nigdy nie będzie przeszłością.

– Ciekawe, jak jej się wiedzie – rzekł, nie zwracając uwagi na ostatnie słowa. Karyna obrzuciła go zdumionym wzrokiem. Pomyśleć, że w ogóle go to obchodzi... Z drugiej strony nie powinno. Od pierwszego spotkania bardzo pociągała go nieziemska uroda Gweneth. Karyna poczuła nieprzyjemne ukłucie, że to mógł być powód tego małżeństwa.

– Mojej siostrze wiedzie się nieźle, zważywszy na okoliczności. Może to dobrze, że straciła rozum, zanim spotkało ją to nieszczęście. Nic nie pamięta. W klasztorze jest szczęśliwa. Kocha siostry, a one kochają ją.

Ral pokiwał głową.

– Cieszę się, że to słyszę. I choćby tylko dla bezpieczeństwa twojej siostry chcę, byśmy wzięli ślub.

– Myślisz, że ulżysz sumieniu, że będziesz chronił ją teraz, chociaż powinieneś to był uczynić wtedy.

Ral westchnął.

– To był mój błąd. Temu nie przeczę.

Karyna popatrzyła na niego uważnie, zaskoczona przyznaniem się do winy. Nie musiał przecież odstawiać dziewcząt do domu, niemniej przyczynił się do tego, co stało się potem, a czego nie mogła mu wybaczyć.

– Dla Gweneth uczyniłabym wszystko, poza wejściem do twojego łoża.

Przez chwilę zastygł nieruchomo, przyglądając się jej z pochmurnym wyrazem twarzy, a jego grube, czarne brwi zbiegły się nad czołem w wyrazie skupienia. Znalazła się w centrum jego uwagi i poczuła się z tym niezręcznie. Wiele by dała, by odgadnąć jego myśli. Kiedy wreszcie przemówił, głos miał schrypnięty.

– Nie chcesz mieć dzieci?

Karyna podniosła głowę. Tego tematu się nie spodziewała.

– Kocham dzieci. Być może któregoś dnia ich zapragnę, lecz na pewno nie z takim mężczyzną jak ty.

Oczy, które do tej pory były chłodne i oceniające, teraz pociemniały i przybrały nieodgadniony wyraz.

– Jesteś tego pewna? Pewna jesteś, że małżeństwo nie jest tym, czego naprawdę pragniesz?

Karyna poczuła coś zagadkowego, wrażenie nieokreślonej straty. Aż ciarki przeszły jej po plecach.

– Jestem co do tego przekonana, mój panie.

Ral odwrócił się i podszedł do drzwi szałasu. W jego dach uderzały strugi deszczu. Słyszała jego miarowy oddech. Odwrócił się, by spojrzeć jej w twarz, lecz pozostał na miejscu.

– Jeśli taka jest twoja wola, niechaj tak będzie. Nawet będąc twym mężem, nie będę cię przymuszał, byś dzieliła ze mną łoże. Zapamiętaj teraz dobrze, co ci powiem. Jeśli się nie pogodzisz z tym małżeństwem, Malvern zażąda ciebie, by mieć cię jako swoją nałożnicę, ciebie i twoją siostrę. Będzie cię używał, dopóki mu się nie sprzykrzysz, i to na takie sposoby, których nawet sobie nie wyobrażasz. Potem odda cię swoim ludziom.

Karyna zadrżała, bynajmniej nie z zimna.

– De Montreale, jak twierdzisz, weźmie mnie siłą, a ty – w co każesz mi uwierzyć – nie będziesz mnie zmuszał, bym znosiła twoje lubieżne zabiegi?

– Lubieżne zabiegi? To tak to widzisz?

– A jakże inaczej?

Zmysłowe usta Normana zacisnęły się w cienką kreskę.

– To, co się zdarzyło dzisiaj, musiało się stać. Jeśli jeszcze kiedyś okażesz mi nieposłuszeństwo, możesz liczyć na to samo. Jednak nigdy nie wezmę cię wbrew twojej woli. Dosyć już wycierpiałaś.

– Dlaczego miałabym ci wierzyć?

Lodowaty wzrok przeszył ją od stóp do głów.

– Może dlatego, że twoje mizerne kobiece ciało nie może podniecić takiego mężczyzny jak ja. Może dlatego, że cię nie pożądam. – Ral spodziewał się, że za te kłamstwa trafi go zaraz grom z jasnego nieba. Z każdą chwilą pragnął jej bowiem coraz goręcej. Rad był, że to, co poczuł, kiedy zobaczył jej kształtne pośladki i miał pod swą dłonią ich aksamitną miękkość, skryło się pod burym kocem.

– Jeżeli zgodzę się na ślub, zatrzymasz swoją kochankę?

– Jeśli masz życzenie nie dzielić ze mną łoża, tak być musi.

Dziewczyna zagryzła zmysłową dolną wargę i spojrzała na niego spod gęstych, ciemnych rzęs. Ral poczuł chęć, by dotknąć tych cudownych ust, wślizgnąć się pomiędzy nie i posmakować słodyczy, którą pewnego razu tam znalazł.

– Dobrze. W takim razie się zgadzam.

* * *

Ral spał niespokojnie, cały czas świadom obecności półnagiej piękności w zasięgu ręki. O północy przyśniło mu się, że pieści jej cudowne pośladki, że ugniata je dłońmi, wchodząc w jej ciało.

Obudził się zlany potem, z przyrodzeniem twardym i sterczącym. Na rany Chrystusa, czemu przystał na to, że jej nie tknie? Z drugiej strony może to i lepiej. Była tak drobna i krucha, że z trudem można było wyobrazić sobie jej opór, ucieczkę z zamku, galop na grzbiecie siwka, jazdę tak dobrą jak każdego rycerza. Wciąż mu się wydawało, że sprawi jej ból, gdy swoim ciężarem będzie napierał między jej drobne, kształtne uda.

Z westchnieniem, które zdradzało podniecenie, Ral zaczął przewracać się z boku na bok i odpędził od siebie to wyobrażenie.

Rankiem szybko narzucił ubranie i wyszedł z szałasu, kiedy Karyna się ubierała. Skręcił za róg i zatrzymał się. Na polance w obozowisku rozbitym przez Oda kilka tuzinów zbrojnych szykowało się do powrotu na zamek. Jechali za nim, strzegąc jego bezpieczeństwa całą noc i pozostając w dyskretnym oddaleniu.

– Baliśmy się, że mogą cię napaść bandyci albo de Montreale. – Odo podszedł, by się przywitać. – Kiedy tu przyjechaliśmy, zgubę miałeś już... hm... w ręku.

Ral nastroszył brwi, widząc szeroki uśmiech przyjaciela.

– Zatem nie trzymałeś się tak znowu daleko.

– Była to dobrze wymierzona nauczka. Dziewka musi wiedzieć, że należy ci się posłuszeństwo, że nie wolno ci się opierać.

Ral westchnął ciężko. Opierać się? Ona będzie go dręczyć – co do tego nie miał cienia wątpliwości. – Trzeba na stałe wyznaczyć jednego człowieka, by jej pilnował. Mam dość roboty bez uganiania się za nią po lasach.

– Geoffrey jest najmłodszy. To zaszczytne zadanie powinno przypaść jemu.

Geoffrey de Clare, jasnowłosy, przystojny młodzieniec z ujmującym uśmiechem, był ostatnim człowiekiem, którego Ral wybrałby do tego zadania. Niemniej Odo miał rację, wypadało dać mu je jako najmłodszemu.

– Zawiadom go, przypomnij o zamiarach de Montreale'a. Jeśli uwierzy, że naprawdę jej broni, zadanie będzie dla niego łatwiejsze do przełknięcia.

Odo zaśmiał się cicho.

– Lepiej, żeby mu się wydawało, że jest jej zbawcą, a nie jeńcem.

– Właśnie – zgodził się Ral.

Rozdział 6

Przed weselem Karyna prawie w ogóle nie widywała Rala. Jego brutalną karę przeżyła z większą szkodą dla swojej dumy niźli osoby. Doszła jednak do przekonania, że taki właśnie był zamiar mrocznego Normana.

Powiedział, że jego rozkazy miały na celu tylko jej ochronę, że za murami zamku czyha na nią niebezpieczeństwo. Teraz, kiedy miała dość czasu, by to przemyśleć, musiała niechętnie przyznać, że miał słuszność. Wiedziała, że de Montreale rozprawiłby się z nią natychmiast, gdyby tylko weszła mu w drogę. Nawet zbójcy, których lekkomyślnie ostrzegła, mogli potraktować ją tak, że nie byłaby w stanie przeżyć.

Ucieczka w pojedynkę była głupia, jak nazwał to Czarny Rycerz, niemniej podjęcie próby wydawało się warte ryzyka.

Teraz ogarnęły ją wątpliwości. Czy naprawdę mogła ją spotkać krzywda albo śmierć, gdyby to zależało od kogoś innego niż Norman? Czy jego postępek był sposobem na wymuszenie posłuszeństwa i – co za tym idzie – na zapewnienie jej bezpieczeństwa? Zdawało się jej teraz, że to mogła być prawda.

Rozmyślała o nim, siedząc późnym wieczorem przy palenisku w wielkiej sali. W ciągu kilku dni od powrotu starała się, jak mogła, unikać go i w zasadzie jej się to udawało. Kiedy już się spotkali, starał się być grzeczny, choć daleki, nie poświęcał jej zbyt wiele uwagi, chociaż czasem myślała, że jej się przygląda, kiedy sądził, że tego nie widzi.

Potężnego Normana zaczynała traktować jak człowieka, którego nie można lekceważyć. Czasami jego widok – wysokiego, postawnego mężczyzny – podsuwał jej wspomnienie na wpół obnażonego rycerza w pasterskim szałasie. Nadal miała przed oczami blask płomieni igrających w jego czarnych, wilgotnych włosach, kształtne ramiona i wydatne mięśnie, czuła dotyk potężnych ud.

Jego kochanka, Lynette de Rouen, powróciła na zamek Braxton, chociaż jej komnaty znajdowały się teraz na zewnątrz, z wejściem z dziedzińca. Ral spędzał u niej noce, a duma Karyny cierpiała na tym srodze.

– To niewłaściwe z jego strony, że ją odwiedza tuż przed ślubem z tobą. – Geoffrey, młody rycerz wyznaczony do ochrony, czyli w istocie do pilnowania jej, tego była pewna, przyglądał się wysokiemu Normanowi rozmawiającemu z wysoką złotowłosą pięknością. – Na pewno skończy z nią, kiedy ty zaczniesz dzielić z nim łoże.

Karyna poczuła, że pieką ją policzki.

– Może czynić wszystko, na co ma ochotę. Dla mnie to bez znaczenia. – Niemniej uważnie patrzyła, co robią. Zauważyła, jak Lynette zaśmiała się cicho, kiedy Ral szepnął jej coś do ucha, i rękę Rala zuchwale gładzącą jej nogę.

– Nie obchodzi cię to? – Geoffrey uniósł wysoko brew ze zdziwienia. – Większość kobiet na samą myśl o takim zachowaniu wpadłaby w złość. – Miał już skończone dwadzieścia lat, podczas gdy Karyna osiemnaście. Był przystojnym młodzieńcem, szczupłym, ale silnym. Jego jasnozielone oczy zwykle błyszczały roześmiane. – Niczego dobrego z tego nie wynika – ciągnął – gdy mężczyzna ma prawo zaznawać rozkoszy, z kim tylko chce. Jednak dziwi mnie, że możesz tak myśleć o kimś takim jak on.

– O kimś takim jak on? – powtórzyła Karyna, podnosząc się z miejsca. Nieostrożnym ruchem trąciła krawędź stolika i przewróciła rzeźbioną figurę na szachownicy. – Masz na myśli brutalnego wielkoluda, najeźdźcę knującego dla własnego pożytku?

– To nie tak, pani. – Geoffrey wstał także i ruszył za nią przez salę w kierunku schodów. – Lord Ral troszczy się o swoich ludzi i o mieszkańców okolicznych wiosek. Chce, by im się wiodło jak najlepiej, obiecał im to.

– Obiecał?– Zatrzymała się. – Jakąż to obietnicę im złożył?

– W zamian za ciężar podatków, które na nich nałożył i ściągał po to, by wybudować zamek, obiecał im uroczyście, że za pomoc, jak to nazwał, każda rodzina dostanie więcej ziemi.

– A dotrzymał tej obietnicy?

– Posłał prośbę do króla Wilhelma o ziemie między Braxton a Malvern. Na nieszczęście to ziemia, której lord Stephen chce dla siebie.

Karyna odwróciła się na dźwięk dudniącego, głębokiego głosu za jej plecami.

– Masz strzec *lady* – rzekł szorstko Ral – a nie opowiadać jej o moich porażkach.

– Nie, panie. Wybacz. Nie chciałem zrobić niczego złego. – Geoffrey odsunął się. – Kiedy lady

Karyna będzie gotowa na spoczynek, odprowadzę ją do komnaty.

– Dzisiejszego wieczoru ja się tym zajmę – rzekł Ral i wziął ją pod ramię. Karyna poczuła przez sukno szerokich rękawów tuniki bijące od niego ciepło. Geoffrey skłonił się i pospiesznie wycofał.

– Dobry wieczór, panie. – W jej głosie nie było ciepła, lecz Norman zdawał się tym nie przejmować. Gdy szli tak razem, światło płonących pochodni rozświetliło mu twarz, co sprawiało, że jego oczy stały się bardziej błękitne niż szare. Dlaczego poczuła, że zabrakło jej tchu?

– To był całkiem miły wieczór, dopóki nie przyłapałem Geoffreya na opowiadaniu bezużytecznych bajek.

– To była zwyczajna rozmowa, nic więcej. – Stanęła u podstawy schodów. – Dlaczego te ziemie są tak ważne?

Ral uważnie zbadał ją spojrzeniem. Przez chwilę myślała, że nie odpowie, ale wzruszył tylko ramionami i przygładził ręką włosy.

– Budowa wymagała ogromnych nakładów pracy i materiałów. To było konieczne dla bezpieczeństwa, ale dla ludzi z Braxton stało się wielkim ciężarem. Nałożyłem wysokie podatki, spustoszyłem ich zapasy, wyprzedałem bydło i nakazałem im większość dni pracować dla mnie zamiast na swoich polach.

– Oznacza to, że zima będzie dla nich ciężka.

– Tak, a przyszły rok będzie jeszcze gorszy – nie zdążą wykarczować lasu, żeby mieć więcej ziemi uprawnej i nadrobić to, co stracili.

Zgodnie ze zwyczajem chłopi płacili za przywilej karczowania lasu. Tylko nieliczni mogli sobie na to pozwolić, dlatego przeważnie żyli z uprawy małych poletek.

– Obiecałem im to – rzekł Ral. – I dotrzymam słowa.

– Rozumiem.

– Naprawdę?

– Tak, chociaż dziwię się, że zdobyłeś się na taką szczerość wobec mnie.

– Wkrótce będziesz moją żoną, *cherie*. Kiedy cię poślubię, będziesz należeć do Braxton tak samo jak ja. Będziesz miała prawa i przywileje takie same jak inne żony normańskich panów.

Weszli razem po schodach na górę, po czym przeszli korytarzem, zatrzymując się przed drzwiami jej komnaty.

– A obowiązki?

Przenikliwe spojrzenie Rala nabrało nieoczekiwanie błękitnej barwy.

– Jeszcze nie jest za późno, Karyno. Jeśli zechcesz stać się moją prawdziwą żoną, mogę ci obiecać, że twoje obowiązki w małżeńskim łożu nie będą ci ciążyć tak bardzo, jak sądzisz.

Karyna najeżyła się.

– Zamierzasz złamać dane słowo?

– Nigdy nie wezmę cię siłą. – Powiódł palcem po jej policzku, aż dostała gęsiej skórki. – Chciałbym jednak prawdziwego małżeństwa, o ile ty tego też będziesz chciała.

Coś ścisnęło ją w okolicy serca. Zmusiła się, by pomyśleć o Gweneth, o gwałcie i pobiciu tej okropnej nocy.

– Zawarliśmy układ.

Uśmiechnął się, ale powiało od niego chłodem.

– To prawda. Pakt wysmażony przez samego diabła, i bardzo gorzki. – W słowach zabrzmiały gniew, żal i coś jeszcze.

W cieniu korytarza wielki rycerz przyciągnął ją do siebie i ustami znalazł jej usta. To był gwałtowny, bezlitosny pocałunek zdradzający jego prawdziwe uczucia, niemniej Karyna poczuła, że jego żar przenika ją do kości. Jego wargi przesuwały się po jej wargach, smakując je, po czym język wsunął się do środka, po więcej zdobyczy, po bardziej intymną jej część. To był dziki pocałunek, lecz o wiele bardziej zniewalający, niż mogła przypuszczać. Spostrzegła, że wpija się dłońmi w jego tunikę na piersiach, opiera o jego muskularną pierś i odwzajemnia pocałunek.

Ręka błądząca po jej plecach przycisnęła ją mocniej. Poczuła mięśnie ud i drgające, twarde mięśnie brzucha. Do przytomności przywróciła ją gruba wypukłość męskiego pożądania. Szarpnęła się do tyłu.

– Zapomniałeś już o obietnicy, panie?

Oczy Rala przesunęły się po jej ciele. Zaskoczenie z jej odpowiedzi mieszało się z rozgoryczeniem.

– Masz szczęście, że zawarliśmy nasz układ, *ma chèrie,* bo gdybym wiedział, jaki masz w sobie ogień, nigdy bym się na to nie zgodził.

– Przecież mówiłeś... że cię nie pociągam.

Westchnął ciężko.

– Lubię kobiety na tyle silne, żeby przyjąć męskie nasienie, i pełne namiętności, by zadowolić moje żądze. Nie oznacza to, że mnie nie pociągasz. Jestem mężem, a ty niewiastą. Wszedłbym w ciebie, gdybyś dała mi najmniejszą zachętę. – Wziął ją znowu w ramiona, pocałował ostatni raz, po czym obrócił się na pięcie i odszedł.

Karyna patrzyła za nim, aż znikł w cieniu. Dotknęła wycałowanych, obrzmiałych ust. Piersi łaskotały ją dziwnie, a między nogami poczuła wilgoć. Słodki Boże, cóż on takiego z nią zrobił? Czuła się słabo i kręciło jej się w głowie. Serce biło mocniej na każdą myśl o tym, co się przed chwilą stało. Przerażająca była moc, którą posiadał wielki Norman. Weszła do sypialni na miękkich nogach, dziękując w duchu bardziej niż kiedykolwiek za układ, który wcześniej zawarła.

* * *

Minęły dwa dni od zbliżenia Karyny i wielkiego mrocznego Normana. Wczesnym rankiem przybył na zamek Stephen de Montreale ze skąpą świtą. Był to sygnał, że nadszedł dzień wesela.

Na myśl o tym, co dzisiaj ma uczynić, ścisnął jej się żołądek. W dodatku musiała jeszcze liczyć się z zagrożeniem ze strony de Montreale'a i niebezpieczeństwem grożącym jej siostrze. Nie wiedziała, jak przez to wszystko przebrnie, nie miała jednak powodu, by się o to martwić. Do chwili, kiedy opuściła sypialnię i zeszła do sali wypełnionej po brzegi rycerstwem. Podczas gdy próbowała skupić uwagę na uroczystości, wszystko znalazło się za mgłą, nawet potężne kamienne mury zamku gdzieś znikły.

W purpurowej tunice na białej, jedwabnej, haftowanej złotem koszuli lord zamku Braxton stał, czekając na nią u podstawy schodów. Z gęstymi, zaczesanymi do tyłu lśniącymi włosami opadającymi na kołnierz, ze swoim stanowczym zarysem szczęki i pięknymi oczami gęsto ocienionymi rzęsami wyglądał przystojniej niż kiedykolwiek. Kiedy jednak przyjrzała mu się z bliska, spostrzegła zaciśnięte usta i ani cienia ciepła w wyrazie twarzy.

– Pora zawrzeć to małżeństwo – rzekł, jakby było to zadanie cięższe dla niego niż dla niej. Jednak jego oczy błądziły po jej sylwetce, po tunice z królewskiego błękitnego aksamitu, po złocistej koszuli, po misternie wykonanym gorsecie, który był jego ślubnym darem dla niej. Gruby warkocz zwieńczony był złotą wstążką, tworząc koronę na czubku głowy.

Wyciągnął do niej ramię.

– Pani.

Zmuszając się do uśmiechu, Karyna ujęła go pod ramię. Poprowadził ją na miejsce w pobliżu skromnej prywatnej kaplicy. Wypowiedzieli słowa przysięgi w obecności ojca Burtona, patrząc prosto przed siebie i po krótkiej chwili pękaty, niewysoki ksiądz ogłosił ich mężem i żoną.

– Gotowe – nareszcie zwrócił się do niej Ral. – Teraz jesteś bezpieczna.

Wiedziała to bez niego, choćby z pełnego najczystszej nienawiści wzroku Stephena de Montreale'a.

– Czas na życzenia! – zawołał Stephen, a na jego twarzy pojawił się nieszczery uśmiech. W wykończonej srebrem błękitnej tunice, o ton ciemniejszej od swoich oczu, podszedł prosto do nich. Za jego plecami służba zastawiała już stoły do weselnej uczty. Chłopom zgromadzonym tłumnie na dziedzińcu już rozdzielano jedzenie i picie. – Wygląda na to, że dama na dobre wymknęła się z moich ramion.

– Na to wygląda – przytaknął Ral.

Lord Stephen uśmiechnął się ponownie, lecz wyraz oczu zdradzał jego niezadowolenie.

– Ogrzewać będzie twoje łoże... przynajmniej na razie... – Rzucił spojrzenie w stronę Lynette, która nie zjawiła się na ślubie i teraz dopiero weszła do sali. – Zobaczymy, czy uczyniła mądry wybór.

Pojmując tok rozumowania Stephena, Karyna zesztywniała. Lynette podeszła i stanęła przy Odzie. Od jej pięknych zielonych oczu bił chłód mogący zmrozić kamienie. Od przyjazdu Karyny na zamek zamieniały ze sobą zaledwie zdawkowe pozdrowienia. Jasne było jednak, że wysoka, złotowłosa piękność żywi do Karyny nienawiść równą niechęci, jaką Stephen żywił do Rala.

– Przynosimy już wino, panie. – Richard mrugnął do Karyny i uśmiechnął się. – Uczta będzie gotowa za chwilę. – Ral jedynie skinął głową, kiedy jednak spojrzał na Stephena, jego uścisk na ramieniu Karyny stał się mocniejszy.

Wyszli do ludzi zgromadzonych na dziedzińcu, po czym, jak przyrzekł Richard, zaprosili zebranych do stołu. Pod śnieżnobiałymi lnianymi obrusami stoły uginały się od najprzedniejszego jadła – pieczonego w całości dzika, łabędzi, wielkiego chleba w kształcie zamku oddającego go w każdym szczególe, łącznie z bramą i mostem zwodzonym. Wszędzie stały tace napełnione świeżymi warzywami, serami, puddingami i słodyczami i dzbany pełne wina.

– Wykonałeś pierwszorzędną robotę, Richardzie. – Ral klepnął zarządcę po ramieniu, idąc w stronę podestu.

– Dzięki, panie. – Richard wyraźnie się rozpromienił. Spędzał każdą wolną chwilę na intensywnych przygotowaniach, od dnia, kiedy Ral ogłosił swój zamiar. – Przyjmij, panie, moje najszczersze życzenia.

Donoszono wciąż nowe półmiski jadła, aż na stołach zabrakło miejsca. W sali pojawili się sztukmistrze, grajkowie zaczęli grać na lutniach, fletach, rogach i cytrach, a tancerze przed głównym stołem rozpoczęli pląsy.

W czasie uczty Karyna jadła z tacy na spółkę z Ralem, lecz dłonie, którymi skubała mięso, lekko drżały. Czy Norman dotrzyma słowa – czy był to tylko podstęp, by zmusić ją do ślubu? Jej lęk wzmógł się jeszcze, kiedy na szyi poczuła jego oddech, gorący i pachnący winem, kiedy pochylił się, by szepnąć jej coś do ucha.

– Wkrótce będzie po wszystkim. De Montreale wyjedzie rano.

Nie lorda Stephena jednak się bała, lecz pokładzin, które miały nastąpić po zakończeniu uczty. Skrzywiła się na myśl, że zostanie odarta z ubrania, wrzucona do łoża razem z mężem i będzie na to patrzył cały zamek. A potem – nie chciała nawet myśleć, co zdarzyć się może potem, jeśli on nie dotrzyma danego słowa.

Kiedy nadszedł wieczór, wstali od stołu i wmieszali się w tłum gości, uśmiechając się, jakby wszystko było w porządku. Karyna prosiła Boga, żeby tak było. Ral opuścił ją na chwilę, po czym wrócił.

– Możesz odetchnąć z ulgą, moja słodka, nie będzie pokładzin.

– Co takiego? Skąd wiedziałeś? No i... jak ich wszystkich przekonałeś?

Jak wyczuł, że się tego boi... i dlaczego w ogóle zadał sobie trud, by jej tego oszczędzić?

– Nie musiałem długo przekonywać, zważywszy, że wszyscy znają twoją przeszłość.

Wielu znało tę historię. Wiedzieli nie tylko o tym, co spotkało dziewczęta na łące, ale i o tym, co niemal się stało na zamku za sprawą Stephena de Montreale'a. Karyna zarumieniła się na samą myśl. Poczuła, że powinna okazać wdzięczność, że zaoszczędzono jej wstydu tego wieczoru.

– Dziękuję ci, panie.

– Lepiej stąd chodźmy, zanim się rozmyślą.

– Oczywiście! – *Dokąd pójdą?* Zesztywniała na tę myśl. Czy on zamierza spędzić tę noc w jej sypialni, w jej łożu? Słodka Mario, miała nadzieję, że nie.

– Przeniesiono twoje rzeczy do mojej sypialni. Od dzisiejszego wieczoru tam będziesz spała.

– A ty, panie? Gdzie ty będziesz spał?

Wyzwanie w tym pytaniu nie uszło jego uwagi, puścił je jednak mimo uszu. Zaczekał z odpowiedzią, aż weszli do jego komnaty. Skinieniem ręki kazał odejść Marcie, po czym starannie zamknął drzwi za sobą

– To ty, pani, ustaliłaś te piekielne zasady. Jeśli myślisz, że mam zamiar złamać słowo, mylisz się. Dziś wieczór moje potrzeby zaspokoi Lynette, tak jak czyni to codziennie.

Otworzył dłoń i odsłonił małą zakorkowaną buteleczkę, po czym włożył jej do dłoni.

– Co to takiego?

– Krew gołębia. Wystarczy, żeby poplamić prześcieradła. Nie wyjdzie nam na dobre, jeśli służba zacznie jutro rano gadać, że jesteś jeszcze dziewicą.

Karyna lekko skinęła głową. Dlaczego tak nagle poczuła się opuszczona?

– Zostanę z tobą przez jakąś godzinę albo dwie. Tak długo, żeby uwierzono, że skonsumowaliśmy małżeństwo. Tymczasem pomóż mi zdjąć te wytworne szaty. Ja też ci pomogę.

Uczyniła, co jej kazał. Zdjęła z niego purpurową tunikę, po czym odwróciła się, kiedy ściągnął złocistą koszulę i zmienił odświętne spodnie na starsze, wygodniejsze. Podwiązał je i wciągnął długie buty z miękkiej skóry.

Nagi do pasa odwrócił się ku niej. W blasku płonącego ognia lśniły czarne kręcone włosy na klatce piersiowej. Jego skóra była ciemna jak polerowane drewno i niemal tak samo gładka. Mięśnie zafalowały, kiedy wkładał prostą, wełnianą tunikę. Obciągnął ją wzdłuż ciała.

– Jeśli to, co widzisz, jest ci miłe – odezwał się, dostrzegając jej natarczywy wzrok – będę szczęśliwy, mogąc zostać.

Policzki zapłonęły jej żywym ogniem.

– Patrzę tylko dlatego, że nigdy nie oglądałam mężczyzny takich rozmiarów. Jesteś dziwadłem, niczym więcej.

Jego szare oczy omiotły ją całą pogardliwie.

– Gdybyś nie była taka chuderlawa i mała, pokazałbym ci wszystkie swoje rozmiary. Pojeździłbym na tobie tak długo i mocno, że jutro nie miałabyś siły wstać z łoża.

Z płonącymi policzkami Karyna cofnęła się, lecz Ral wcale się do niej nie zbliżał. Chłodny uśmieszek wykrzywił mu wargi.

– Nie masz się czego bać, *chèrie*. Chcę ci tylko pomóc się rozebrać. – Chciała zaoponować, lecz usiadł na brzegu łoża i złapał ją pomiędzy uda. – Stój spokojnie. Trudno jest rozebrać kogoś tak małego.

Delikatnymi ruchami zdjął z niej tunikę i wierzchnią koszulę, zostawiając jednak spodnią koszulę bez rękawów. Wyciągnął szpilki przytrzymujące upiętą koronę, rozplótł warkocz i przeczesał palcami włosy.

– Są tak miękkie i jedwabiste, jak myślałem – rzekł, a słowa te przeniknęły ciepłem w jej wnętrze.

Ral wstał i podniósł przykrycie.

– Jedno z nas może już odpocząć. To był długi dzień. Możesz spać jutro do późna, ja postaram się wrócić, zanim wszyscy się zbudzą. Gdyby mi się nie udało, pamiętaj o gołębiej krwi.

– Nie zapomnę.

Poczekał, aż się położyła, i otulił ją przykryciem niemalże z czułością. Karyna zamknęła oczy i udawała, że śpi, lecz obserwowała go spod powiek, jak podszedł do fotela przy ogniu i usiadł, prostując nogi. Możliwe, że zasnęła na krótko, ponieważ, gdy otworzyła oczy, Ral stał w drzwiach.

– Już pora na ciebie? – wyrwało jej się bezwiednie.

– Jeśli twoim życzeniem jest, żebym został, wystarczy, byś poprosiła.

Karyna milczała, lecz serce waliło jej bardzo mocno.

– Pamiętaj, że to ty ustaliłaś zasady tej nocy. I od ciebie zależy, czy zechcesz je zmienić.

Karyna nadal milczała, lecz kiedy Ral wyszedł i zamknął za sobą drzwi, nagle zadała sobie pytanie, dlaczego właściwie tak usilnie się starała, by zostać teraz sama.

* * *

Ral rozejrzał się po korytarzu, znalazł kilku pijanych mężczyzn z nosami tak głęboko w kielichach, że pewne było, że się nie zbudzą, zszedł bocznymi schodami, przemknął cicho przez główną salę, po czym wyszedł z dworu.

Dwóch strażników spostrzegło go, kiedy kierował się do komnat Lynette. Miał wcześniej nadzieję, że nikt się nie dowie, iż opuścił oblubienicę w noc poślubną, lecz w głębi duszy wiedział, że to się wyda, wcześniej czy później.

Westchnął. Będą plotki. Powiedzą, że mała panna młoda nie była dość dobra, by zatrzymać go w łożu. Ral zadał sobie pytanie, czy to rzeczywiście prawda, i musiał się przyznać do wątpliwości. Zakosztował jej namiętności tego wieczoru, gdy całowali się pod drzwiami jej sypialni. Gdyby doprowadził ją do spełnienia, na pewno okazałaby się gorąca.

Zaklął w ciemności. Najchętniej zaoszczędziłby jej zniewagi, gdyby był w stanie, lecz nie własnym kosztem. Ustaliła zasady – nie można już nic na to poradzić.

Zastukał do ciężkich drewnianych drzwi. Otworzyła je Lynette.

– A więc... jest tak, jak rzekłeś. Pozbawiłeś ją dziewictwa i zostawiłeś w samotności.

Nie była to prawda, lecz Karyna nie byłaby bezpieczna, gdyby nie uwierzono, że po przysiędze małżeństwo zostało skonsumowane, zgodnie ze zwyczajem.

– Nie jest tak gorąca, jak ty, moja słodka. Przyszedłem do ciebie po ukojenie. – To w większej części było prawdą. Krew jeszcze szybko krążyła mu w żyłach od dotyku prawie nagiego ciała małej żony, widoku jej drobnego ciała wtulonego w posłanie.

Lynette pogładziła szyję dłońmi.

– Nie obawiaj się. Dopilnuję, żebyś dzisiejszej nocy był zadowolony, tak jak zwykle. – Była wysoka, sięgała mu do podbródka, a rozpuszczone włosy spływały jej do pasa.

– Na pewno. – Dzisiejszego wieczoru, w stanie, w którym już się znajdował, nie wymagało to wielu zabiegów. Odwiązał sznurówki jej szaty i zsunął z ramion, obnażając ją całą przy płonącym w palenisku ogniu.

– Mam nadzieję, że zmyłeś z siebie jej dziewiczą krew – odezwała się kpiąco Lynette, pochyliła się i potarła jego tors swoimi ciężkimi piersiami.

Ral lekko skinął głową, czując się niewygodnie z kłamstwem. Jednak wiedział, że nie ma innego wyjścia.

– Mówiłem ci przecież, że małżeństwo niczego między nami nie zmieni. – Objął ją w pasie ramieniem, pochylił się i pocałował, penetrując wnętrze jej wąskich, chłodnych ust. Jej długie, smukłe palce także były chłodne, kiedy wsunęła mu je pod tunikę, żeby pogładzić włosy na jego piersi.

– Powiedziałeś, że to niczego nie zmieni, i rzeczywiście na to wygląda. – Skubnęła go zębami w ucho, a on w odpowiedzi jął ugniatać jej piersi, życząc sobie w duchu widzieć parę piersi bujnych, wysokich, z ciemnymi brodawkami. Myślał o małych, gorących dłoniach i gorących ustach, tak słodkich jak jagody.

Wściekły, że wizerunek jego drobnej żony wdarł się w jego myśli w takiej chwili, Ral odsunął się i ściągnął z siebie ubranie.

– Do łóżka! – zakomenderował szorstko. – Chcę cię mieć tu i teraz, w tej chwili. Muszę zetrzeć z siebie dotyk tej małej, kasztanowłosej dziewki.

– Tak, panie. To będzie dla mnie rozkosz. – Weszła do pościeli i rozchyliła ramiona i uda, by go przyjąć.

Jednak kiedy Ral w nią wchodził, pragnął nie jej, lecz swojej drobnej, małej żony z ognistymi ciemnymi włosami. To kobietę, która była jego żoną, brał raz po raz w długie godziny pełnej goryczy nocy poślubnej.

Rozdział 7

Karyna poruszała się bezszelestnie. Zatrzymała się, by zajrzeć do głównej sypialni, choć wiedziała, że nikogo tam nie ma. Przemierzała wąskie, słabo oświetlone korytarze.

Nigdy dotąd nie czuła się w Braxton samotnie, otaczało ją bowiem wiele znajomych z dzieciństwa twarzy. Słudzy, którzy niegdyś wiernie służyli jej ojcu, jak Richard i Marta, i wielu nowych przyjaciół, których zyskała. Jednym z nich był młody Etienne, który gdy odkrył, że łączy ich oboje wielka miłość do koni, wybaczył jej, że go oszukała, uciekając z zamku.

Patrzyła z góry na służbę krzątającą się w wielkiej sali. O ile nigdy wcześniej nie zaznała uczucia samotności, od nocy poślubnej to uczucie jej nie odstępowało. Od kiedy Marta i inni weszli do ich sypialni i znaleźli w niej zakrwawione prześcieradła, lecz spostrzegli także nieobecność swojego pana.

Jego miejsce pobytu ustalono natychmiast i błyskawicznie rozeszła się plotka. Od tej pory za każdym razem, gdy się zbliżała, słyszała szepty, czuła też nastrój potępienia, zupełnie jakby rozczarowała ich wszystkich tym, że rozczarowała ich pana.

Anglosaska dziewka pojęta za żonę okazała się tak niewarta uwagi, że szybko wrócił do nałożnicy – oto jak wszyscy myśleli. Złościło ją, że brali stronę Rala, a nie jej, ponieważ większość z nich była krwi anglosaskiej. Czemu trzymali z okrutnym normańskim najeźdźcą?

Jednak wina częściowo leżała po jej stronie. Oprócz Marty nikt nie wiedział o obecności Czarnego Rycerza podczas wydarzeń przed trzema laty, gdy zgwałcono jej siostrę. Wszyscy wiedzieli, że dziewczęta zostały napadnięte przez Normanów, ale poza tym nie wiedzieli nic. Prawdę mówiąc, niewiele więcej wiedziała Karyna.

Tamtego wieczoru została mocno pobita i straciła przytomność. Poza tym nie chciała sobie przypominać. W klasztorze zakazano jej nawet o tym mówić.

Nie mogła jednak zapomnieć twarzy śniadego Normana pochylającej się nad jej spuchniętą twarzą, jego świdrującego spojrzenia, kiedy zapadała się w otchłań ciemności. Nie było go wśród pierwszych wojów, którzy dopadli je niczym gończe psy, na końcu jednak tam był.

Może gdyby opowiedziała tę historię, zrozumieliby ją. Może zwróciliby się przeciwko swojemu potężnemu panu i docenili za to, że odmawia mu łoża.

Może gdyby... – Karyna westchnęła, wiedząc, że nigdy nikomu nie opowie tej historii. Jak mówiła Marta, wojna należała do przeszłości i zarówno jej życie, jak i życie reszty mieszkańców związane zostało z zamkiem Braxton i jego panem. Chcąc zaszkodzić Normanowi, zaszkodziłaby swojemu ludowi i sobie. Z czasem wszyscy się pogodzą z tym, że między nią a wysokim, ciemnym Normanem nie może być inaczej.

Miała także nadzieję, że sama też się z tym pogodzi.

Z burzą kłębiących się w głowie myśli Karyna zmierzała do wyjścia, by zaczerpnąć świeżego powietrza. Już była blisko, gdy do jej uszu dobiegło cichutkie miauczenie. Dźwięk dochodził z wąskiego przejścia prowadzącego do spichlerza. Poszła w tamtą stronę i w kącie za workiem zboża odkryła miot nakrapianych rudo kociąt, ślicznych maleństw, z których każde mieściło się na jej dłoni. Kiedy kucnęła przy nich, żeby pogłaskać puszyste futerka, jedno z kociąt zaczęło ssać koniec jej kciuka.

Karyna roześmiała się lekko.

– Zdaje się, maluchy, żeście głodne. Biedne kruszynki. Gdzie wasza mama? – Hałas nad głową w wąskim korytarzyku odciągnął jej uwagę od miauczących futrzanych kuleczek. Obecność wysokiego Normana sprawiła, że ścisnęło ją w piersi.

– Nareszcie cię odnalazłem. Już zacząłem się martwić, że znowu nas opuściłaś. – W jego głosie brzmiała surowość zmieszana z odrobiną zatroskania. Dotąd poza grzecznościową wymianą uprzejmości przy posiłkach i paroma zdawkowymi rozmowami, jej mąż w ogóle jej nie wzywał, to był pierwszy raz od wesela.

– Słowa przysięgi zostały wypowiedziane. Za późno, żeby uciekać. – Karyna, wstając, otrzepała tunikę z kurzu.

– Cieszę się, że to rozumiesz. – Wyciągnął rękę, w której dostrzegła wielki pęk kluczy.

– Co to jest? – Karyna wzięła do ręki ciężką, żelazną obręcz i sprawdzała każdy, dobrze naoliwiony klucz.

– Klucze ochmistrzyni. Otwierają wszelkie składy i pomieszczenia na zamku. Twoja matka nie nosiła takich kluczy?

– Nosiła, ale... – Karyna popatrzyła na klucze i poczuła, że ogarnia ją panika. – Sądziłam, że Richard wypełnia te obowiązki.

– Jesteś moją żoną. Od tej chwili to będzie należało do ciebie. – Patrzył na nią, tak jakby oczekiwał, że się ucieszy. Tymczasem Karyna poczuła, jakby spadł na nią niewygodny ciężar.

– Przecież Richard znakomicie sobie radzi. Na pewno nie będzie zadowolony, gdy będę się wtrącała. To niepoczciwe tak ranić jego uczucia.

– Richard rozumie, jaka jest kolej rzeczy. Klucze należą odtąd do ciebie.

Od małżonki pana na zamku wymagano, żeby zarządzała gospodarstwem domowym, a nawet pełniła obowiązki zarządcy pilnującego interesów pana, ilekroć zachodziła taka potrzeba. Karyna nie miała jednak najmniejszego pojęcia o tych obowiązkach ani też ochoty, by się ich uczyć.

Zmusiła się do uśmiechu.

– Dziękuję, panie.

Nigdy nie została oddana, jak inne szlachetnie urodzone dziewczęta, do domu krewnych, by tam przyuczyć się do pełnienia obowiązków żony. Po śmierci matki miał zająć się tym ojciec, lecz wkrótce sam zmarł i wówczas zadanie to spoczęło na wuju. Ktoś jednak musiał opiekować się Gweneth, a potem pojawili się Normanowie i rozpętała się wojna.

Karyna nigdy też się o to nie upomniała. Nienawidziła kobiecych zajęć i przebywania w murach. Nawet w tej chwili, stojąc u boku mężczyzny, który był jej mężem, marzyła o konnej przejażdżce lub choćby o wypadzie do wsi. Mieszkańcy zamku mogli myśleć, że ich zawiodła, byli jednak inni, którzy nie musieli tak myśleć – chłopi, których zamierzała odwiedzić, i których znała od dzieciństwa.

– Richard pomoże ci we wszystkim – zakończył Ral. – Władza jednak należy odtąd do ciebie.

I odpowiedzialność, pomyślała Karyna i jęknęła w duszy.

– Natychmiast z nim pomówię. – Miała nadzieję, że Richard, znając ją świetnie i rozumiejąc, jaką klęską może się to zakończyć, pomoże jej znaleźć sposób na wybrnięcie z opresji.

– Widzę, że ubrałaś się do wyjścia. Mogę zapytać, dokąd się wybierasz?

– Do wsi. Chcę odwiedzić wieśniaków.

– Zgoda, pod warunkiem że Geoffrey będzie ci towarzyszył.

Po raz pierwszy spostrzegła, że Ral ma na sobie fioletową aksamitną tunikę, strój bardziej odświętny niż zwykle. Szara jedwabna koszula była haftowana fioletową nicią, a skórzane czarne buty lśniły.

– A ty, panie?

– Dzisiaj będę sądzić, choć jeszcze przedtem muszę dopilnować paru rzeczy. – Odwrócił się, by wyjść, złapała go jednak za rękę.

– A może wiesz coś, panie, o nakrapianej rudo kotce? Wygląda na to, że porzuciła swój miot i kocięta są głodne.

Ral się nachmurzył. Spojrzał w stronę rozlegającego się z kąta miauczenia. – Kotka nie żyje. Została ranna wczorajszego ranka podczas ćwiczeń. Jeden z ludzi obrał ją sobie za cel dla zabawy, zamiast ćwiczyć z giermkiem. Więcej się już w taki sposób nie zabawi.

Wyraz twarzy Normana świadczył o tym, że rozprawił się już z winowajcą, który nieprędko zapomni, że naraził się swojemu panu.

– Co będzie z kociętami, panie?
– Musiała je tutaj przenieść ze stajni. – Wzrok mu złagodniał. – Są za małe, *chèrie*, żeby mogły przeżyć bez niej. Trzeba się nimi zająć.
– Zająć? Chcesz je utopić?
– Nie ma innego wyjścia, Karo.
Karyna ścisnęła jego rękę.
– Błagam, nie każ ich zabijać. Zaopiekuję się kociętami.
– Nic nie możesz zrobić. Nie uratujesz ich. Są za małe, żeby jeść, umieją tylko ssać cycek.
Zarumieniła się, gdy użył tego słowa, lecz nie puściła jego ręki.
– Znajdę sposób, żeby je nakarmić.
Ral zastanowił się nad odpowiedzią, a Karyna wstrzymała oddech.
– Daję ci czas do jutra rana. Jeśli do tego czasu nie zaczną jeść, trzeba je będzie utopić. Nie pozwolę, żeby cierpiały.
Karyna puściła jego rękę, chociaż ze zdziwieniem pomyślała, że czyni to niechętnie.
– Dzięki ci, panie.
Przyjrzał się jej twarzy i utkwił wzrok w jej ustach. W tym wzroku było coś intymnego, może uznanie, a może coś więcej. Karyna poczuła, że odwzajemnia to spojrzenie, poczuła falę ciepła rozlewającą się po policzkach, po czym spływającą w dół.
Ral skinął głową, odwrócił się i odszedł. Korytarz wydał jej się ciemniejszy i bardziej pusty niż przedtem.
Karyna patrzyła w to miejsce, gdzie wcześniej stał, i zastanawiała się, co czuła na jego widok, rozmyślała nad miłosierdziem, które okazał. Trudno było pogodzić ze sobą cechy tego człowieka, który był jej pa-

nem, i brutalnego rycerza, który znalazł się między wojami tamtego straszliwego dnia w lesie.

Wiedziała jednak, że to ten sam człowiek. Lord Ral nigdy temu nie zaprzeczył. Ostatnio coraz częściej rozmyślała, jaką odgrywał w tym rolę i czy gwałcił jej siostrę. Myśl, że to uczynił, bolała ją teraz znacznie bardziej niż przedtem.

W drzwiach do dworu zobaczyła, że się zatrzymał, by porozmawiać z kimś, kto właśnie wjechał do zamku. Karyna rozpoznała gardłowy głos Lynette i złocisty, jasny kolor jej włosów. Powstrzymując złość, której nie miała prawa odczuwać, odwróciła się od pary i poszła poszukać sposobu, jak nakarmić kocięta.

Odrzuciła włosy do tyłu. Jeśli Lynette była kobietą, której on pożąda, tym lepiej. Jednak nie mogła uciszyć niespokojnego bicia serca ani zignorować uczucia osamotnienia, które odczuwała dziesięciokrotnie mocniej.

* * *

– Wybierasz się na przejażdżkę konną? – Słowa padły z ust złotowłosej wysokiej piękności. – To nie najlepszy dzień. Jest pochmurno i wieje z północy. – Lynette wkraczała do wielkiej sali. Jej jasne włosy połyskiwały złociście, a cerę miała gładką i bladą, nietkniętą słońcem, jak nakazywała moda, i leciutko przysypaną na nosie piegami, podobnie jak Karyna.

– Jest rześko, lecz niezbyt zimno – odparła. – Poza tym pogoda mi nie przeszkadza. Jadę do wsi, chociaż to nie twoja sprawa.

Lynette roześmiała się w sposób, który nie przypominał wcale perlistego, zmysłowego śmiechu, którym obdarzała Rala.

– Zdaje się, że w takiej jeździe jesteś najlepsza. – Jasna brew uniosła się lekko. – Mnie sprawia uciechę jazda na dwunożnym ogierze, to przyjemność bez porównania większa. Jednak cóż ty o tym możesz wiedzieć! Gdybyś wiedziała, małżonek nie opuściłby twego łoża.

– Dosyć już, Lynette. – Richard wszedł pomiędzy nie, w chwili gdy Karyna już zrobiła krok w stronę przeciwniczki. – Jak rzekła pani, to nie twoja sprawa.

Karyna przybrała obojętny wyraz twarzy. Nie przyszło jej wcześniej na myśl, że może być zazdrosna o nałożnicę Rala. Nie była jednak aż tak naiwna, by nie umiała nazwać uczucia, które w niej kiełkowało.

– Śniadanie dawno się skończyło – rzekł Richard. – Czego tu szukasz?

– Nudziłam się, nie mając nic do roboty, kiedy Ral zajęty był ze swoimi ludźmi. Szukam jakiejś odmiany – uśmiechnęła się do Richarda, mierząc go wzrokiem od jasnobrązowych włosów i orzechowych oczu do szerokiej piersi, która nie dorównywała masywnej piersi Rala, lecz wyglądała równie krzepko. – Może ty mógłbyś znaleźć czas na zabawę?

– Jestem zajęty. Lord Ral będzie dziś tutaj sprawował sąd. Radziłbym ci, żebyś stąd sobie poszła.

Lynette westchnęła.

– Zawsze taki poważny. Jaka szkoda, Richardzie, że nie masz kobiety, która odciągnęłaby twoje myśli od pracy. – Przesunęła palcem po przodzie jego tuniki, a Richard złapał ją za nadgarstek.

– Nie sądzę, by lord Ral był zadowolony z twoich wybryków. Powtarzam po raz ostatni – wyjdź stąd.

– Lord Ral jest bardziej niż zadowolony. – Lynette obdarzyła Karynę znaczącym spojrzeniem.

– Możesz być pewien, Richardzie. – Z triumfalnym uśmiechem odwróciła się i odeszła w stronę drzwi na dziedziniec.

Karyna popatrzyła za nią wściekła na siebie, że Lynette potrafi wzbudzić w niej złość. Zastanawiała się, co takiego pociągającego jej mąż widzi w tej kobiecie. To jasne, wystarczyło na nią tylko spojrzeć. To, że piękna nałożnica Rala tak go zadowalała, napełniało Karynę goryczą.

– Nie przejmuj się nią, pani – rzekł Richard. – Nie jest tego warta.

– Nie wierzę, że lord Ral się z tym godzi.

Richard zaczerwienił się i wbił wzrok w podłogę. Był poczciwym i uczynnym człowiekiem, zawsze troszczącym się o innych, a rzadko o siebie.

– Przykro mi, Richardzie. To nie o Lynette przyszłam porozmawiać, ale o powierzonych mi obowiązkach pani na zamku. – Podniosła do góry pęk kluczy i potrząsnęła, aż zabrzęczały.

– Wspomniał mi o tym. Miałem jednak nadzieję, że się opamięta. – Richard poczerwieniał jeszcze bardziej. – Wybacz mi, lady Karyno. Nie to miałem na myśli.

– Miałeś na myśli dokładnie to, co trzeba. Zgadzam się. Nie mam pojęcia o tej pracy. Narobiłabym tylko bałaganu. Co byś powiedział, Richardzie, gdyby zostało tak jak przedtem?

Sługa odetchnął z ulgą.

– Rzekłbym, że to bardzo roztropne rozwiązanie.

Prawdę mówiąc, na zamku było parę rzeczy wymagających poprawy: należało ocieplić ściany gobelinami, częściej wietrzyć pościel, odświeżyć maty na podłogach, poprawić zapach wonnymi ziołami. Ogólnie biorąc, jednak miejsce to było zupełnie dobrze utrzymane, a Ral wydawał się zadowolony z dotychczasowych porządków. Karyna uśmiechnęła się szeroko i wyciągnęła rękę.

– Zatem zgoda?

Richard odwzajemnił uśmiech.

– Na szczęście, pani, zgoda.

Czując znaczną ulgę, Karyna odwróciła się i zobaczyła zmierzającego ku niej Geoffreya, jasnowłosego, pięknego i bardzo pewnego siebie. Uwierzył mocno, że obowiązek pilnowania jej jest wyróżnieniem, a Karyna była równie mocno przekonana, że lord pragnął sam sprawować nad nią tę opiekę.

– Lord Ral powiedział, że wybierasz się do wsi, pani. Kazałem osiodłać twojego siwka. Możemy ruszać, kiedy tylko chcesz.

Karyna rozejrzała się po sali, gdzie słudzy krzątali się gorączkowo, by przygotować ją do mającego się tu odbyć sądu. Zestawiono razem stoły i ławy. Z Richardem u boku pan na zamku Braxton miał wymierzać sprawiedliwość z wysokości podestu stojącego pośrodku.

– Pójdę tylko po płaszcz i będę gotowa. – Zaczęła wchodzić po schodach, by wziąć okrycie ze swojej komnaty, gdy jedna ze sług zastąpiła jej drogę. – Ulituj się nade mną, pani. Jestem Anglosaską, służyłam jeszcze twojemu ojcu. Błagam, racz poświęcić mi chwilę.

Przyglądając się baczniej, Karyna spostrzegła, że kobieta nie należała do zamkowej służby. Była wieśniaczką. Chuda, ubrana w szorstką, wełnianą suknię, niespokojnie gniotła fałdy spódnicy.

– Mów! Z jaką prośbą przychodzisz?

– Mam na imię Nelda, pani. Wybacz, że sprawiam ci kłopot. – Rzuciła niespokojne spojrzenie na salę, podest i na Geoffreya, który stał kilka stóp od nich.

– Najlepiej, jeśli porozmawiamy w jakimś ustronnym miejscu – zaproponowała Karyna, wyczuwając zakłopotanie kobiety. Zwróciła się do Geoffreya: – Wrócę za chwilkę i będziemy mogli ruszyć do wsi.

– Jak sobie życzysz, pani. Rozgrzeję nasze konie. – Geoffrey zostawił ją samą. Coś w wyrazie twarzy wyschniętej kobiety, którą Karyna poprowadziła do ustronnej, słabo oświetlonej wnęki, powiedziało jej, że dziś w ogóle nie wybiorą się do wsi.

* * *

Zmęczony nieskończoną liczbą spraw, które mu przedłożono, Ral potarł oczy i usadowił się wygodnie w bogato rzeźbionym fotelu. Siedzący na podeście po jego prawicy ojciec Burton bawił się długim łańcuchem zwieszającym mu się z szyi, a Richard siedział po lewej stronie i kreślił tajemnicze znaki na małej woskowej tabliczce, które później miał przepisać skryba. Jako zamkowy zarządca Richard pilnował porządku posiedzenia, wyczytując ze zwoju pergaminu poszczególne sprawy i ich przedmiot. Właśnie zajmowano się wnioskiem świniarza, który prosił o zezwolenie na małżeństwo córki z synem pszczelarza.

– Udzielam zgody – rzekł Ral, przystając na daninę czy raczej zapłatę w postaci trzech prosiąt, które po utuczeniu miały zostać dostarczone do zamku. – Przekaż swej córce moje najlepsze życzenia.

– Dobrze, panie. Racz przyjąć najpokorniejsze podziękowanie. – Uśmiechnięty chłop oddalał się tyłem, ciągle się kłaniając. Cieszył się, bo poprzedni pan wyznaczyłby mu większą zapłatę.

– Co mamy dalej, Richardzie?

– Uznanie spadku. Zmarł chłop o imieniu Alfred. Osrig domaga się ziemi jako jego jedyny żyjący syn.

– Uznać. A zapłatą niechże będzie jedna owca. Ojcze Burtonie?

Pękaty niewysoki księżulo wyprostował się w fotelu. Za uznanie prawa do spadku należała się zapłata także dla Kościoła.

– Wolałbym baranka. Masz, synu, w stadzie więcej niż jednego?

– Mogę zaofiarować tylko owcę, ojcze. Baran zdechł w zeszłym tygodniu.

– W takim razie niech będzie owca. Niech Bóg cię błogosławi, synu, i niechaj twoja ziemia dobrze rodzi.

Kolejne prośby były odczytywane i załatwiane, aż zaczęło się sądzenie tych, którzy złamali prawo.

Richard chrząknął i zaczął czytać z pergaminu:

– Kupiec Gervais oskarżony jest o sprzedaż fałszywych relikwii – powiedział i wskazał mężczyznę w średnim wieku, który stał przy podeście, mnąc w rękach brązowy filcowy kapelusz. Richard szczegółowo opisał przestępstwo i zakończył: – Człowiek ów przyznał się do popełnienia tego czynu i pokornie prosi o miłosierdzie.

Ral zwrócił się do księdza.

– Ojcze Burtonie, ciebie powinienem prosić o radę. – W pewnych sprawach najrozsądniej odwołać się do autorytetu Kościoła. Była to inna, wyższa władza, która zdejmowała ciężar odpowiedzialności z barków Rala.

Mały księżulo badawczo i groźnie przyjrzał się podsądnemu, zmarszczył krzaczaste brwi.

– Tym uczynkiem zgrzeszyłeś przeciwko Bogu, synu. Czyżbyś nie wiedział, że grozi ci wieczne potępienie? – Ojciec Burton wychylił się do przodu. – Sprzedać jakiemuś nieszczęśnikowi żebro świętego Marcina, które naprawdę było żebrem baranim, to największy stopień bluźnierstwa! – Ksiądz popatrzył na Rala. – Gdyby ten człowiek nie przyznał się do zbrodni, skazałbym go na próbę wody.

Rękę aż do łokcia zanurzano we wrzątku, po czym zawijano i pieczętowano. Po trzech dniach sprawdzano poparzenie, by sprawdzić, czy podejrzany jest winien, czy nie. Jedynie uleczony człowiek mógł ujść karze. Co, naturalnie, nigdy nie miało miejsca.

Oskarżony zbladł, tak jak chciał tego ksiądz.

– Skoro jednak przyznałeś się do grzechu, pozostaje ci skrucha. Musisz odprawić pokutę, byś otrzymał rozgrzeszenie. – Ksiądz ponownie spojrzał na Rala. – Panie, dobrze by było, żeby ten człowiek spędził trochę czasu pod pręgierzem, rozmyślając o swoim występku. W końcu tygodnia powinien zadośćuczynić temu, kogo oszukał, i przyjść do mnie. Mam dla niego pracę do wykonania na chwałę Pana.

Ral skinął głową.

– Niech tak będzie. – Przywołał krzepkiego rycerza, który pilnował podsądnego. Wysoki rycerz wystąpił do przodu z chrzęstem kolczugi. I choć winowajca opuszczał salę okryty hańbą, w jego postawie można było dostrzec ulgę.

Minęła kolejna godzina. Ral na chwilę się rozluźnił. W cieniu po swojej lewej stronie zauważył ruch, po czym mignęła mu spódnica w kolorze leśnej zieleni. Po raz pierwszy uzmysłowił sobie, że Karyna cały czas przyglądała się sądowi. Napiął się, mięśnie karku mu zesztywniały i raz po raz spoglądał w jej stronę. Dostrzegł jej wzrok, obecne w nim zatroskanie i zaczął się zastanawiać, dlaczego tu się znalazła.

Ciekaw był, czy go osądza, tak jak on osądzał tych, których tu przyprowadzono.

– Richardzie?

– Tak, panie. – Sługa spojrzał w pergamin. – Pozostały nam jeszcze trzy sprawy.

Ral skinął głową, zadowolony, że ten dzień wkrótce się skończy. Człowiek, który rozprowadzał fałszywe monety, co było jednym z najcięższych przestępstw, został skazany na utratę ręki, podobnie jak stary rabuś, który ukradł oszczędności całego życia pewnemu biedakowi. Prawo nakazywało skazać złodzieja na utratę chciwego wzroku albo grzesznej ręki. Cudzołożnicy musieli tracić jądra, a zbiegłym chłopom obcinano języki albo uszy.

Tytuł Rala wymagał od niego stosowania surowego prawa: nakładania grzywien, skazywania na chłostę, więzienie, piętnowanie, ucinanie części ciała, a nawet karania śmiercią, chociaż w większości przypadków najcięższe sprawy przedstawiane były do rozpatrzenia sądowi królewskiemu. Jako baron i pan na zamku Braxton Ral miał obowiązek utrzymywania prawa, chociaż wiele razy wolałby, aby robił to za niego ktoś inny.

Na przykład w takich sprawach, jak ta, którą właśnie mu przedstawiono.

– Chłopiec imieniem Leofryk jest oskarżony o kłusownictwo w lasach królewskich, panie.

W północnej części kraju nie było oddzielnego urzędu do administrowania lasem i Wilhelm przez nadanie Ralowi ziemi przekazał mu także obowiązek ochrony lasu.

– Cóż masz nam, chłopcze, do powiedzenia? Rzeczywiście kłusowałeś na terenach łowieckich naszego miłościwego pana?

Chłopiec był wychudzony i brudny, nie miał jeszcze dziesięciu lat. Miał twarz spaloną słońcem i osmaganą wiatrem.

– To był tylko mały zając, panie. Moja matka zachorzała. Nie mogła niczego utrzymać w brzuchu. Zrobiła się taka jak patyk, a w chałupie zabrakło jedzenia.

– A gdzież twój ojciec?

– Zmarło mu się, panie, będzie już ze dwa lata.

– Dlaczego nie przyszedłeś do mnie?

– Do ciebie, panie? Tyś przecie Norman.

– Prawdę mówisz, jestem Normanem. Ale także twoim panem. – Ral pochylił się do przodu. – Ty i twoja matka dostalibyście wszystko, czego wam trzeba. Tymczasem wybrałeś drogę przestępstwa.

Chłopiec milczał, tylko ręce zaczęły mu się trząść.

– Kary za przewinienia wobec królewskiej osoby i mienia są najcięższe. Kłusowników się wiesza albo obcina im się nogi. W tym względzie prawo jest bardzo surowe. Choroba twojej matki nie może być okolicznością łagodzącą.

Chłopiec zachwiał się na nogach. Złapał się brzegu stołu, aby nie upaść.

– Tak, panie.

– Jesteś gotów, Leofryku, przyjąć karę za swój czyn?

Usta chłopca poruszały się, lecz z gardła nie wydobył się żaden dźwięk.

– Tak, panie – powiedział wreszcie. – Jeśli kara ma ze mnie zrobić kalekę, wybiorę raczej śmierć, niżbym miał być ciężarem dla matki.

Lekkie westchnienie dobiegło z cienia. Kątem oka Ral zobaczył Karynę wychodzącą do przodu i prowadzącą za rękę pobladłą, wychudzoną kobietę. Zesztywniał, kiedy zrozumiał, że jego małżonka zamierza wejść na podest. Przeklęta, czy nigdy nie nauczy się, gdzie jej miejsce?

– Za pozwoleniem, panie.

Ral spojrzał na nią i poczuł, jak zalewa go fala gniewu.

– Nie udzielam ci pozwolenia. Twoje miejsce jest na końcu sali.

Zatrzymała się na chwilę, po czym spojrzała na nieszczęsną matkę i zdecydowanym krokiem podeszła bliżej, stając między Ralem a chłopcem.

– Błagam cię, panie. Znam tego chłopca, Leofryka. Mieszkał z nami, kiedy ziemia należała jeszcze do mojego wuja. To dobry chłopiec, panie, i bardzo pracowity. To prawda, że uczynił źle, na pewno jednak trzeba rozważyć okoliczności i to, że jest jeszcze dzieckiem. Ośmielam się prosić...

Pięść Rala uderzyła z całej mocy w ciężki, drewniany stół.

– Nie masz prawa prosić o cokolwiek! – Policzki Karyny straciły kolor i Ral poczuł zadowolenie. Mąż miał prawo zbić żonę, jeśli ośmielała się dawać mu rady. W tym wypadku, występując przeciwko niemu publicznie, w czasie sprawowania sądu, znieważyła go. – To zdumiewające, że znowu ośmielasz się narażać na moje niezadowolenie! Wszak dopiero co wymierzyłem ci karę – rzekł bez cienia litości. – Tak szybko zapomniałaś o nauczce?

Karyna poczerwieniała na wspomnienie upokarzającej sceny.

– Nie, panie.

– Podejdź tu, Karyno.

– Tak, panie. – Zamiast jednak ukazać się przy jego boku za stołem, zbliżyła się do niego tak, by stół nadal ich dzielił. Nie o to mu chodziło i oboje świetnie o tym wiedzieli. Gdyby nie był tak wściekły, na pewno by się uśmiechnął.

– Jakim to prawem ośmielasz się udzielać mi rad? Z powodu swojej nadzwyczajnej bystrości? Albo mądrości zdobytej przez długie lata życia? A może dlatego, że urodziłaś się na anglosaskiej ziemi? Chcę wiedzieć, moja żono, skąd bierze się twoja wiara w to, że powinnaś udzielać mi wskazówek!

– Nie miałam zamiaru, panie. Wykazałeś się wielką mądrością, wymierzając dziś sprawiedliwość. Chcę tylko prosić w sprawie chłopca, bowiem niewiele rzekł w swojej obronie.

– Wiele ryzykujesz, żono.

– To wiem. – Przełknęła nerwowo ślinę. – Czyniąc to, miałam nadzieję, że zrozumiesz, ile to dla mnie znaczy.

Spojrzał na chłopaka, któremu oddech dosłownie ugrząazł w płucach. Ani przez chwilę nie miał zamiaru go krzywdzić, tylko wypróbować jego hart ducha. Naturalnie ona nie mogła tego wiedzieć. Wtrącając się, postawiła go w trudnym położeniu. Niechże ją porwą wszyscy diabli!

– Jeśli ten chłopiec tyle dla ciebie znaczy, chciałbym wiedzieć, czy jesteś skłonna wziąć na siebie część jego kary?

Powoli przeżuwała dolną wargę. Ponętną, pełną, płonącą purpurą wczorajszego zachodu słońca. Ral poczuł ucisk w podbrzuszu.

– Tak, panie, jeśli taka będzie twoja wola.

– Zaczekasz na mnie w mojej komnacie. Wymierzę sprawiedliwość i tu, i tam.

– Co jednak będzie z chłopcem, panie? Co...

– Wyprowadzić moją małżonkę z sali – rzucił przez zaciśnięte zęby do barczystego rycerza o imieniu Hugh. Utkwił w dziewczynie chmurne spojrzenie. – Wkrótce przyjdę do ciebie. Radzę, byś wykorzystała ten czas na rozmyślanie nad konsekwencjami wtrącania się w nie swoje sprawy.

Obawa zasnuła jej łagodne brązowe oczy, po czym gdzieś uleciała.

– Jak sobie życzysz, panie.

Rzuciła chłopcu spojrzenie pełne niepewności, które odwzajemnił, wystraszony, że jest powodem kary, która za chwilę spotka także ją. Karyna dumnie podniosła głowę, tak wysoko, że ciężki, kasztanowy warkocz zsunął jej się na ramię, i opuściła salę.

Chryste Panie, przeklął w duchu Ral. Czy ta kobieta nigdy nie przestanie go drażnić? Przeklinając ją, w głębi duszy czuł jednak niechętne uznanie. Nie znał żadnej innej, która umiałaby przemówić z równą odwagą. To jednak było nie na miejscu i Ral nie będzie tego więcej znosił.

Gdy zamknęły się z nią drzwi komnaty, Ral powrócił do chłopca.

– Dzisiejszego dnia, Leofryku, przyznałeś się do przestępstwa i mężnie stanąłeś przed sądem – powiedział. – Niemniej jednak sprawiedliwości musi stać się zadość. Leofryku z Braxton, spędzisz najbliższe dwa miesiące w służbie kobiet na moim zamku. Będziesz pracował w kuchni, szorował podłogi, pomagał w przygotowywaniu posiłków i wykonywał inne powierzone ci prace. Po tym czasie, jeśli będziesz się dobrze sprawował, zostaniesz moim paziem. – Ral z ulgą wsunął się głębiej w fotel i pozwolił sobie na uśmiech. – W mojej służbie zawsze jest miejsce dla odważnych młodych ludzi.

Chłopak wyglądał jak rażony piorunem ze zdumienia i ulgi zarazem. Ral pomyślał, że chłopiec padnie jak długi.

– Marto – zawołał, by zapobiec mało chwalebnemu zakończeniu. – Znajdź mu miejsce do spania, poślij jego matce coś do jedzenia i dopilnuj, żeby robił, co należy.

– O, nie, panie – odezwał się Leofryk. – Będę robił wszystko, co mi się każe. Co do tego, daję ci słowo.

Ral kiwnął głową, przekonany, że chłopak dostał nauczkę i będzie pracował znacznie więcej, niż potrzeba na jego utrzymanie, i zaczekał, aż wyprowadzono go z sali i aż matka wypłacze całą swoją wdzięczność, podążając za nim. Dopiero wtedy wstał, dając znak, że posiedzenie się zakończyło.

Nareszcie ma to za sobą.

Prawie za sobą, poprawił się i rzucił chmurne spojrzenie w stronę schodów. Zacisnął zęby i ruszył na górę.

Rozdział 8

Zamykając za sobą drzwi tak cicho, jak tylko się dało, Karyna podeszła do wysokiego rzeźbionego łoża. Znowu rozgniewała męża, tym razem jednak było warto. Leofryk był ocalony!

W ustronnej wnęce obok dużej sali Karyna wysłuchała opowieści jego matki, przerywanej rozdzierającym serce szlochaniem i rozpaczliwym błaganiem o łaskę. Kobieta prosiła o pomoc, lecz Karyna odmówiła, wiedząc, że może jedynie rozzłościć męża, a nawet pogorszyć położenie chłopca. Zdecydowana była siedzieć w milczeniu, mając nadzieję, że małżonek okaże się sprawiedliwy. Kiedy jednak usłyszała, co mówił Ral i co groziło chłopcu, nogi same ją poniosły przed jego oblicze.

Obrzuciła drzwi niespokojnym spojrzeniem. Z dołu dochodził tupot nóg służby krzątającej się przy porządkowaniu ław i stołów oraz dźwięk głosu ciemnego Normana wchodzącego po schodach. Tak rozzłoszczonego nie widziała go jeszcze nigdy. Matko Boska, co on jej zrobi?

Aż podskoczyła, widząc, że opada naciskana klamka. Ral wszedł do środka ze ściągniętą twarzą, napiętymi mięśniami karku i ramion. Bogato zdobiony płaszcz łopotał za nim, kiedy zbliżał się szybkim krokiem, aż stanął tuż przed nią. Pochmurne spojrzenie szpeciło jego przystojną twarz.

– No proszę... moja pani małżonka... Czekasz na mnie, pani, tak jak ci kazałem. Założę się, że usłuchałaś mnie po raz pierwszy.

Karyna roztropnie milczała.

– Co masz do powiedzenia na swoją obronę?

– Niewiele, panie.

– Cóż za odmiana. Coś mi się zdaje, że znowu mnie oszukujesz.

– Nie miałam takiego zamiaru, panie. Ja tylko...

– Mało ci, że mi się przeciwstawiasz w prywatnych sprawach, to jeszcze musisz czynić to publicznie.

– Wybacz, panie. To tylko dlatego, że matka chłopca była w takiej rozpaczy, tak się bała, że ukarzesz jej dziecko. Błagała mnie o wstawiennictwo i...

– I ty się zgodziłaś, chociaż kobietom nie wolno postępować w ten sposób.

– Tak, panie.

– Czy także uwierzyłaś, że mógłbym zasądzić tak okrutną karę?

Karyna wbiła wzrok w czubki swoich stóp.

– Nie byłam tego pewna.

– To pewne, że podsłuchiwałaś, zatem wiesz już, jaki los spotkał chłopca?

Karyna uśmiechnęła się do niego, nie mogła się powstrzymać.

– Tak, panie, bardzo ci dziękuję.

– Sądzę, że nie powinnaś dziękować mi tak szybko. – Odpiął złotą broszę wysadzaną granatami zdobiącą prawe ramię, ściągnął płaszcz i rzucił go na łoże.

– Co... co ty chcesz uczynić?
– Uczynię dokładnie to, co rzekłem: wymierzę sprawiedliwość.
Karyna zesztywniała. Jeśli zechce ją zbić, wiedziała dobrze, jak łatwo może osiągnąć ten cel. Z drugiej strony wiedziała, na co się naraża, zanim podjęła postanowienie, że pomoże. Teraz nie będzie tchórzyła.
– Sprawiedliwość bywa różna – odparła szybko. – Inaczej wygląda dla tego, kto ją wymierza, a inaczej dla tego, komu jest wymierzana.
W kącikach jego ust zaigrał uśmiech.
– To prawda. Niemniej, o ile dobrze pamiętam, zgodziłaś się wziąć na siebie część kary chłopca.
– Każesz mi pracować z nim w kuchni?
– Już ci powiedziałem, że nie życzę sobie, by mówiono, że poślubiłem pomywaczkę.
– W takim razie... jakie jest twoje życzenie, panie?
– Od przybycia na ten zamek zbyt często zachowywałaś się tak, jak przystoi mężowi, a nie kobiecie: galopując konno ku niebezpieczeństwu, przemawiając, kiedy powinnaś ugryźć się w język. Jeśli jest to dla ciebie takie pociągające, dam ci okazję, byś zakosztowała tego więcej.
Przyjrzała mu się uważnie, lecz nie mogła przeniknąć nieodgadnionego wyrazu jego twarzy.
– Jutro będzie polowanie – rzekł. – Chcę, żebyś pojechała ze mną jako mój paź.
Karyna popatrzyła na niego w milczeniu, przekonana, że z niej kpi, lecz na jego twarzy nie znalazła śladu rozbawienia. Uśmiechnęła się po raz drugi, teraz jaśniej.
– Twój paź, panie? Uczynisz to? Naprawdę weźmiesz mnie ze sobą?

Ral uniósł wysoko brew ze zdziwienia.

– Sprawi ci to przyjemność? Gustujesz w takich rozrywkach?

– Jasne, że tak, panie.

Ral zacisnął pięść na kolumience łoża.

– Na rany Chrystusa! – Jego ryk mógł iść w zawody z rykiem samego Antychrysta. – Jesteś niepodobna do żadnej z kobiet, które znam. To miała być kara, a ty na mnie patrzysz, jakbym podarował ci księżyc.

– To cudowna rzecz, panie, galopować przez las w poszukiwaniu zwierzyny. Całkiem nieźle strzelam z łuku. Gdybyś tylko chciał mi zezwolić… chociaż dawno nie ćwiczyłam. Nauczył mnie wyborowy łucznik, który służył mojemu ojcu.

– Dobrze strzela... – Ral mruknął coś pod nosem i zamilkł. W przedłużającej się ciszy Karyna zrozumiała, że powinna była raczej ukryć swój zachwyt.

– Przykro mi, panie. Nie chciałam cię zmartwić. – Ral nadal milczał. – No cóż, właściwie to nie jestem wcale dobra, na pewno ani w połowie tak dobra jak twoi łucznicy. Ale bawi mnie uczenie się, jak trafić do celu.

– I znajdziesz, jak twierdzisz, przyjemność – zadudnił – w spełnianiu obowiązków pazia.

– Jeśli taka twoja wola, panie.

Przyglądał się jej znów dłuższą chwilę, po czym uśmiechnął się ponuro.

– Skoro uważasz, że to takie przyjemne, nie będziemy z tym czekać do jutra. Lepiej zacznijmy już tutaj.

– Tutaj, panie?

– Mięśnie zesztywniały mi po godzinach spędzonych na posiedzeniu. Rozkazałem przygotować kąpiel. Jako mój paź obsłużysz mnie w tym względzie.

– Kąpiel, panie? Czy to wszystko?

Dłonie zacisnęły mu się w pięści.

– A co, lepsze byłoby lanie?

– Nie, nie, z pewnością nie. Tyle tylko, że mógłbyś mi to rozkazać także jako żonie.

– Nie jesteś naprawdę moją żoną. Gdybyś nią była, rozciągnąłbym cię tutaj na łożu i za swoją zuchwałość zapłaciłabyś tak, że używałbym cię całą noc, ciężko cię dosiadając. Już ja bym cię ujeździł! – Policzki Karyny zapłonęły czerwienią. – Jako że jesteś niczym, jak tylko małą uzurpatorką, muszę dla ciebie zmienić sposób sprawowania nad tobą władzy.

Karyna pomyślała, że lepiej nie udzielać żadnej odpowiedzi. W milczeniu czekała na służbę. Kiedy wreszcie zastukali, a Ral zezwolił im na wejście, drzwi otworzyły się szeroko i wniesiono drewnianą wannę z wodą. Dwóch paziów odeszło, a Ral usiadł na brzegu szerokiego, bogato zdobionego łoża.

– Zacznij od butów.

Karyna uśmiechnęła się.

– Dobrze, panie. – Uklękła, by wykonać swoje zadanie, czując się szczęśliwa, że płaci tak niską cenę za swoje zuchwalstwo. Przynajmniej tak jej się zdawało na początku, póki nie kazał jej zdjąć tuniki i koszuli. Uczyniła to z wahaniem, wspiąwszy się na łoże, ponieważ był wysoki. Kiedy skończyła, stanął przed nią prawie nagi, spoglądając na nogawice, jakby także miał zamiar kazać jej je zdjąć. Poczuła, że pieką ją policzki, lecz widok jego potężnego ciała wypełnił jej pole widzenia, tak że nie sposób było odwrócić wzrok.

– Patrzysz na mnie tak, jakbyś nigdy nie widziała mężczyzny.

– Oczywiście, że widziałam. Kąpałam ojca i wuja. – To była prawda, jednak nigdy nie widziała ich całkiem nagich. A nawet gdyby widziała, nie wyglądali tak jak wysoki, potężnie zbudowany Norman.

– Nikogo innego?

Jako córka anglosaskiego lorda powinna była znacznie częściej otrzymywać takie zadania. Zazwyczaj jednak nigdy nie było jej w pobliżu.

– Nie, mój panie. – Powiodła wzrokiem po jego ciele, wspaniałym w każdym szczególe i cudownie proporcjonalnym, począwszy od zdumiewająco szerokich ramion, wypukłych, prężących się mięśni potężnego torsu, skończywszy na płaskim, muskularnym brzuchu. Spuściwszy wzrok, dostrzegła jeszcze jedną wypukłość, mocno uwydatnioną i ledwo mieszczącą się w spodniach. Karyna otworzyła usta.

– Idź po mydło – burknął Ral i ustępując wobec jej zawstydzenia, odwrócił się, by zdjąć resztę ubrania.

Kiedy wróciła z mydłem, znalazła go już siedzącego w wannie – *dzięki Ci, Błogosławiona Dziewico!* – wspartego o krawędź z zamkniętymi oczami, z czarnymi, wilgotnymi włosami przyklejonymi do karku. Spoczywające na krawędzi wanny ramiona i pierś pokryte były splotami masywnych mięśni.

– Trzeba wyszorować plecy – powiedział, nie otwierając oczu. Pochylił się, aż woda przelała się przez krawędź na dębową podłogę.

– Tak. – Karynie trzęsły się ręce, kiedy mydliła mu ramiona. To było jak szorowanie dobrze wypolerowanej stali.

– Teraz z przodu. – Odgiął się do tyłu. Karyna pochyliła się nad nim, wykonując oszczędne ruchy, starając się nie dostrzegać gładkości jego skóry i ignorować gorący oddech koło swojego ucha.

Złapał ją za nadgarstek, przyciągając jej uwagę.

– To, co dzisiaj uczyniłaś – powiedział cicho – było bardzo niemądre, *ma chèrie*. Muszę mieć szacunek tych ludzi. Nie mogę sobie pozwolić, by zdarzyło się cokolwiek, co mogłoby go umniejszyć, bo bardzo ciężko pracowałem, żeby na niego zasłużyć.

Dłoń Karyny drżała, kiedy położyła ją na jego piersi.

– Nigdy nie miałam zamiaru umniejszać go, panie.

– Gdybym sądził, że miałaś, zapłaciłabyś o wiele wyższą cenę.

Uważnie patrzył w jej twarz. W wyrazie jego oczu było coś takiego, co powiedziało jej więcej niż wszystkie słowa.

– Boję się, że byłam wobec ciebie niesprawiedliwa.

Gruba czarna brew uniosła się.

– Jak to?

– Widzę teraz, że gdybym pozostała w ukryciu, twój wyrok byłby taki sam. Czyż nie, panie?

Opuściło go napięcie i po raz pierwszy się uśmiechnął.

– Tak, pani.

Karyna odpowiedziała uśmiechem.

– Cieszę się, panie.

Przez krótką chwilę błękitnoszare oczy Rala utkwione były w jej twarzy, a Karyna wpatrywała się w piękną linię jego ust. Oderwanie od nich wzroku wymagało wielkiej siły woli.

Chciała się podnieść, gdy poczuła rękę na ramieniu i szarpnięcie, które pozbawiło ją równowagi.

Krzyknęła i wpadła do wody.

– Święta Mario, co ty wyprawiasz, panie? Straciłeś rozum?

Zaśmiał się miękkim i głębokim śmiechem z głębi piersi.

– Możliwe, że tak. – Jej bezskuteczna walka rozbawiła go jeszcze bardziej. – Ponieważ kolejny raz uniknęłaś kary, przypuszczam, że następnym razem, jeśli nie będziesz pewna mojego wyroku, porozmawiasz ze mną o tym na osobności.

Karyna przestała się szarpać i ze zdumienia szeroko otworzyła oczy.

– Wysłuchasz, co mam do powiedzenia?

– Jesteś moją żoną i to daje ci prawo do szacunku.

Oparła się o jego pierś i spoważniała.

– Będę szczera. Po dzisiejszym dniu zaskarbiłeś sobie więcej szacunku z mojej strony.

Oczy Rala przybrały błękitną barwę nieba za wąskim oknem. Poczuła, że mocniej ścisnął ją w pasie i że napięły się mięśnie jego ramienia. Ujął dłonią jej podbródek, pochylił głowę i delikatnie pocałował.

Karyna jęknęła, czując dotknięcie jego warg, doświadczając łagodnego ciepła ogarniającego całe jej ciało. Wargi miał gorące i pożądliwe, ale delikatne. Otworzyła się na jego pieszczotę, wpuściła język do środka, poczuła rękę głaszczącą spód jej piersi. Jej sutki stwardniały pod gorącą i mokrą warstwą tuniki. Pod biodrami czuła wzbierającą i pulsującą męskość Rala. Powinna bać się tego, co nastąpi. Ale czując jeszcze większy ogień, zarzuciła mu ręce na szyję.

W tej samej chwili szarpnęło nią poczucie winy. Matko Boska, cóż ona najlepszego robi? Wiedziała, dokąd ją to zaprowadzi. Wiedziała, że musi przestać, i to zaraz. Wsparła się rękami o jego pierś i odsunęła.

– Proszę, panie. Błagam cię, puść mnie.

Uśmiechnął się, lecz ciepły wyraz twarzy znikł.

– To nieco dziwne życzenie, zważywszy... – Pogładził mokrą dłonią jej pierś, aż Karyna zadrżała przeszyta gorącym dreszczem.

– Proszę, mój panie. Czy muszę ci przypominać o twoim przyrzeczeniu?

– Nie musisz mi przypominać, że muszę walczyć o miejsce, które powinienem zajmować w twoim łożu. – Gdy wstał, trzymając Karynę na rękach, rozchlapał wodę po całej podłodze. – Jeśli życzysz sobie tego, pani, to cię puszczę. – Wyszedł z wanny i wrzucił ją do wody. – Niech tak będzie.

– Przeklęty! – wybuchła nienawiścią. Była wściekła i ku własnemu zdziwieniu rozczarowana. Wytarła pianę spływającą po policzkach.

– Bacz na swój język, kobieto. – Nie przejmując się swoją nagością, Ral podszedł do łoża, skąd wziął biały lniany ręcznik. Uśmiechnął się złośliwie. – Nie jest tak słodki, jak twoje pocałunki.

Poczerwieniała, klnąc straszliwie pod nosem, odwróciła się do niego plecami i wygramoliła z wody. Przesiąknięta spódnica ociekała, tworząc na podłodze wielką kałużę.

– To Lynette powinieneś całować, a nie mnie – przypomniała mu cierpko. – Na pewno nie może się ciebie doczekać!

Ral przyszpilił ją szarym, mrocznym spojrzeniem.

– Wdzięczny jestem za przypomnienie. Dziękuję, pani małżonko.

Karyna przestała zwracać na niego uwagę, kiedy skończył się ubierać i opuścił komnatę, jednak jej serce ogarnął smutek. Obawiała się, że zna jego przyczynę.

* * *

Zdecydowana cieszyć się dniem obiecanym przez Rala, Karyna obudziła się jeszcze przed świtem i poszła do stajni. Powietrze było rześkie, a na niebie widać było mnóstwo gwiazd. Dzień zapowiadał się pogodny.

Starając się nie czynić hałasu, otworzyła drzwi stajni i przeszła po ubitej ziemi, wdychając zapach koni, siana i skóry. Minęła kilka grup śpiących mężczyzn i wreszcie znalazła tego, kogo szukała, na ubitym sienniku z liści paproci. Potrząsnęła go za ramię i szeptem wypowiedziała jego imię.

– Rany boskie, kobieto! – Chwycił wełniany koc i podciągnął, by zasłonić chudą pierś, podczas gdy jego wzrok próbował przebić ciemność, by zobaczyć, kim jest dokuczliwa niewiasta. – Wybacz, pani. – Wyprostował się i przetarł oczy. – Coś jest nie tak? Przecież to środek nocy.

– Wszystko jest w porządku. Tyle tylko, że potrzebuję twojej pomocy.

Młody giermek przyjrzał jej się podejrzliwie.

– Nie myślisz, pani, znowu uciekać?

– Nie bądź niemądry. – Karyna przykucnęła na kupce siana u jego boku i wyjaśniła ostatnie rozkazy lorda Rala, że dzisiejszego dnia będzie mu służyć jako paź.

Etienne podrapał się po rozczochranej głowie.

– Musiał być bardzo zagniewany, skoro zażądał czegoś takiego od swojej żony.

Karyna uśmiechnęła się.

– To nie takie straszne. Będzie to dla mnie rozrywka i przygoda. Czy możesz pożyczyć mi strój pazia?

– Czy to nie jest jakiś twój nowy podstęp, pani?

– Przysięgam, że to rozkaz pana.

– Ja sam nie mam niczego, co by na ciebie pasowało, ale jest tu paź, Osbern, mniej więcej twojego wzrostu. Zaczekaj, pani, chwilę, ubiorę się i poszukam go. Przyniosę wszystko, czego ci trzeba.

Etienne wrócił niebawem i znalazł ją przy drzwiach do stajni, gładzącą pysk małej gniadej klaczy. Wręczył jej zawiniątko z ubraniem.

– Dziękuję ci, Etienne. Jestem pewna, że twój pan będzie rad. – Z najwdzięczniejszym uśmiechem odeszła, nie mogąc się doczekać, by znaleźć się w sypialni i zacząć przygotowania do czekającej ją przygody.

Omijając śpiących w wielkiej sali zbrojnych i służących, wróciła do komnaty i przebrała się w pożyczone ubranie. Stanęła w czarnych, obcisłych spodniach i ciemnoszarej tunice kończącej się kilka cali nad kolanami.

Małżonek wrócił niedługo potem, wchodząc jak zawsze bez pukania i przechodząc przez komnatę jak burza. Przeszedł koło niej bez słowa, dotarł do brzegu łoża i rozchylił aksamitne zasłony, żeby ją obudzić.

– Panie?

Odwrócił się na dźwięk jej głosu, ale nie widział jej jeszcze, dopiero gdy weszła w światło migoczącej świecy, którą postawiła na stoliku przy drzwiach.

Rozległ się syk powietrza wypuszczanego przez zaciśnięte zęby.

– Na wszystko, co święte!

– Jestem gotowa, panie.

Patrzył na nią w milczeniu, surowym spojrzeniem omiatając jej całą postać od czubka głowy do nosków butów z miękkiej skóry.

– Przywdziałam strój twojego pazia, panie.

– Właśnie widzę. – Uczynił krok w jej kierunku, po czym zatrzymał się. – Przyszedłem, żeby ci powiedzieć, że wczorajsza kara już wystarczy.

Po raz pierwszy w życiu zdarzyło się, że się wycofał.

– Ależ nie, panie. W swoim wyroku okazałeś się wielce sprawiedliwy i na pewno odpokutuję swą winę dopiero, gdy spełnię wszystko, co kazałeś. Jeśli mam jeszcze coś zrobić, zanim wyruszymy, zrobię to z najwyższą przyjemnością.

Wsparł dłonie na biodrach, przyglądając się jej z twarzą stężałą i napiętą. Pochylił się nad nią.

– Jeśli choćby przez chwilę myślałaś, że pozwolę ci stąd wyjść w takim stroju...

– Przecież powiedziałeś...

– Sam doskonale wiem, co powiedziałem. – Raz jeszcze popatrzył na nią badawczo i przywarł wzrokiem do jej kształtnych nóg widocznych przez obcisłe nogawice.

– Błagam cię, panie. Tak bardzo czekałam na dzień spędzony w lesie.

– Nie.

– Obiecuję, że będę dla ciebie miła.

Ral rozważał to ostatnie, ujęty jej żarliwymi prośbami, dobrze wiedząc, co znaczył dla niej ten dzień. Usiłował wymyślić, jak zręcznie wymigać się z tej sytuacji, lecz tymczasem nie mógł oderwać oczu od jej zgrabnych nóg. Pierś jej się podnosiła i opadała miękko, kosmyki płomiennych, ciemnych włosów wymykały się spod filcowego brązowego kapelusza. Kiedy schyliła się, żeby zabrać mieszek, Ral poczuł falę pożądania, która zagotowała mu krew w żyłach.

Zapragnął zerwać z niej te dopasowane chłopięce szaty, rozciągnąć ją na podłodze i wejść w nią.

Zapragnął brać ją bez końca, raz po raz wbijać się w nią. Był skończonym głupcem, kiedy obiecał, że jej nie tknie.

Przyglądał się jej twarzy, jej wdzięcznym rysom widocznym w świetle świecy.

– To nie jest znowu takie niezwyczajne, kiedy żona twojego stanu towarzyszy mężowi w łowach. – Wydawała się tak pełna nadziei, że jęknął w środku. – Wydam kilka poleceń, a ty w tym czasie się przebierzesz.

– Ale przecież...

– Chyba że chcesz zostać tutaj, na zamku. Wybieraj!

Karyna westchnęła.

– Dobrze, panie. Jeśli to znaczy, że mogę jechać, uczynię, co tylko każesz.

– Nie ociągaj się! Kiedy będziesz gotowa, zejdź na dziedziniec.

Zły, że musiał zmienić plany, Ral wyszedł z komnaty i przeszedł korytarzem w stronę schodów. Kiedy wchodził do wielkiej sali, zauważył, że jego zły nastrój gdzieś uleciał i że właściwie czeka z nadzieją na dzień, który właśnie się zaczął. Mógłby rozkazać wziąć namiot i zabrać ze sobą kucharza, by przygotował porządny obiad w południe. Mógłby sprawić, by ten dzień był wyjątkowy, tak by jego mała żona szybko go nie zapomniała.

Poza tym wszyscy bardzo ciężko ostatnio pracowali i zasłużyli sobie na dzień przyjemności.

Godzinę później, kiedy słońce wstało nad horyzontem w pomarańczowozłotej zorzy, Ral w towarzystwie Oda, Hugh, Lamberta, Geoffreya i tuzina najlepszych rycerzy wyjechał z zamku. W prostej granatowej tunice pod płaszczem Karyna jechała na swoim małym siwku. Nawet Richard dał się namówić i ruszył z nimi.

Ral zabrał ze sobą ukochanego sokoła Cezara. Przykryty kapturem królewski ptak siedział na pokrytym grubą skórą ramieniu giermka. Kiedy przejeżdżali przez łąki dzielące zamek od gór, Ral przyjrzał się ukradkiem Karynie i dostrzegł jej promienny uśmiech, jeszcze szerszy, niż w chwili gdy opuszczali zamek.

– Dzięki, mój panie! – zawołała.

Kąciki jego ust uniosły się lekko.

– To będzie długi i ciężki dzień. Jeszcze możesz zmienić zdanie i wrócić.

– Nigdy, panie!

Przed południem, kiedy jej radość nie opadała, Ral już wierzył, że naprawdę sprawił jej przyjemność. Może i była drobna, lecz rozsadzała ją energia, i – jak wkrótce miał się przekonać – w jej piersi biło waleczne serce.

* * *

– Cudowny dzień, prawda? – Ral pojechał do przodu tropić zwierzynę, a Karyna jechała obok Oda.

– Jest trochę chłodno i wilgotno – odparł Odo posępnie.

Karyna rozejrzała się dokoła, nie widząc niczego poza pięknem lasu, w którym się znaleźli, minąwszy dolinę o żyznej, czarnej ziemi, gdzie końskie kopyta grzęzły w błocie. Wiatr szeleścił w wysokiej, soczystej trawie, w której igrały ptaki i wiewiórki.

– Gdybym tylko mogła wybierać, chciałabym, żeby tak wyglądał każdy mój dzień – powiedziała.

– W otoczeniu olch, buków, cisów, pod dachem nieba i na posadzce z mchu i paproci.

Odo burknął coś pod nosem.

– Popatrz. – Pokazała ręką płytki, ale wartki strumień. – Bobry zatamowały potok. Robią sobie domy pod kopułą z konarów i gałęzi. Widzisz? Jeden płynie do brzegu.

– Zatrzymują dopływ wody do gospodarstw – warknął Odo. – Przyślę tu chłopa, żeby rozebrał tamę i pozwolił wodzie płynąć.

– Przecież taka jest kolej natury. To, co od niej pochodzi, na pewno jest dobre.

Kiedy Odo naburmuszył się, Karyna przyjrzała mu się w zamyśleniu.

– Nie lubisz mnie, prawda?

Rudy rycerz patrzył nieruchomo na ścieżkę przed nimi.

– Jesteś poślubiona mojemu przyjacielowi i panu. Tylko to się liczy.

– Cóż takiego uczyniłam?

Odo ściągnął wodze konia i odwrócił się, żeby spojrzeć jej w twarz.

– Nie przystoi mi tego mówić, skoro jednak pytasz, powiem ci. – Podniósł się w siodle. – Nie chodzi o to, co uczyniłaś, tylko o to, czego nie uczyniłaś. Czy sądzisz, że nie wiem, jak to jest między tobą a lordem?

– Ma kobietę, która daje mu przyjemność – odparła, ale poczuła nieprzyjemne ukłucie. – Jeżeli on się godzi z taką koleją rzeczy, czemu ty nie możesz?

– Dość, że jesteś Anglosaską i nie można ci ufać. Ponadto lord Ral musi mieć synów i dziedziców. I to ty musisz mu ich dać. Już to, że jesteś niechętna, by wypełniać małżeński obowiązek, wystarczy, bym nie darzył cię przyjaźnią. – Mimowolnie ręce zacisnęły mu się mocniej na wodzach. – Gdybyś była moją żoną, dosiadłbym cię i zapłodnił, czyby ci się to podobało, czy nie. To wielki błąd Rala, że nie postarał się jeszcze dokończyć dzieła.

Karyna poczuła wzbierający gniew.

– O, tak, to coś, na czym znasz się, Normanie: na gwałceniu niechętnych kobiet. Wy wszyscy bardzo dobrze się na tym znacie. – Karyna popędziła konia i zrównała się z Geoffreyem, próbując się uspokoić.

Czy istotnie uchybiła obowiązkom jako żona Rala? W głębi duszy nie miała co do tego wątpliwości. Serce jej jednak nic nie mogło na to poradzić. Winna była lojalność siostrze. Małżeństwo z Normanem było zdradą – i to był powód, dla którego wzdragała się złożyć wizytę w klasztorze.

Nie chciała patrzeć na piękną twarz Gweneth, nie chciała pamiętać tego, co zdarzyło się tamtego wieczoru trzy lata temu. Nie chciała także przyznać się do zawstydzających pragnień, które budził w niej Czarny Rycerz

– Czas wracać do obozu. – Ral zrównał się z nią, przyciągając jej uwagę i sprawiając, że mocniej zabiło jej serce. Dosiadał dziś gniadego wierzchowca, szybszego i bardziej zwinnego niż jego czarny koń bojowy. – Kucharz zapewne przygotował południowy posiłek. Wszyscy zgłodnieli.

– Co wytropili?

– Tropimy dzika. Psy zgubiły na chwilę ślad, ale na pewno go podejmą. Zatrzymamy się na chwilę, napoimy konie i damy im odpocząć.

Dołączyli do pozostałych u podnóża góry, gdzie kończył się wąwóz i wypływała z niego wartka struga. Woda, czysta i zimna, bulgotała pomiędzy wygładzonymi kamieniami. Na brzegu rozpięto namiot chroniący przed słońcem i pozwalający odpocząć.

Jedli przypieczony chleb, zimną baraninę i kawałki suszonego mięsa. Ral podzielił się z nią winem z bukłaka, śmiejąc się serdecznie, gdy czerwona strużka spłynęła jej po policzku. Na deser zjedli pieczone dzikie jabłka. Karynie bardzo smakowało jedzenie, chociaż zrobiła się nieco senna.

– Ruszamy? – Wstała z drewnianego kloca, widząc zbliżającego się do niej Rala.

– Ja i moi ludzie pojedziemy za dzikiem. Chcę, żebyś tutaj została.

– Myślałam...

– Dzik może być groźny. Znaleźliśmy krew, pewnie jest ranny. Nie odjedziemy daleko. Jeśli psy nie podejmą tropu, wrócimy i poszukamy innego. Wtedy cię ze sobą zabiorę.

Karyna uśmiechnęła się.

– Szczęśliwa jestem, że mogę tu być. Uczyniłeś mi wielką przyjemność, zabierając mnie ze sobą.

Ral podniósł rękę i powiódł palcem po jej policzku.

– Tak, jak ty mnie swoim towarzystwem.

Karyna nic nie odpowiedziała, lecz poczuła mrowienie tam, gdzie jej dotknął, i zrobiło jej się ciepło koło serca. Tę miłą chwilę zakłóciły nawoływania mężczyzn rwących się, by ruszyć za zwierzyną.

– Nie będziemy zwijać obozu do mojego powrotu. Zostaną sługi, dwóch zbrojnych i Girart. Jeśli będziesz czegoś potrzebować, powiedz mu.

– Nic mi nie trzeba.

Przyglądał jej się jeszcze przez chwilę, badał wzrokiem jej twarz. Skłonił się lekko i odszedł. Tętent koni i chrzęst zbroi, szczęk broni i szczekanie psów, które złapały wiatr, oddalały się w miarę jak Ral z ludźmi podążali pod górę.

Kiedy zapadła cisza, Karyna zamieniła parę słów z Girartem – trzydziestoparoletnim mężczyzną o ciemnych włosach i szerokim uśmiechu, który długie lata służył Ralowi. Słudzy przepakowali rzeczy. Girard, poszukując drzewa na łuk, znalazł stosowny do tego cis, a Karyna przechadzała się tu i tam, kierując się powoli nad brzeg strumienia.

Zagłębiła się w las za potrzebą, zważając, żeby znaczyć drogę rwanymi liśćmi i gałązkami. Kiedy skończyła, poszła jeszcze kawałek dalej zwabiona kobiercem jaskrawożółtych krokusów kuszących na małej polance nieopodal. Gdy znalazła się na polance, uklękła między kwiatami i znieruchomiała. Pod kolczastymi gałęziami pobliskich zarośli maleńki jelonek z czarnym noskiem, zamaskowany nakrapianym biało rdzawym futerkiem obserwował ją spod liści.

– Co tutaj robisz, maleńki? – powiedziała łagodnie Karyna i zbliżyła się, by lepiej przyjrzeć się zwierzęciu. Jelonek podniósł głowę i patrzył żałośnie, trzęsąc się ze strachu. Próbując uciec, wyprostował cienkie nóżki i począł się gramolić, lecz opadł znowu na ziemię.

– Gdzie twoja mama, jelonku? – Dziewczyna przysunęła się jeszcze bliżej, by pogłaskać zwierzę po futerku, które przy bliższych oględzinach okazało się zmierzwione i matowe. Oczywiste było, że jelonek osłabł z głodu, że został sam. Może matka małego zginęła, podobnie jak matka kociąt, którymi zaopiekowała się na zamku?

Podrapała zwierzę po szyi, a ono trąciło ją nosem i wielkie oklapnięte uszy musnęły jej palce.

– Dobrze, że cię znalazłam. Jesteś tak zagłodzony, że nie mogę cię tu zostawić. – Pochyliła się, by wziąć malucha na ręce, gdy uwagę jej zwrócił niski warkot dochodzący z lasu. Odwróciła głowę i skamieniała.

Wielki szary wilk z nastroszoną na grzbiecie sierścią i wyszczerzonymi we wściekłym grymasie zębiskami skradał się ku polance. Karyna poczuła, że serce podchodzi jej do gardła i zaczyna mocno walić w piersi. Złapała kamień i rzuciła nim w wilka. Zwierzę zrobiło unik i dalej posuwało się w jej kierunku.

– Nie dostaniesz mojego jelonka – powiedziała zdecydowana chronić swojego nowego podopiecznego. Rozglądała się za czymś, co mogłoby posłużyć za broń. Zacisnęła palce na dębowej gałęzi w tej samej chwili, kiedy drugi wilk pojawił się na polance.

– Słodki Jezu! Jest jeszcze jeden. – I jeszcze jeden, który czyhał z drugiej strony. Drżącymi rękami podniosła ogołocony z liści ciężki drąg i wstała. Znalazła się między wilkami a małym, wystraszonym jelonkiem. Pot wystąpił jej na czoło, zwilgotniały ręce, przez co trudniej było jej pewnie uchwycić drąg.

Z gorączkowo bijącym sercem Karyna spojrzała w kierunku obozu. Chciała zawołać o pomoc, instynkt podpowiedział jej jednak, że jest za daleko, by ją ktoś usłyszał. Podniosła z ziemi jeszcze jeden kamień i cisnęła w najbliższego wilka. Wielkie zwierzę zaskowyczało i cofnęło się kilka kroków z podwiniętym ogonem, po czym po chwili znów się zbliżyło.

Czwarty drapieżnik krył się pod zwieszającymi się gałęziami olchy i na jego widok Karyna poczuła, jak jej żołądek zwija się w supeł. Popatrzyła na jelonka. Teraz ofiarami byli oboje. Gdyby rzuciła się do ucieczki, nie byłoby pewne, którą ofiarą chętniej zajęłyby się wilki.

Lepiej było stawić im czoło, spróbować zabić jednego w nadziei, że pozostałe rzucą się na martwego towarzysza. Opowiadano jej takie historie, ale teraz, bez porządnej broni, miała mizerne szanse, by wykonać zadanie.

Karyna uniosła drąg i oparła na ramieniu. Jelonek za nią znieruchomiał. Strach ścisnął ją za gardło tak mocno, że nie była w stanie wydobyć z siebie żadnego dźwięku. Słodki Boże, czemu odeszła tak daleko!

* * *

Ral stał w milczeniu w cieniu drzew, a przerażenie przeszyło go jak dobrze naostrzona stal. Na polance kilka stóp od niego stała Karyna. Jeszcze go nie dostrzegła. Oddzielały ich cztery pary ostrych szczęk dzikich szarych wilków.

Najciszej jak się dało, wyciągnął z pochwy miecz. Metal ocierający się o metal wydał niemal niesłyszalny dźwięk. Zacisnął dłoń na owiniętej skórą rękojeści, gdy zobaczył, że Karyna podniosła drąg i oparła o ramię. Dostrzegł za nią małego jelonka i domyślił się od razu, co się stało. Żona znalazła jelonka, a wilki ją. Wysyłał ją teraz do wszystkich diabłów za jej miękkie serce, które teraz mogło zabić ich oboje.

– Odejdź od jelonka, *chèrie.* – Ral przysuwał się ostrożnie krok po kroku, tak że usłyszała jego ciche polecenie.

– Ral... – gdy tylko jej szept dobiegł jego uszu, zrozumiał, jak bardzo się boi.

– Idź powoli łukiem w lewo do drzew.

– Ale jelonek...

– Rób, co powiedziałem. Trzymaj drąg przed sobą. Poruszaj się powoli. Nie rób niczego, co mogłoby je ostrzec.

Spojrzała z takim żalem na jelonka, że przez chwilę bał się, że nie posłucha. Potem skierowała się w lewo, a wilk podkradł się do zwierzęcia z położonymi po sobie uszami, obnażonymi zębami i wywalonym jęzorem. Wilk z prawej – smukła, ciemna samica – zawarczał głucho, przysiadł i skoczył do przodu, chcąc dopaść jelonka przed samcem. Zwierzęta wybrały ofiarę i Karyna mogła się wymknąć. Tymczasem krzyknęła i runęła z drągiem na większego wilka, powalając go na ziemię.

– Na rany Chrystusa! – Wilk się poderwał, a Ral rzucił się do przodu, podobnie jak pozostałe drapieżniki, które chciały dołączyć do krwawej uczty.

Ral zamachnął się mieczem na samca i ściął mu głowę, odwrócił się i ugodził drugiego w zad, aż trysnęła krew i ochlapała mu pierś. Nie widział dwóch pozostałych. Usłyszał krzyk Karyny i ciął mieczem. Stal trafiła, przeszyła cielsko wilka. Kątem oka zobaczył, że Karyna podniosła drąg i zrobiła obrót. Usłyszał skowyt, gdy drewno uderzyło w ostatniego samca. Cios nie uczynił mu jednak większej szkody. Zwierzę wstało, przysiadło i skoczyło do przodu. Ral też skoczył i pchnął mieczem, trafiając w gęste futro i żebra. Zanim oswobodził ostrze, drugi wilk skoczył mu na plecy.

– Ral! – krzyknęła Karyna, kiedy upadł, mocując się w trawie z bestią, próbując ścisnąć wilka za gardło, odsunąć od siebie jego ostre kły. Unieruchomił kłapiące szczęki i skręcił bestii kark. Zanim jednak uwolnił się od martwego wilka, zaatakował go następny. Poczuł, jak rani mu ramię, złapał za pysk i poczuł zęby zatapiające się w jego dłoni.

– Uciekaj! – rozkazał Karynie, gdy dostrzegł ciemną sylwetkę jeszcze jednego wielkiego basiora. Poczuł mdłości, gdy pomyślał, co bestia może jej zrobić, po czym zrozumiał, że to on jest celem ataku.

– Ral! Dobry Boże, Ral!

– Uciekaj!

Zamiast usłuchać, podbiegła wymachując drągiem i zdzieliła atakującego wilka w głowę, w chwili gdy wyskoczył w górę. Z warczeniem, a potem skowytem zwalił się na ziemię pod jego stopy. Drąg opadał raz po raz, podczas gdy Ral walczył z samcem leżącym mu na piersi, póki nie udało mu się go udusić.

Krwawiąc z rany na ramieniu, zwalił z siebie ciężką bestię, szukając wzrokiem zwierzęcia, z którym walczyła Karyna. Zobaczył, że wilk się nie rusza, i zrozumiał, że go zatłukła. Ujrzał też, że biegnie ku niemu. Szlochając, rzuciła mu się w ramiona.

– Ral! – Po policzkach spływały jej łzy, uwiesiła się na jego szyi. Objął ją mocno.

– Już koniec. Już nie ma się czego bać.

Zaniosła się jeszcze większym płaczem, powtarzając jego imię. Jej drobne ciało dygotało, wstrząsane dopiero co przeżytą trwogą. Głaskał ją po plecach krwawiącymi i osłabłymi bardziej niż zwykle dłońmi.

– Teraz nie ma czasu na łzy – uspokajał ją. – Jesteś już bezpieczna, jelonek też.

Karyna odsunęła się, by mu się przyjrzeć. Łzy strugami spływały jej po policzkach. Warkocz opadł i się rozplótł, a włosy rozsypały się na ramionach. Odgarnął niesforne kosmyki z jej twarzy, czując w palcach ich jedwabistą miękkość. Wówczas zobaczyła cięcie na jego piersi.

– Słodki Boże, jesteś ranny!

– To nic takiego, tylko draśnięcie.

Obejrzała jego poszarpaną i brudną tunikę, zobaczyła krew płynącą mu z palców.

– Twoje ręce – wyszeptała. – Twoje piękne ręce. Patrz, co z nimi zrobiły te okropne bestie!

Coś ścisnęło go w piersi, gdy usłyszał te słowa.

– To się zagoi. Nie bój się.

Ujęła każdą rękę w swoje dłonie i rąbkiem spódnicy wytarła ostrożnie krew. Potem wytarła skaleczenie na ramieniu. – Byłam przerażona – wyznała. – Myślałam, że cię zagryzą. Nie zniosłabym tego, Ral! Ja...

– Karyno... – Jej oczy były łagodne i pełne obawy jak oczy jelonka. Ral poklepał ją po policzku, po czym pochylił się i pocałował. To był czuły pocałunek, którym chciał podziękować jej za troskę. Podziękować i nic więcej. Z chwilą jednak, gdy ich wargi się zetknęły, coś się w nim przełamało. Objął ją mocno, a pocałunek stał się gorący i żarliwy.

To nie był delikatny pocałunek. Było w nim pożądanie i chęć, by zdobyć dopiero co ocalone życie. Karyna musiała czuć to samo, bowiem nie wyrywała się, nie hamowała się i całowała go z równie dziką namiętnością i szaloną, gorączkową radością, że udało im się ujść z życiem.

Z cichym westchnieniem poddania otoczyła ramionami jego szyję i rozchyliła miękkie wargi, wpuszczając do środka jego język. Odpowiedziała mu, wędrując dłońmi po jego piersi. Ral rozpiął jej tunikę i wsunął rękę do środka, unosząc i głaszcząc jej pierś. Czując, że zadrżała, rozchylił jej koszulę, opuścił głowę i wziął do ust jej sutek.

Karyna jęknęła. *Błogosławiona Dziewico...* Wszędzie, gdzie dotykał jej Ral, czuła ogień i napięcie, od którego krew poczęła gorączkowo pulsować jej w żyłach. Zanurzyła palce w jego czarnych włosach, wygięła się w łuk i poddała gorącym pieszczotom.

– Ral... – Usta na jej piersi rozpaliły ogień w całym jej ciele. Moczył ją i smakował, lekko ssąc i ciągnąc, wzniecając coraz większe pożądanie. Nogi ugięły się pod nią. Osunęła się na ziemię, a za nią Ral, przyciskając ją do miękkiej murawy. Całował ją, a dłonią obejmował jej pierś, ugniatał i masował, po czym przesunął się niżej, zadarł jej spódnicę i powiódł ręką aż do uda. Naprężyła się pod jego palcami, błagając o jeszcze, nie zdając sobie sprawy z tego, gdzie są, nie dbając o nic.

Wsparł się na łokciu. Czuła, jak bardzo napięte i gorące jest jego ciało. Przytulił się mocniej, aż poczuła, jak twardy jest jego członek. Wtem znieruchomiał.

– Ktoś nadchodzi – powiedział i zaklął cicho pod nosem. Niepewną ręką poprawił jej tunikę.

– Co, co się dzieje? – Nie mogła myśleć jasno. Czuła się zawstydzona i oszołomiona, a jej ciało nadal płonęło pożądaniem. Puścił ją, wstał, po czym pomógł jej się podnieść.

– Wszystko w porządku, *cherie.*

Głos Girarta dobiegł do niej jak przez mgłę.

– Wybacz mi, panie. Kiedy pani nie wracała, zacząłem się martwić. – Girart dopiero teraz zobaczył rozrzucone po polance zakrwawione wilcze ścierwa i poszarpane, poplamione ubrania.

– Na rany Chrystusa, co tu się stało?

Ral zasłonił płaszczem ramiona Karyny, zakrywając rozchyloną koszulę.

– Pani próbowała ocalić jelonka. W końcu ocaliła mnie.

Spojrzała na niego. W oczach miał ciepły blask i zadowolenie.

– To niecała prawda. Jak widzisz, lord Raolfe to człowiek wielkiej odwagi. Gdyby nie przybył na czas, wilki szybko by się ze mną rozprawiły.

Girart padł na kolana.

– Zawiodłem cię, panie. Powinienem był przyjść wcześniej. Twoja żona prosiła o chwilę na osobności. Nie powinienem był czekać tak długo.

– Wstań, Girarcie. To nie twoja wina. Moja żona ma skłonność do wpadania w tarapaty. – Chociaż słowa zawierały przyganę, w głosie nie było gniewu.

Girart wstał.

– Nie wiedziałem, panie, żeś wrócił. – Poczuł się niezręcznie i spuścił oczy. – Wdzięczny jestem, żeś wrócił.

– Psy podjęły trop i zagoniły dzika na śmierć. Wróciłem, by być tu przed innymi. – Chciał podzielić się dobrą nowiną z Karyną. Zauważył, że brakuje mu jej świetnego nastroju i uśmiechu, który sprawiał, że dzień wydawał się pogodniejszy.

– Dobrze, że oznaczyła drogę.

Ral przytaknął.

– Kiedy zauważyłem, że jej nie ma, poszedłem za śladem. Był wyraźny, lecz bałem się, że odeszła za daleko. Potem zobaczyłem wilki.

Karyna zadrżała na to wspomnienie i zmusiła się do uśmiechu.

– Dzięki, że przybyłeś, panie. – *Ale nie za to, co stało się potem.*

Kiedy wróciła do przytomności, zrobiło się jej niedobrze od tego, co uczyniła. W chwili słabości pozwoliła ciemnemu Normanowi, by ją całował. Potrzebowała tego pocałunku jak spragniony człowiek wody. Pocałunek jednak stał się czymś więcej. Tego czegoś potrzebowała teraz równie mocno.

Jak mogła tak się zachować, wiedząc wszystko o rzeczach, do jakich był zdolny. Tu musiała jednak przyznać, że nie przypominała sobie dokładnie wszystkiego, co zdarzyło się tamtego wieczoru trzy lata temu. Po ślubie miała coraz mniejszą ochotę na wspominanie.

Teraz chciała przypomnieć sobie każdy szczegół. Chciała, by pamięć zapłonęła tak jasno jak jej pożądanie. Powinna być lojalna wobec siostry, a nie wobec jakiegoś normańskiego rycerza, który potraktował je obie tak brutalnie.

– Karyno? – wymówione cicho jej imię przywróciło ją do rzeczywistości. Zmusiła się, by spojrzeć mu w oczy. Zmarszczył się, wyczuwając zmianę jej nastroju. Matko święta, co powinna powiedzieć?

– Wiem, że do końca polowania pozostało wiele godzin, ale...

– Wracamy do domu! – Pogładził ją po policzku. – Dopiero na zamku będę pewien, że jesteś bezpieczna.

Karyna spuściła wzrok. Bezpieczna? Właśnie się przekonała, że w obecności Rala jest równie bezpieczna jak w otoczeniu watahy wilków.

Rozdział 9

W drodze do domu Karyna milczała. Wargi wciąż piekły ją od pełnych pożądania pocałunków Rala, a ciało nadal płonęło od jego dotyku. Tymczasem sługa opatrzył rany Rala i po chwili lord dołączył do żony i przez chwilę jechał obok niej, jednak widząc ją pogrążoną w myślach, oddalił się i dołączył do swoich ludzi.

Gdy znaleźli się na gościńcu wiodącym prosto na zamek, Ral kazał się wszystkim zatrzymać. Poprzez tłum ludzi i koni przed sobą Karyna wypatrzyła koło przewróconego wozu. Popędziła siwka do przodu i zobaczyła, że cały trakt jest pokryty szczątkami zaprzęgu i tego, co było jego załadunkiem. Z przewróconej beczki na zakurzoną drogę wysypały się suszone śledzie, z kilku połamanych baryłek wyciekało wino, a zawartość zbitego dzbana z miodem lała się na zniszczone płótno żaglowe. Kupiec bez wątpienia wiózł o wiele więcej towaru: masło, piwo, cydr, smołę, suszone zioła, sery i świece. To wszystko, podobnie jak wół z zaprzęgu, gdzieś znikło. On sam siedział poturbowany na poboczu. Oparty o pień drzewa trzymał się oburącz za głowę. Ze skroni ciekła mu strużka krwi.

– To ten rzezimieszek Ferret – odezwał się Geoffrey. – Kupiec ma szczęście, że ocalił życie.

Ferret – rozbójnik, którego tak niemądrze wsparła.

– Co zrobi lord Raolfe?

– Zapewne każe go ścigać, chociaż ręczę, że nic to nie da. Piekielny Ferret zna te lasy jak własną kieszeń. Zna każdą ścieżynkę w tych górach.

Ogarnęło ją poczucie winy. Gdyby się nie wtrąciła, rozbójnicy zostaliby zapewne schwytani i dzisiejszy wypadek nigdy by się nie wydarzył.

– Może tym razem lord Ral ich złapie. – Modliła się o to, chociaż w twarzy Geoffreya nie wyczytała nadziei.

– Może. Widzisz, już zbiera ludzi. – Mężczyźni okrążyli Rala, słuchając jego rozkazów. Niespokojne konie wzbijały kurz na drodze. Ral wydawał rozkazy i podjechał do niej.

– Geoffrey, dopilnuj, żeby moja pani małżonka wróciła na zamek. To niedaleko i nie powinniście spotkać rozbójników, ponieważ pojechali w przeciwną stronę.

– Chciałbym jechać z tobą, panie. Na pewno ktoś inny może odprowadzić lady do domu.

– Ufam tylko tobie. Richard dotrzyma wam towarzystwa. – Zwrócił się do zbliżającego się Richarda. – Spodziewaj się nas rychło. Będziemy mieli rzezimieszków w garści, zanim trop wystygnie.

– Tak, panie – odparł Richard.

– Z nim będziesz bezpieczna – rzekł do Karyny i jego surowe spojrzenie złagodniało. – Mamy dużo do omówienia, gdy wrócę. – Uśmiechnął się. Kanciasty zarys szczęki nie czynił już jego twarzy tak surową, a w oczach dostrzegła tak jasny blask, jakiego jeszcze nigdy nie widziała. – Chociaż raz postaraj się trzymać z dala od kłopotów.

Pochylił się, by ją pocałować, lecz kiedy zesztywniała i wbiła wzrok przed siebie, spiął gniadosza i odjechał. Z tętentem końskich kopyt rycerze znikli za odległym wzgórzem, wzniecając kurz i zostawiając Richarda, Geoffreya i służbę.

– Wsiadaj na nasz wóz! – zawołał Geoffrey do kupca, drobnego, mizernie wyglądającego człowieczka o płaczliwych błękitnych oczach.

– Tak, panie. Dziękuję ci za dobroć.

Niebawem dotarli do zamku. Karyna była zmęczona i zafrasowana wszystkim, co się zdarzyło. Musiała jednak zająć się jelonkiem i to odwróciło jej uwagę od zmartwień. Sługa umieścił zwierzę w kącie stajni.

Stosując tę samą metodę co w przypadku kociąt, kazała sobie przynieść garnuszek ciepłego koziego mleka i czystą lnianą szmatkę. Skręciła szmatkę w węzełek, zamoczyła w mleku i podsunęła wygłodniałemu malcowi.

Kocięta pogodziły się z tym dziwnym sposobem odżywiania dopiero po kilku długich godzinach, podczas gdy jelonek natychmiast zrozumiał i z zapałem wysysał ze szmatki życiodajny napój. Wkrótce syty zasnął na świeżej wiązce słomy. Karyna pogładziła go po futerku.

Rada, że jelonek przeżyje, poszła do dworu zatroszczyć się o swój własny wypoczynek.

Spała jednak niespokojnie, dręczona snami o żarliwych pocałunkach męża i bolesnym wspomnieniem wieczoru sprzed trzech lat, kiedy Normanowie zgwałcili jej siostrę.

Zbudziła się z poczuciem winy, rozbita, wściekła na siebie za tak chętną odpowiedź na dotyk wielkiego śniadego Normana. Była wdzięczna losowi, że minął dzień, a jego jeszcze nie ma. Dawało jej to czas, by mogła ochłonąć, przypomnieć sobie całą niechęć do niego i otoczyć się ochronnym pancerzem. Nawet Lynette zostawiła ją w spokoju, nie chcąc jej drażnić w takim nastroju.

Mijały godziny, a złość Karyny rosła. Specjalnie przywoływała wszystkie doznane nieprzyjemności i każde szorstkie słowo, które padło z ust Czarnego Rycerza. Rozpamiętywała jego dziedzictwo, normańskie okrucieństwa dokonane na jej pobratymcach, los siostry i swój. Przypominała sobie scenę na łące, wygrzebywała bolesne wspomnienia strasznego wieczoru sprzed trzech lat.

Przez kilka mrocznych dni do powrotu Rala Karyna roznieciła swój gniew na dobre, po czym przyjęła chłodną postawę. Chociaż Ral przybył okryty kurzem i zmęczony po kilku dniach spędzonych w siodle, powitała go krótko, okazując zaledwie uprzejmość. Zapytała o wyprawę, upewniła się, że wszyscy wrócili zdrowi i cali, dowiedziała się, że rozbójnicy nadal są na wolności, po czym poprosiła o pozwolenie udania się do swojej komnaty.

– Dzień był długi – rzekła, gdy Ral usiadł koło niej na podeście, a służba wnosiła jedzenie.

– Miałem nadzieję, że zjemy albo przynajmniej razem napijemy się wina. – Ral wziął ją za rękę. – Wiele myślałem o tobie przez tych parę dni.

– Jestem zmęczona. – Oswobodziła rękę. – Proszę, pozwól mi odejść.

Ral spochmurniał. Chciał coś powiedzieć, ale zacisnął tylko zęby i zgodził się skinieniem głowy. Karyna odeszła. Wbił w jej plecy spojrzenie pełne niechęci, kiedy zmierzała przez salę ku schodom na górę.

Tej nocy spała lepiej, czując się umocniona w postanowieniu, by odbudować mur między nimi. Kiedy weszła do wielkiej sali na poranny posiłek, czuła badawcze spojrzenie Rala i jego rozczarowanie. Tego właśnie pragnęła.

Umyła ręce, zaczekała, aż paź zabierze misę z wodą, po czym wytarła dłonie w czysty lniany ręcznik. Zmusiła się do uśmiechu.

– Wróciłeś na dobre czy jeszcze podejmiesz pościg za Ferretem?

Paź postawił na stole dzban z maślanką i galaretę z cielęcych nóżek.

– Mam w górach swoich ludzi. Wcześniej czy później o nim usłyszą. A kiedy przyjdą wieści, będziemy gotowi.

– Z całą pewnością. To wstyd, że ci rozbójnicy tak wodzą cię za nos. Niebawem okaże się, że nie tylko ja jestem winna, ale także ci, którzy go tropią.

Jeśli wyczuł nutę drwiny, puścił ją mimo uszu.

– To jak ścigać dym w lesie. Zapewniam cię jednak, że nadejdzie dzień, kiedy głowa Ferreta zostanie wystawiona na rozstaju dróg. Wszyscy podróżujący w tych stronach dowiedzą się, że mogą czuć się bezpiecznie.

– Może mogą liczyć w tym względzie także na lorda Stephena. Powiadają, że szuka on Ferreta z jeszcze większą gorliwością niż ty.

– Drażnisz się ze mną dzisiaj, żono. Dlaczego?

– Próbuję tylko zabawiać cię rozmową.

– A wczoraj? Twój język był ostry jak wojenny topór. Było aż nadto jasne, że nie pragniesz mojego towarzystwa. Po tym, co wydarzyło się w lesie, myślałem...

– Cokolwiek myślałeś, myliłeś się. Zawarliśmy układ. Dopilnuję, by został dotrzymany.

Uśmiechnął się zimno i odciął kawałek mięsa ostrzem z kościanym trzonkiem.

– Lynette okazała mi więcej wdzięczności. Postarała się ukoić wzniecony przez ciebie ból, chociaż prawdę mówiąc, wyobrażałem sobie, że to ty leżysz pode mną.

Twarz Karyny oblała się rumieńcem.

– Choć to jej piersi trzymałem w ręce, marzyłem, że to inne, krągłe, z ciemnymi brodawkami.

Gniew dodał jej zuchwalstwa.

– Może powinnam jej to powiedzieć. Ciekawe, jak bardzo okazałaby się wtedy wdzięczna.

– Może powinnaś – odparował z drwiącym uśmiechem. – Jeśli sądzisz, że uwierzyłaby.

Nie uwierzyłaby. Lynette pomyślałaby tylko, że jest zazdrosna. Karyna odsunęła krzesło i wstała.

– Mam robotę. Marta prosiła mnie o pomoc przy wełnie.

Choć całą siłą woli chciał ją zatrzymać przy sobie, skinął głową.

– Idź. Twoja nieobecność sprawia mi więcej przyjemności niż twoja kłótliwa babska mowa.

Karyna najeżyła się, żałując, że zabolała ją ta kąśliwa uwaga i odeszła szybko, by nie rzucić na odchodne niczego gorzkiego.

Do wieczora nerwy miała napięte jak postronki i na każde kpiące spojrzenie Rala przewracały jej się wnętrzności. Próbowała skupić się na muzykantach, którzy przygrywali do wieczerzy, na rozmowie z Richardem, który zasiadał po jej prawej stronie. Jednak wszystko, o czym zdołała pomyśleć, dotyczyło męża siedzącego w zamyśleniu po jej lewej stronie.

– Czuję, że brakuje mi apetytu, panie – rzekła w końcu. – Wołałabym odejść, jeśli pozwolisz.

Utkwił wzrok w jej w twarzy.

– Już drugi raz dzisiaj widzę, że nic nie jesz. Chciałbym wiedzieć, żono, dlaczego?

– Może jedzenie nie sprawia mi przyjemności. A może towarzystwo.

– Dość tego! – Ral odsunął krzesło. Szuranie zagłuszyły dźwięki lutni i cytry. Ścisnął Karynę za ramię i zmusił, by wstała, po czym zaciągnął ją na koniec podestu.

– Chcę wiedzieć, co cię trapi. Chcę odkryć wreszcie, jak to jest, że przyjmujesz moje pocałunki tak gorąco, po czym odmawiasz mi zwykłej uprzejmości. – Pociągnął ją w stronę schodów. Rycerze i sługi usuwali się z drogi, kiedy Karyna przyspieszyła, by się nie przewrócić.

Słodki Boże, nie powinna była tak bardzo go drażnić! Matko Przenajświętsza, co on teraz z nią zrobi? Próbując uciszyć mocno bijące serce, Karyna przywarła do niego, kiedy ciągnął ją korytarzem, otworzył drzwi i wepchnął do środka.

Wszedł za nią i trzasnął drzwiami.

– Powiesz mi teraz, o co w tym wszystkim chodzi!

Karyna wyprostowała się, bardzo niepewna.

– Nie wiem, o czym mówisz.

– Jesteś nieuprzejma i szorstka. Jesteś kąśliwa i próbujesz mnie obrazić cały czas, od kiedy wróciłem do domu. Nie ośmielisz się chyba zaprzeczyć?

– Wybacz, jeśli sprawiłam ci przykrość.

– Prosisz się o kłopoty, żono. Chcę wiedzieć dlaczego.

Bo bezpieczniej jest mierzyć się z twoim gniewem niż z twoją namiętnością. Lepiej być wychłostaną niż uwiedzioną.

– Powiedziałam: nie wiem, o co ci chodzi.

– Nie wiesz? Myślę, że wiesz. Oboje dobrze wiemy.

Ciarki przeszły jej po plecach, lecz milczała.

– Chodzi o to, co wydarzyło się w lesie, prawda?

– Ależ oczywiście, że nie.

– Chodzi o to, że cię pocałowałem, i to ci się spodobało. Dotykałem cię, a ty mnie nie odepchnęłaś.

– Nie, to nie to.

Ral postąpił krok do przodu.

– To jest prawda i dobrze o tym wiesz. Pragnęłaś mnie równie mocno, jak ja ciebie. Mam to udowodnić, Karyno? Mam sprawić, żebyś znów mnie zapragnęła?

– Nie! – Ale Ral już się zbliżył, objął ją w pasie muskularnym ramieniem i przyciągnął do siebie. Dłonią ścisnął jej podbródek, odchylił na siłę głowę do tyłu i przycisnął usta mocno do jej warg.

Przez chwilę Karyna stawiała opór, zdecydowana walczyć i nie zwracać uwagi na żar, który niepowstrzymaną falą ogarniał jej ciało. Wówczas jego pocałunek stał się delikatny, kciuk pogładził czule jej policzek, a wargi znów same się rozchyliły.

Karyna jęknęła, czując słodycz pocałunku i jego mocne, przywierające do niej ciało, mięśnie aż kipiące na ramionach. Spostrzegła, że znów odpowiada mu pocałunkiem, że gniecie w palcach tunikę na piersiach, że krew pulsuje w jej żyłach, że język smakuje go w niemym błaganiu o jeszcze.

Ral zakończył pocałunek, zwolnił uścisk, uspokajając jej zmysły, i cmoknął w policzek.

– To, że mnie pragniesz, żono, to nie grzech. Jestem twoim mężem. Tak właśnie powinno być.

Przywarła do niego wzrokiem. Czuła, jak bardzo jest pociągający i jak chętnie by się do niego przytuliła. Dolna warga jej zadrżała i Karyna uciekła wzrokiem na bok.

– Czy tak trudno to zrozumieć? To nie w porządku, że cię pożądam… nie w porządku po tym wszystkim, co zrobiłeś. – Kiedy znów spojrzała na niego, oczy wypełniał jej ból. – Nie mogę zapomnieć wieczoru sprzed trzech lat. – Spod rzęs popłynęły szczere łzy. – Nie mogę zapomnieć i nie mogę wybaczyć. – Próbowała się odwrócić, lecz położył jej rękę na ramieniu.

– Bardzo żałuję tego, co stało się twojej siostrze. Tamten wieczór prześladuje mnie tak samo jak ciebie. Twoja siostra to rzadka i wyjątkowa istota. Wiedziałem to od pierwszej chwili, gdy ją ujrzałem. Gdybym mógł cofnąć czas, zająłbym się wami lepiej.

– Zająłbyś się lepiej? – powtórzyła, a wspomnienie koszmaru tamtej nocy przeszyło jej wnętrzności, odżywając, jakby to stało się wczoraj. – Zgwałciłeś moją siostrę, a teraz mówisz, że zająłbyś się nią lepiej?

– Zgwałciłem? – Ręka na jej ramieniu zacisnęła się mocniej, a oczy badały jej twarz. – Ty myślisz, że ja... Że ja byłem z tymi, którzy gwałcili twoją siostrę?!

– Przecież tam byłeś! I ja tam byłam. Widziałam cię. Gdybym żyła tysiąc lat, zawsze to będę pamiętać.

Troska zmąciła mu twarz, gęste czarne brwi ściągnęły się i zmarszczki pokryły jego czoło.

– Rzecz nie w tym, co pamiętasz, *chèrie,* ale w tym, o czym zapomniałaś.

– Zapomniałam? Ja... nie rozumiem.

– Wróć pamięcią do tamtego wieczoru. Czy nie pamiętasz niczego oprócz tego, że zgwałcono twoją siostrę, a ciebie pobito? Nie pamiętasz ludzi, którzy przybyli wam na pomoc, nie pamiętasz tego, kto cię wziął na ręce i stamtąd zabrał?

Karyna oblizała spierzchnięte usta. Coś sobie przypominała. To wspomnienie tkwiło gdzieś w zakamarkach pamięci, lecz nigdy nie wypływało na powierzchnię. Aż do tej chwili myślała, że słowa pocieszenia i silne ramiona obejmujące jej obolałe, poranione ciało to tylko jej wyobraźnia.

Dotknął ręką jej policzka.

– Nikt ci nie powiedział o wojach, którzy przywieźli cię do klasztoru?

– Przywieźli mnie Normanie. Myślałam, że ci sami, którzy na nas napadli. Tego tematu nie wolno nam było poruszać. Nigdy o tym nie rozmawiałyśmy. – Nie miała ochoty o tym rozmawiać. Starała się zapomnieć.

– Nigdy cię nie zastanowiło, że pozostałaś nietknięta?

Karyna potrząsnęła głową.

– Gweneth jest taka piękna. Myślałam, że mnie nie chcieli.

– Stało się tak tylko dlatego, że przyłapaliśmy ich, zanim to zrobili. To moi ludzie zawieźli was do klasztoru.

– Ale... Ale jak to możliwe? Wyznałeś przecież, że czujesz się winny. Powtarzałeś to wiele razy.

– Winny zaniedbania. Winny tego, że przedłożyłem obowiązek wobec moich ludzi nad bezpieczeństwo twoje i twojej siostry.

Karyna poczuła, że coś ściska ją za gardło. Nie chcąc patrzeć na jego zafrasowane oblicze, podeszła do wąskiego okna, po czym odwróciła się stając z nim twarzą w twarz.

– Mówisz prawdę?

– Nigdy nie kłamię, Karyno.

Zawahała się przez chwilę, po czym przekonana, że to prawda, rzekła:

– Jeśli to twoja jedyna wina, panie, nie powinieneś cierpieć dłużej. – Spojrzała przez okno. – To było moje zaniedbanie. Ja byłam odpowiedzialna za siostrę, a tymczasem naraziłam ją na niebezpieczeństwo. Kazałeś nam wracać do dworu, a ja cię nie posłuchałam. Czy sądzisz, że nie cierpię każdego dnia z powodu tego, co uczyniłam?

Świeże łzy spłynęły w dół po policzkach. Karyna oparła czoło o zimny, szary kamień. Jej ciałem wstrząsnęły szlochy. Poczuła na ramionach dłonie Rala, masujące ją delikatnie.

– Oboje musimy pogodzić się ze swoją winą za to, co się stało. Musimy nieść ten krzyż, choć lepiej by było, gdybyśmy zostawili to za sobą. – Głaskał ją, uspokajając i użyczając swojej siły. – Prawdą jest, że oboje zawiniliśmy wobec twojej siostry. Wobec ciebie jednak niczym nie zawiniłem.

Coś w niej się otworzyło, zakiełkowało i zakwitło. Wina, która ją przygniatała, gdzieś uleciała. Poczuła się dziwnie lekko. Ral odwrócił ją do siebie.

– Wierzysz mi?

Uśmiechnęła się do niego przez łzy.

– Tak, wierzę ci. To wspaniały dar. – Wzięła jego dłoń, podniosła ją i pocałowała gojącą się ranę po ukąszeniu wilka. – Dziękuję ci, panie.

Ral nic nie powiedział, ale delikatne muśnięcie jej warg sprawiło, że ścisnęło mu się serce. Gdyby tylko wiedział, już dawno temu mógł ulżyć jej cierpieniu. Mógłby wszystko ułożyć lepiej i zasypać dzielącą ich przepaść. Patrząc na nią teraz, widział łzy błyszczące w jej oczach, widział jej ulgę i coś więcej. Jej dłoń była drobna i biała na tle jego ogorzałej potężnej dłoni, pierś unosiła się i opadała lekko, a szyja wdzięcznym łukiem wynurzała się z dekoltu sukni.

Wyglądała kobieco i ślicznie i od czasu, kiedy ją poznał, nigdy nie pragnął jej bardziej.

Końcami palców musnął jej policzek i pocałował delikatnie w usta.

– Odpocznij teraz, Karyno. Kiedy będziesz gotowa, zapytam cię, czy wiesz już, czego naprawdę chcesz. – Spojrzał na nią raz jeszcze, odwrócił się i wyszedł.

Westchnął, schodząc do wielkiej sali. Rozmyślał nad tym, co powinien teraz uczynić. Skinął na sługę, by podał mu puchar wina. Z winem w ręku usiadł przed ogniem i zapatrzył się w płomienie.

– Znowu kłopoty z żoną, panie? – Lynette podeszła do niego z tyłu i położyła mu smukłą dłoń na ramieniu. – To wstyd, że taka mizerota może tak ci dokuczyć.

Ral nie odpowiedział.

Lynette zanurzyła dłoń w jego włosach.

– Może jest coś, co mogłabym zrobić, by ulżyć twoim troskom. – Pochyliła się nad nim, pozwalając, by piersi dotknęły jego ramienia, a złociste włosy połaskotały go w policzek. – Może zagramy w szachy albo w loteryjkę?

Nie cierpiał grać z Lynette. Nie była zbyt biegła, a nawet jeśli czasem jej się wiodło, zawsze pozwalała mu wygrać.

– Nie. Jest już późno, a ja jestem bardzo zmęczony.

Różowe wargi rozchyliły się w uśmiechu.

– Ja też jestem zmęczona. Najlepiej będzie pójść spać. Co ty na to, panie? Pójdziemy razem czy mam iść pierwsza i na ciebie zaczekać?

– Idź. Mam sprawy do omówienia z Richardem. To długo potrwa. Nie chcę, żebyś czekała.

– Ale na pewno...

– Masz dzisiaj wolne, Lynette.

– Jeśli taka twoja wola, panie. – Odrzuciła w tył piękne złote włosy i wydęła lekko dolną wargę, po czym niechętnie ruszyła do siebie.

Przedtem ten gest wydawał mu się kobiecy i bardzo kuszący. Potrafił w środku dnia odwiedzić jej komnatę dwukrotnie, zedrzeć z niej suknię i wziąć ją, nie zdejmując ubrania. Dziś wieczorem nie zrobiła na nim takiego wrażenia.

– Dąsa się, że obdarzyłeś uwagą swoją żonę. – Odo przysiadł na ławie po lewej stronie. – To dobrze jej zrobi. Przypomni sobie, gdzie jej miejsce.

– To nie o Lynette myślę.

– Aha. A więc to prawda, co powiada Girart o tym, co się stało w lesie. – Opowieść o tym, jak Ral rozgromił stado wilków, rozeszła się i wciąż ją powtarzano. Odo nie mówił jednak o wilkach i obaj dobrze o tym wiedzieli. – Twierdzi, że ta mała może nie jest taka zimna, jak wielu sądzi.

– Na pewno nie jest.

– Bierz ją więc, *mon ami.* Niech czym prędzej pocznie się dziecię w jej łonie. Mąż taki jak ty potrzebuje dziedzica.

Ral westchnął i odparł z udawaną obojętnością:

– Tak, to możliwe. Pomyślę o tym. – *Słodki Jezu, nie myślał o niczym innym*. Obraz ognistej małej dziewczyny doprowadzał go do szaleństwa. Teraz, kiedy wiedział, dlaczego go odtrącała, jego pożądanie wzrosło dziesięciokrotnie. Ciągle jednak wybór należał do niej. Dał słowo – nie weźmie jej, póki sama nie wyrazi takiego życzenia.

Przeczesał dłonią włosy. Może to prawda, że lepiej było się z nią nie żenić. Była od niego dwa razy mniejsza. Mógł zrobić jej krzywdę. Swojego zadowolenia był pewien, natomiast ona była zupełnie niedoświadczona i nie wiedział, czy uda mu się dać jej rozkosz. Najpewniej sprawi jej tylko ból.

Do tej pory nie musiał się tym martwić. Zawsze miał Lynette. Potrafiła ulżyć zarówno jego ciału, jak i każdemu innemu o wiele lepiej niż większość kobiet, które znał. Popatrzył w kierunku dziedzińca. Może jeszcze na niego czeka, jeszcze...

Zawrócił jednak od drzwi prowadzących na dziedziniec, wszedł na górę i kazał giermkowi przygotować łoże. Kiedy chłopak pomógł mu zdjąć ubranie, ułożył się wygodnie.

Lynette będzie zła, lecz czy to ma jakieś znaczenie? To nie jej pragnął. Zmarszczył twarz w ciemności i zaczął myśleć o Karynie. Zaczął się zastanawiać, jak najlepiej zachować się w łożu przy kobiecie tak małej.

* * *

Karyna przechadzała się po sypialni, która teraz, gdy opuścił ją Ral, wydawała jej się opustoszała i zimna. Nigdy dotąd nie zauważyła, że komnata była tak wielka, że tak szerokie i wielkie było łoże i tak bardzo męski był jej wystrój – te wszystkie łuki, tarcze i miecze pokrywające ściany.

To była komnata pana, wielkiego śniadego Normana, który był jej mężem. Jego tu jednak nie było.

Poczuła ucisk w piersi. Znowu spędzi ten wieczór z kochanką, wypędzony z należnego mu miejsca w łożu z nią przez obietnicę, którą jej złożył, i której, jak się okazało, zamierzał dotrzymać.

A może tego właśnie chciał? Wysoka, smukła, złotowłosa piękność była powabniejsza od Karyny, niemal tak piękna jak Gweneth. Której kobiety Ral naprawdę pragnie? Żony czy kochanki? A może... o wiele od żony piękniejszej jej siostry? Nigdy nie zapomni wyrazu twarzy Czarnego Rycerza, gdy patrzył w krystalicznie błękitne oczy Gweneth tamtego dnia na łące.

Poślubił ją tylko dla Gweneth i z powodu Gweneth, i nękających go wyrzutów sumienia za to, co się stało. Ral wiedział, że siostra nigdy nie opuści klasztoru, może jednak jego serce nadal biło dla niej mocniej. Nieskończenie piękna, nieziemska i słodka Gweneth różniła się od Karyny jak słońce od księżyca.

A jeśli nie Gweneth to Lynette. Jej wdzięk i uroda przyciągały oczy wszystkich mężczyzn, gdziekolwiek się pojawiała. Ral był z nią już dwa lata, przywiózł ją ze sobą z Francji. Czy skłonny będzie jej się wyrzec? Karyna nie była tego pewna i wolała nie odpowiadać sobie na to pytanie.

Jednak to ona była jego żoną, kobietą, której obowiązkiem było dzielić z nim łoże.

Rozmyślała o nim, o wszystkich jego pocałunkach, o tym, co sprawiał, że czuła. *Czy nie chcesz mieć dzieci?* Kiedyś tak zapytał. Jeszcze się nad tym nie zastanawiała. Teraz ją to dręczyło. Dzieci oznaczały odpowiedzialność i koniec wolności, do której tak zawsze tęskniła. Nie mogła sobie wyobrazić siebie w roli matki. Niemniej myśl o spędzeniu życia bez własnej rodziny wypełniała ją pustką i smutkiem.

Karyna zadrżała w przenikającym ją chłodzie i podeszła do okna, żeby je zamknąć. Jej mąż może jej i nie kocha, ale na pewno pożąda. Jeśli go poprosi, będzie dzielił z nią łoże i uczyni ją naprawdę żoną.

Uczyni prawdziwym ich związek

Tego Karyna pragnęła najbardziej. Chciała, by Ral był jej mężem naprawdę, nie miała jednak pojęcia, jak o to poprosić. Co powinna uczynić? Nie była taka jak Lynette z jej uwodzicielskimi sztuczkami i powłóczystym spojrzeniem. Gdyby nawet próbowała, mogło jej się nie udać.

A jeśli Ral odmówi? Nie spodziewała się tego wprawdzie, ale kto wie? Wszak chciała od niego więcej niż jednej tylko nocy namiętności. A co się stanie, kiedy on przyjmie jej awanse, weźmie ją do łoża, a ona go nie zadowoli? Co będzie, jeśli wróci do kochanki, tak jak to się stało w noc poślubną?

Ryzykowała, lecz zdawało jej się, że szczęście i przyszłość zależą właśnie od tej jednej jedynej rzeczy.

Po raz pierwszy Karyna się uśmiechnęła. Zawsze była pojętną uczennicą. Uwielbiała uczyć się i dobrze pamiętała wszystko, czego się nauczyła. Zacznie od najbardziej do siebie przyjaźnie nastawionej kuchennej służącej, Bretty. Dziewczyna nie ukrywała, że lubi zadowalać mężczyzn. Na pewno podzieli się swoją wiedzą z Karyną.

Pomoże jej też Marta, na tyle, na ile będzie mogła. Przecież od dnia ślubu namawiała Karynę do pojednania z mężem.

Pozostawała jeszcze Izolda, zielarka ze wsi. Stara kobieta była dumna ze swoich miłosnych ziół, uroków i afrodyzjaków. Z pomocą Izoldy, Marty i wiedzy zdobytej od Bretty sprawi, że Ral dla niej oszaleje.

Karyna odeszła od okna i z zadowoloną miną wspięła się na wysokie łoże. Jeśli Lynette nauczyła się sprawiać mu przyjemność, nauczy się tego i ona. Zacznie od jutra. Zastawi pułapkę i zaczeka, aż jej wysoki, czarny Norman schwyci przynętę.

Rozdział 10

– Chciałeś mnie widzieć?

– Napijesz się ze mną wina, Hugh? – Ral wskazał miejsce przy ogniu i barczysty, wielki rycerz przyjął zaproszenie, pokazując w uśmiechu zepsute zęby.

– Z przyjemnością, panie. – Usadowił się wygodnie na dębowej ławie naprzeciwko fotela, w którym siedział Ral, i wyprostował nogi. – Minęło sporo czasu, od kiedy tak razem siadywaliśmy. Przypomina mi się Normandia i stare czasy.

Paź przyniósł puchary napełnione winem i każdy z nich pociągnął od serca.

– Tak... Normandia – rzekł Ral. – Znamy się już od wielu lat.

– Tak, panie.

– Nigdy nie zawiodłeś mojego zaufania.

Hugh popatrzył na swojego pana z powagą.

– Mogliby wydrzeć mi serce, a i tak nie wyznałbym żadnej tajemnicy.

– Dlatego chcę cię prosić o pomoc, stary przyjacielu. – Ral pochylił się do przodu. To samo uczynił Hugh. Na jego ogorzałej, pokrytej bliznami twarzy odmalowało się oczekiwanie.

– Masz jakąś ważną sprawę, panie? Jak mówiłem, mogą...
– Nic z tych rzeczy, przyjacielu. To, o czym chciałbym pomówić, to sprawa osobista.
Krzaczaste, siwe brwi rycerza uniosły się, a ciekawość poszybowała jeszcze wyżej.
– Jako człowiek zbliżonej do mojej postury, pomyślałem, że może mógłbyś mi pomóc. Jesteś starszy i nie jest tajemnicą, że miałeś wiele kobiet.
Hugh roześmiał się.
– Nie będę się przechwalał, jeśli powiem, że zaliczyłem ich więcej, niż na mnie przypada wedle prawa i zwyczaju. I nie przesadzę, mówiąc to samo o tobie.
Ral westchnął.
– To prawda, lecz przy tobie ciągle jeszcze jestem nowicjuszem.
Hugh skrzyżował ręce na piersi.
– Co chciałbyś wiedzieć, przyjacielu?
– Może zacznę od początku. – Pewien, że Hugh nie zdradzi tajemnicy, Ral wyznał mu całą prawdę o swoim małżeństwie, tłumacząc, dlaczego tak postąpił. Wspomniał też o spotkaniu z siostrami na łące. Powiedział mu o Stephenie de Montreale'u i o jego groźbie i wyznał, że poślubił Karynę tylko po to, żeby zapewnić jej bezpieczeństwo.
– Zatem jeszcze z nią nie spałeś.
– Nie spałem, choć to tajemnica, której należy dobrze strzec.
– A teraz okazało się, że to może się wkrótce zmienić i martwisz się, że jest taka mała.
– Ta część ciała, którą ją wypełnię, jest proporcjonalnie tak samo duża jak reszta mojego ciała. Na pewno rozerwę ją na pół.
Hugh zaśmiał się, a w jego zielonych oczach zapaliła się wesołość.

– Twoja Karyna nie jest wątła. Jest smukła, ale zbudowana solidnie. Nie zauważyłeś, jakie ma krągłe biodra? Są dość szerokie, żeby rodzić zdrowych synów.

– Tak, zauważyłem. – Zobaczył w wyobraźni słodkie krągłości jej ciała i poczuł cudowną jędrność pośladków pod palcami.

– A jej piersi – ciągnął Hugh. – Są okrągłe i pełne, dość dojrzałe, żeby poczuł je w ręku nawet duży mężczyzna. Na pewno nie umknęło to twojej uwadze.

– Mówiłem już, że zauważyłem. Na Boga, człowieku, nie jestem przecież ślepy!

Hugh skrzywił się.

– Nigdy nie byłeś ślepy, tyle że powstrzymuje cię troska o nią, ale ja zaraz rozwieję twoje obawy. – Hugh pochylił się i oparł ręce na kolanach. – Twoja mała żona jest szczupła, to prawda. Kobieta jednak jest zbudowana tak, żeby przyjąć każdego mężczyznę, wszystko jedno, dużego czy małego. Ciało twojej Karyny dostosuje się do twojego. Przyjmie cię do środka całego, tego możesz być pewien.

Hugh uśmiechnął się i zapatrzył w płonący ogień, dając się ponieść wspomnieniom uciech przeszłości.

– Wyobrażasz sobie, jaka jest ciasna i mała w środku? Jak łatwo ci ją będzie trzymać, układać tak, żeby przyjęła twoje pchnięcia? Pomyśl tylko o rzeczach, które można robić z taką małą kobietką.

Rala ścisnęło w trzewiach. Pewnie, że sobie wyobrażał. Nawet teraz przewijały mu się przed oczami miłosne sceny, a jego męskość zgrubiała i zrobiła się ciężka.

– Powiadam ci, jeśli nigdy jeszcze nie wszedłeś w taką małą kobietkę, przyjacielu – zakończył

Hugh schrypniętym nieco głosem – to nigdy jeszcze nie żyłeś.

Ręka Rala zadrżała i z puchara spłynęło parę kropli.

– Pewien jesteś, że jej nie zranię?

– Tylko za pierwszym razem. Bądź z początku ostrożny, a jej ciało wkrótce przystosuje się do twojego.

Ral skinął głową, walcząc z obrazami, które Hugh przywołał w jego wyobraźni i modląc się, by to, co mówił, okazało się prawdą.

– Dziękuję ci, Hugh.

Rozumiejąc, że rozmowa zakończona, Hugh odstawił puchar i wstał.

– To gadanie o kobietach podnieciło mnie jak odyńca w rui. Coś mi się zdaje, że powinienem poszukać Bretty. Ona jest jak kobyła.

Ral roześmiał się na tę rubaszną uwagę, po czym skrzywił się, czując pulsujący ból w dolnej partii ciała. Każdy mięsień pulsował pragnieniem, a krew zdawała się gęstnieć. Zerknął na dębowe drzwi na dziedziniec. Lynette udała się na spoczynek. Gdyby teraz do niej poszedł, wybaczyłaby mu i przyjęła do łoża.

Kusiło go to, boleśnie kusiło. Coś go jednak powstrzymywało. Poszedł w stronę schodów do swojej sypialni. Następna samotnie spędzona noc była mu nie w smak, ale coś mu podpowiadało, że nagroda może być warta tego wyrzeczenia.

Bił się z myślami i kiedy stał już przy schodach, jego uwagę zwróciło zamieszanie przy drzwiach wejściowych. Kilku paziów pobiegło w tamtą stronę.

– Przybył posłaniec, panie. – Geoffrey zmierzał w jego stronę. – Przyniósł pismo od króla.

Ral ruszył za młodym jasnowłosym rycerzem w stronę nędznie odzianego gońca. Wysoki, wycieńczony człowiek ściskał w ręku długi drewniany kij, który pomagał mu przeskakiwać przez strumienie, i pustą w środku laskę, która zawierała pismo. Wyciągnął z niej zwój pergaminu z królewską pieczęcią i podał Ralowi. Ral przyjął pismo i pozdrowienie posłańca, po czym podszedł do Richarda.

– Nakarmić posłańca i dać mu miejsce do spania – rozkazał słudze i wręczył pismo Richardowi. Richard złamał pieczęć i zaczął czytać.

– Wilhelm śle swoje pozdrowienie. Ma nadzieję, że jest tutaj spokojnie i składa tobie i twojej pani małżonce życzenia szczęśliwego i owocnego związku.

– Przejdź do rzeczy – rzekł Ral.

– Ponownie odmawia ci ziemi, o którą prosiłeś, panie. De Montreale także się o nią ubiega. Król życzy sobie pozostać bezstronnym. – Richard spojrzał znad pergaminu i zmarszczył czoło. – Król da tę ziemię w nagrodę temu, kto przywiezie mu głowę Ferreta.

– Przeklęty de Montreale! – Pięść Rala uderzyła w stół, aż zatrzeszczał blat. – Wilhelm wie, jakie to dla mnie ważne. Stephen chce tej ziemi tylko dlatego, że jest potrzebna mnie, żeby wykarmić ludzi w Braxton. Chryste, to dla nich sprawa życia lub śmierci.

Richard popatrzył mu w oczy.

– Złapiesz zatem Ferreta przed de Montreale'em. – Uśmiechnął się. – Bez wątpienia zrobisz to, panie.

Napięcie Rala opadło.

– Dobry z ciebie człowiek, Richardzie. Oby twoje słowa stały się prawdą. Jutro wracamy do lasu. Spędzimy tam i dzień następny, i kolejne, dopóki nie schwytamy Ferreta. – Klepnął sługę w plecy. – Nie zawiedziemy, nie wolno nam.

* * *

Karyna pochyliła się nad moździerzem stojącym przed nią na stole. Ciężkim kamiennym tłuczkiem roztarła na miałki proszek suszoną miętę, gorczycę, goździki, pączki róży i pora, po czym napełniła proszkiem mały woreczek.

Był to jeszcze jeden z cudownych specyfików Izoldy, który miał wzmagać pożądanie i działać jak silny afrodyzjak. Karyna ukradkiem zebrała kilka włosów Rala, skrawek tkaniny noszonej przy samym ciele i zdrapała trochę zaschniętej krwi z jego kaftana. Wszystko to zielarka zagniotła w glinie, z której ulepiła figurkę, a następnie zakopała ją na rozstaju dróg w nocy, kiedy przybywało księżyca.

Wszystko to razem miało być magicznym środkiem na miłość, której Ral nie mógłby się oprzeć.

Karyna westchnęła. Na razie czary i zaklęcia Izoldy nie zdawały egzaminu. Nie pomagały też lekcje uwodzenia, które dawała jej Bretta. Marta starała się, jak mogła, by jak najczęściej spotykali się sam na sam, lecz Ral przeważnie przebywał poza zamkiem, poszukując rozbójników. A kiedy wracał, był tak wyczerpany, że zasypiał przy ogniu, często nawet zbyt zmęczony, by coś zjeść.

Przestał odwiedzać Lynette i chodził spać samotnie. Karyna przypuszczała, że rzeczywiście musi być wyczerpany i nabrała pewności, że jej nieporadne sztuczki uwodzicielskie nie na wiele się zdadzą, skoro zawodzi nawet bogate doświadczenie Lynette.

Wzięła buteleczkę i podeszła do drzwi. Ral wrócił dziś po południu zawiedziony i niezadowolony z siebie, że znów nie udało mu się znaleźć kryjówki bandy. Gdyby mogła wybierać, zaczekałaby na lepszy nastrój swojego pana, lecz z drugiej strony poszukiwanie rozbójników może się ciągnąć całymi miesiącami. Ralowi chęć na kobietę musi przyjść wcześniej. Jeśli Karyna chce być tą kobietą, nie może dłużej czekać.

Zeszła do wielkiej sali, zamieniając po drodze słowo z Martą, która uśmiechem dodała jej otuchy. Miała zamiar podejść do stołu, ukradkiem dodać miłosnej mikstury do wina, pogawędzić z Ralem miło w czasie wieczerzy, a potem spróbować uwodzicielskich sztuczek, o których opowiadała jej Bretta.

Może uda jej się wzbudzić jego zainteresowanie. Może zaniesie ją na górę, a potem...

Karyna zarumieniła się na myśl o tym, co wedle słów Bretty powinno dziać się w małżeńskim łożu. Próbowała ukryć swoje zdziwienie, lecz Bretta je dostrzegła i roześmiała się.

– Nie masz się czym martwić, pani. To obowiązek małżeński, ale nie ciężar. Zobaczysz, że godziny, które spędzisz pod swoim wielkim kochankiem, będą najprzyjemniejsze w życiu.

Karyna zesztywniała. Nigdy wcześniej nie przyszło jej do głowy, że Bretta może znać Rala od tej strony.

– Czy masz może na myśli, że... mówisz, że...

– Nie, pani, nie mówię o twoim mężu, tylko o tej rzeczy. – Puściła oko i uśmiechnęła się szeroko. – Gdybym się nie bała, że urośnie mi brzuch, oho, tobym częściej zadzierała spódnicę!

Karyna poczuła, że płoną jej policzki. Starała się ograniczać pytania tylko do tego, jak przyciągnąć mężczyznę, nie pytając wprost, co będzie się działo, kiedy już go przyciągnie. Słuchała, jak Bretta opowiada o uśmiechaniu się i dotykaniu, o tym, jak pociągająco się poruszać i używać dyskretnych gestów dających sygnał mężczyźnie, że go chce. Wszyscy wokół wierzyli, że Ral woli Lynette od żony, Bretta rozumiała więc Karynę i wspierała ją ze szczerego serca.

– Miejsce twojego męża jest w twoim łożu, a nie w łożu tej zimnej bezwstydnicy.

Mieć miejsce w czyimś łożu, a naprawdę się tam znaleźć, były to – jak się okazało – dwie różne rzeczy.

* * *

Ral siedział przy stole u boku Karyny, zasłuchany w jej melodyjny kobiecy śmiech, czując jej ramię delikatnie trącające jego ramię, kiedy szeptała mu coś do ucha. Uśmiechała się słodko, wyraźnie bawiąc się tym, co mówił, i starając się w zamian rozbawić jego.

Jej ruchy stały się kobiece, uwodzicielskie, a ich znaczenia nie można było pomylić z niczym innym, było zawsze takie samo od wieków. W ciągu ostatnich dni Ral widział wiele razy, że jego małżonka tak się zachowuje, ćwicząc gesty, które wyzwalały odpowiedź w jego ciele, i wywołując pożądanie, które ciężko mu było powstrzymać.

Ledwo pierś Karyny musnęła jego ramię, a już krew żywiej krążyła mu w żyłach, a serce to zwalniało, to przyspieszało, dostosowując się do bolesnego pulsowania w dolnej części ciała. Gdyby Karyna była doświadczoną kobietą, jaką udawała, dostrzegłaby pod maską obojętności żądzę, którą z najwyższym trudem próbował ukryć.

– Masz nową suknię – powiedział miękko, pragnąc, żeby wieczerza nareszcie dobiegła końca, i zastanawiając się, czy dziś w nocy powinien poddać się namiętności i wziąć ją. A może powinien jeszcze zaczekać, jak zamierzał, i pozwolić, by pożądanie, które w nim wzbudziła, zapłonęło również w niej.

– Podoba ci się, panie? – Ciemnoczerwona tunika na koszuli z alabastrowego jedwabiu wydobywała z jej włosów głębokie purpurowe błyski.

– Jej kolor pasuje ci do cery. Świetnie wybrałaś.

Uśmiechnęła się.

– Jeszcze wina, panie? – Dostrzegł, że bez przerwy napełnia mu kielich, i zastanawiał się, czy zaplanowała sobie, że go upije.

– Było dziś trochę cierpkie, ale nie szkodzi. Wypiłem dość. Jutro czeka mnie długi dzień. – Nie miał zamiaru brać jej po raz pierwszy nie na trzeźwo i nie panując nad sobą. Przyrzekł sobie, że jej nie skrzywdzi i żeby dotrzymać przyrzeczenia, musiał być trzeźwy i nie spieszyć się.

– Skoro już się najadłeś – powiedziała – może uczynisz mi przyjemność i zagrasz ze mną w szachy.

Podniósł do góry brew.

– Nie wiedziałem, że grasz.

– Wielu rzeczy jeszcze o mnie nie wiesz, panie. – Ukazała rząd równych, białych zębów w uśmiechu.

Zęby Rala zacisnęły się, gdy poczuł ból stwardniałego ciała pod stołem. Z trudem zmusił się, by się rozluźnić.

– Partia szachów przed pójściem do łóżka pomoże mi zasnąć. – Na rany Chrystusa, ależ kłamał! Tylko zadarcie jej spódnicy mogło mu zapewnić spokojną noc!

Uśmiechnął się w duchu, ciesząc się na grę pomimo niewygody, którą odczuwał, mając nadzieję, że wygrają oboje.

Usiedli naprzeciwko siebie przy szachownicy. Karyna ruszyła pionkiem o dwa pola. Ral był pewien, że pokonanie jej w grze nie zabierze mu dużo czasu. Była to bowiem gra strategiczna niczym dowodzenie wielką bitwą. Nie spotkał jeszcze kobiety, która pojmowałaby istotę wojny na tyle, by być godnym przeciwnikiem w szachach.

Po kilku godzinach, kiedy z szachownicy znikło wiele figur, a jego czarne figury nie były ani o krok bliżej od pobicia białych niż na początku gry, musiał zmienić zdanie.

– Jesteś trudnym przeciwnikiem, panie. – Zrobiła ruch gońcem wyrzeźbionym z kła morsa, broniąc królowej.

Uśmiechnął się.

– Zawsze możesz pozwolić mi wygrać.

Karyna spojrzała na niego z zaskoczonym wyrazem twarzy. Zmarszczyła brwi.

– Nie sądziłam, że możesz sobie tego życzyć. – Wyglądała, jakby sprawił jej zawód. Zrozumiał, że osoba, która uczyła ją sztuki uwodzenia, zapomniała wspomnieć o tym wybiegu.

– Jeśli sądzisz, że zwycięstwo nad nic niewartym przeciwnikiem nie sprawiłoby mi przyjemności, to się nie mylisz. Podobała mi się nasza dzisiejsza gra bardziej, niż mogłem się spodziewać.

Rozpromieniła się. Jej twarz wyglądała młodo i świeżo w migotliwym blasku ognia. Była śliczna, i co było nie do uwierzenia, z każdym dniem pięknniała jeszcze bardziej.

– Cieszę się, że się dobrze bawisz.

– Lepiej bym się bawił, gdybym wygrał, ale bez twojej pomocy.

Wyglądała, jakby te słowa sprawiły jej wielką przyjemność. Ze zdwojonym zapałem zaatakowała szachownicę. W końcu walka została nierozstrzygnięta. Ral roześmiał się dobrodusznie i zapowiedział, że następnym razem okaże się lepszy. Karyna zaś przyrzekła uroczyście, że to ona będzie zwycięzcą.

Ral pomyślał, że jeśli przegrana w szachy miałaby umieścić go w łożu ślicznej żony, byłby skłonny przegrać specjalnie.

Spojrzał na schody.

– Pora się położyć. – Popatrzył na Karynę, zważając, by udawać obojętność. Coś błysnęło w jej oczach, po czym zgasło.

Powiedz to – rozkazał w duchu. *Powiedz, że chcesz mnie w swoim łożu.* Mógł ją już wziąć. To było oczywiste, że ona by na to pozwoliła. Chciał mieć jednak wyraźne potwierdzenie. Chciał, żeby przyznała, że jest gotowa do prawdziwego małżeństwa. Chciał, żeby go pożądała tak samo mocno, jak on jej.

Wierzył, że udawaną obojętnością osiągnie swój cel.

– Jesteś zmęczony, panie?

Wzruszył ramionami.

– Nie mamy żadnych wieści o rozbójnikach. Jutro będziemy polować, żeby zapełnić nasze spiżarnie, i powinienem dobrze wypocząć. – Wziął ją za rękę, położył sobie na przedramieniu i zaprowadził na schody.

– Śpisz w swojej komnacie. Czy jest ci tam wygodnie? – zapytała cicho.

Ani trochę tak wygodnie, jak między twoimi zgrabnymi nogami.

– Na razie jest mi tam dobrze. – Nigdy nie stosował tej techniki, żeby uwieść kobietę. Zachowywał się tak tylko przy Karynie. Instynkt mu podpowiadał, że obojętność zapewni mu zwycięstwo. Im mniej reagował, tym bardziej musiała się starać. Jego Karyna lubiła czuć się zwycięzcą w każdej grze.

Zatrzymał się przed jej drzwiami, objął i pocałował. Pocałunek był delikatny, chociaż gorący. Wymagało to od niego ogromnej siły woli, żeby na tym poprzestać. Już za dzień, może za dwa, nie będzie potrzeby tak się powstrzymywać.

– Dobranoc, moja żono...

– Do... dobranoc, panie. – Ręka jej drżała, kiedy naciskała na klamkę, by otworzyć drzwi.

Uśmiechając się pod nosem, Ral odwrócił się i poszedł do siebie. Karyna z Ivesham nie była osamotniona w swoim upodobaniu do zwycięstw.

* * *

– Pani? Pani, gdzie jesteś? Przynoszę pilne wieści z wioski.

– Tutaj, Leofryku – zawołała z kąta stajni, gdzie siedziała, kołysząc jelonka. Jej podopieczny z każdym dniem nabierał sił. – Co się stało?

Chłopiec wbiegł z zaczerwienioną z przejęcia twarzą. Jego drobna pierś unosiła się ciężkim oddechem.

– Wieści o zbójcach, pani. Moja matka próbowała się wywiedzieć, gdzie są. Chce się odwdzięczyć lordowi za jego dobroć.

Karyna delikatnie umieściła jelonka na posłaniu i wstała, otrzepując tunikę z siana i wyjmując źdźbła słomy z ciężkiego warkocza.

– Lord Ral jest dzisiaj na polowaniu. Nie wróci przed zmrokiem.

– Zaniosę mu wiadomość.

– Nie wiem, gdzie go znaleźć. Musisz mi powiedzieć, Leofryku. Dopilnuję, żeby otrzymał wieści, jak tylko wróci.

– Matka mówi, że mają obóz przy przejściu w Chevrey na zakolu rzeki Eden. Zaczaili się tam na królewskiego poborcę. Nikt dokładnie nie wie, kiedy on ma tu być, ale Ferret zamierza na niego napaść i ukraść pieniądze królowi Wilhelmowi.

– Na pewno pieniądze będą dobrze strzeżone.

– Matka mówi, że jest tam już z pięćdziesięciu ludzi. Jechali na północ, ale ostatnio wrócili.

Pięćdziesięciu! To prawdziwe niebezpieczeństwo! To dosyć, żeby zmierzyć się z ludźmi Wilhelma, i dosyć, żeby zagrozić jej mężowi i jego towarzyszom. Karyna poczuła, jak ściska jej się żołądek.

– To zabójcy, pani. Już z tuzin niezłych rycerzy i zbrojnych padło od noży Ferreta.

Karyna zadrżała.

– Tym razem może to lord Ral go złapie.

– Tak, pani, pewnikiem lord da im radę.

Z pewnością człowiek tak mocny i biegły w wojennej sztuce jak jej mąż poradzi sobie z niebezpieczeństwem. Jednak ostrzeżenie Leofryka nie dawało jej spokoju.

– Powiem o wszystkim lordowi Ralowi, jak tylko się tu zjawi.

– Tak chciałbym z nim jechać.

A ja się szczerze cieszę, że nie możesz, nieoczekiwanie dla siebie pomyślała Karyna. Coraz bardziej obawiała się o życie i zdrowie swojego męża.

* * *

Karyna przechadzała się tam i z powrotem przed paleniskiem. Do tej pory Ral już powinien wrócić. Richard kazał przyrządzić dodatkowy posiłek, który trzymano gotowy na ogniu. Odwróciła się na odgłos otwieranych drzwi. Wszedł Girart. Ral nigdy nie zostawiał zamku bez załogi. Dzisiaj także zostawił większość ludzi, którzy mieli odpocząć przed jutrzejszą wyprawą na poszukiwanie rozbójników.

Słysząc hałasy przy wejściu, Karyna pobiegła w tę stronę.

– To lord Ral? – zapytała Girarta.

– Nie, pani.

Richard wszedł za nim z pochmurną miną.

– To Stephen de Montreale.

Malvern, święty Boże! Lord Stephen był ostatnim człowiekiem, którego Karyna miałaby ochotę oglądać, szczególnie gdy małżonka nie było na zamku.

– Musimy go wpuszczać?

– To powszechnie przyjęta uprzejmość. Podróżuje z garstką ludzi. Nie powinniśmy odmawiać mu jedzenia i noclegu.

Skinęła głową, wiedząc, że to prawda.

– Przynajmniej mamy dość jedzenia. – *I dość ludzi do obrony zamku.* – Zaproś go, Richardzie. – Zebrała się w sobie, żeby odegrać rolę pani na zamku, i nagle poczuła, że nie może się doczekać. – I przekaż mu moje pozdrowienie.

Malvern wkroczył z właściwą sobie pewnością siebie, krokiem długim i lekkim, choć miał na sobie ciężki pancerz. Cały strój był pokryty kurzem po wielu godzinach spędzonych w drodze, lecz jego jasne włosy lśniły w migoczącym płomieniu pochodni umocowanych do ścian.

– Pani. – Pochylił się do jej ręki i dotknął jej wargami. Usta miał twarde, a oddech gorący. Mogła jedynie wyrwać dłoń.

– Witaj, panie. – Przywitała go z chłodną uprzejmością i zmusiła się do uśmiechu. Nie uszło jej uwagi, tak jak za pierwszym razem, że pomimo wyrazu okrucieństwa w oczach i nieco haczykowatego nosa był nadzwyczaj urodziwy.

– Wygląda na to, że wchodzi mi w nawyk przyjeżdżanie w gościnę pod nieobecność twojego męża, pani. – Jego jasnobłękitne oczy omiotły jej postać, oceniając szafirową tunikę, złoty pas i haftowaną jedwabną koszulę. – Teraz, gdy widzę klejnot, który skrywał się pod szatami mniszki, nie mogę nie przyznać, jak bardzo jestem niepocieszony.

Puściła ten komplement mimo uszu i starała się stłumić nieprzyjemny ton głosu.

– Mój małżonek wkrótce wróci. Każę ci przygotować komnatę, jeśli masz życzenie wykąpać się i odświeżyć przed posiłkiem.

Skłonił się.

– Miałem ciężki dzień. Kąpiel i puchar wina uczynią mnie twoim dłużnikiem, pani.

Skinęła na sługę i odwróciła się, by odejść, lecz lord Stephen złapał ją za ramię.

– Może zechcesz mi usłużyć sama.

Uśmiechnęła się lekko.

– Oczywiście. – Nie miała najmniejszego zamiaru. W towarzystwie giermka lord Stephen został zaprowadzony na górę, podczas gdy jego ludzie napełniali rogi piwem albo raczyli się winem.

Karyna skierowała się do kuchni w nadziei, że znajdzie chętną do usłużenia Stephenowi służącą albo przynajmniej pazia.

– Ja mu usłużę, pani – zastąpiła jej drogę Bretta. Świeżo upieczony chleb z jęczmienia wypełniał kuchnię przyjemnym zapachem.

– Nie musisz. Nie jestem pewna, jakie ma zamiary. Nie zmusiłabym żadnej kobiety, żeby...

– Nie szkodzi, pani – uśmiechnęła się Bretta. – Będę miała uciechę, szorując mu plecy. Na pewno ma niezłe.

Karyna odpowiedziała z uśmiechem.

– Bądź ostrożna.

– Już moja w tym głowa, żeby zrobił się czyściutki jak kotek.

Rala ciągle jeszcze nie było, gdy lord Stephen wrócił do sali. Odziany w purpurową tunikę ze szlachetnej tkaniny i szkarłatną koszulę był w każdym calu baronem. Odświeżony w niczym nie przypominał brutala, którego znała.

– Dobry wieczór, panie – uśmiechnęła się, gdy do niej podszedł.

– Mogę się przyłączyć?

– Zapraszam.

Zajął miejsce przy jej boku. Poniżej siedzieli przy nakrytych stołach jego ludzie. Rozmowa potoczyła się wokół lekkich tematów, takich jak pogoda, zbiory, wydarzenia w okolicy, w Braxton i Malvern.

– Niebawem przyjedzie do mnie moja siostra – rzekł. – Może byłaby to dobra okazja, żebyście się poznały.

– Może. Ucieszyłoby mnie towarzystwo kobiety, z którą mogłabym pogawędzić. – Zakładając, że nie ma nic wspólnego ze swoim okrutnym bratem.

– Eliana to skarb. Wysoka, o bladej skórze – istna piękność. Wiesz, że kiedyś była przyrzeczona twojemu mężowi?

– Twoja siostra miała być żoną lorda Rala?

– Było to na długo przedtem, zanim poznał ciebie. Ten związek zaplanowali nasi ojcowie, kiedy byliśmy jeszcze dziećmi.

– Nic o tym nie wiedziałam.

– Nie dziwię się... Okrył ją hańbą, gdyż nie zgodził się na małżeństwo.

Czyżby to był powód wzajemnej nienawiści?

– Z pewnością miał jakiś powód.

Lord Stephen zacisnął usta.

– Możliwe. Ja wiem tylko, że okrutnie się pomylił co do mojej siostry. – Uśmiechnął się krzywo. – Może kiedyś ci o tym opowie.

Może nie, chociaż z całego serca chciałaby wiedzieć.

– Byłeś na południu, panie – rzekła, zmieniając temat.

– Tak, wracam z mojej posiadłości Grennel.

– Podróżujesz z małą świtą. Nie widziałeś żadnych śladów Ferreta ani jego bandy?

– Nie. Powiadają, że pojechali gdzieś na północ. Powiadają także, że twój małżonek goni za nim, szukając zemsty. – Kącik jego ust uniósł się do góry. – Jeśli odkryje jego kryjówkę, rad będę służyć mu pomocą.

Karyna pochyliła się do przodu. Choć szczerze nienawidziła lorda Stephena, ze wsparciem jego wojska Ral byłby znacznie bezpieczniejszy.

– Jednak – rzekł Stephen. – Nie wierzę, żeby ją przyjął.

Jęknęła w duchu. Oczywiście, że nie przyjmie. Wtedy przyszedł jej do głowy pomysł. – Gdybyś wiedział, panie, gdzie jest kryjówka Ferreta, pojechałbyś się z nim rozprawić?

Lord Stephen nie miał skrupułów i w walce wzbudzał strach podobnie jak Ral. Cóż to za różnica, który z nich dokona kolejnego bohaterskiego czynu, ważne, żeby rozbójnicy zostali schwytani.

Uniósł się w fotelu i przyglądał się jej z ciekawością.

– Jeśli mają obóz gdzieś na północy, jak mówią pogłoski, wystarczy, że wyślę rozkaz do moich ludzi w Malvern. Są wystarczająco liczni, żeby dni tych rzezimieszków były policzone.

– Lord Raolfe nie pochwaliłby mnie, gdybym ci powiedziała. Nie mogę ci tego wyjawić.

Jeśli jednak to uchroni go przed niebezpieczeństwem, może być tego warte.

– Wiesz, gdzie oni są?

– Dowiedziałam się dziś wieczór. Dostałam wiadomość od wieśniaków.

– Dlaczego miałabyś mi powiedzieć?

Właśnie, dlaczego? Było jej z tym ciężko na duszy, ale myśl o Ralu rannym lub zabitym była ciężarem znacznie dokuczliwszym.

– Chcę, żeby te rabunki się skończyły. – *Chcę zobaczyć mego męża bezpiecznego w domu.* – Wydaje się, że im więcej ludzi tym się zajmie, tym większa nadzieja, że to się powiedzie.

Uśmiechnął się.

– Jak mówiłem, chętnie udzielę wsparcia.

Wahała się tylko jedną krótką chwilę.

– Rozbójnicy mają obóz koło Chevrey nad rzeką Eden.

– Jesteś tego pewna?

– To informacja z zaufanego źródła. Nie wiadomo tylko, jak długo tam pozostaną.

Przyglądał jej się badawczo, po czym zawołał jednego ze swoich ludzi. Krępy rycerz wynurzył się z cienia, wysłuchał z uwagą wyszeptanego do ucha polecenia, skinął na znak, że zrozumiał, po czym wyszedł z sali.

– Durand pojedzie do Malvern. Zbierze tam wojsko i wyprawi się do Chevrey. Ja wyjadę jutro rano, tak jak planowałem. Jeśli dopisze nam szczęście, Ferret i jego banda będą schwytani, zanim tam dotrę.

Karyna uśmiechnęła się.

– Dziękuję, panie.

– To ja ci dziękuję, pani. – Wyglądał na tak uradowanego, że Karyna nagle pożałowała, iż wyznała mu tę tajemnicę. Słodki Jezu, modliła się, żeby okazało się, że postąpiła słusznie.

Rozdział 11

W zbroi i z tarczą w ręku Ral siedział na grzbiecie swojego czarnego rumaka, obserwując ze wzgórza to, co kiedyś było obozowiskiem Ferreta.

– Na krew Chrystusa! – krzyknął Odo. – Znowu przybyliśmy za późno!

Na policzku Rala zagrał mięsień.

– Na to wygląda. Wygląda też na to, że Malvern się nie spóźnił. – Rzucił kilka siarczystych przekleństw i ruszył zboczem w dół, prowadząc ludzi do obozowiska. Jego teren usłany był szczątkami – poprzewracanymi kociołkami, porozrzucanymi bukłakami z winem, matami do spania, bronią i ubraniami. Kilka smug dymu unosiło się jeszcze nad wygaszonymi ogniskami. Wokół leżały ciała przynajmniej trzydziestu ludzi.

Ral podszedł, szukając ciała Ferreta. Było mu ciężko na duszy, że zawiódł swoich wieśniaków. Gdyby wrócił z łowów parę godzin wcześniej! Gdyby zjawił się w Braxton przed Stephenem! Gdyby wyjechał od razu w nocy, zamiast czekać, aż znienawidzony rywal odjedzie.

Ferret nie będzie już nikogo nękał, lecz nie będzie też nowej ziemi do wykarczowania i obsiania, a bez tego nie zapełnią się spiżarnie opróżnione po to, żeby wybudować zamek. Wcześniej czy później wieśniacy z Braxton srodze ucierpią. Ral skrzywił się, myśląc o czekającej go przyszłości.

Okrążył grupę Malverna, lecz nadal nie mógł dostrzec ani śladu Ferreta ani tego, co z niego zostało. Jadąc między rycerzami i wojami, którzy szukali przy trupach łupu, rozpoznał Duranda, dowódcę ludzi Malverna, i podjechał do niego.

– Wykonaliście kawał dobrej roboty, Durandzie.

– Dzięki, panie.

– Lord Stephen do was dołączy?

– Jedzie już do nas.

– A co z Ferretem? Nie widzę jego ciała.

Durand zawahał się, zdjął stożkowy hełm, po czym pokręcił głową.

– Uciekł, panie. Razem z dwudziestoma ludźmi.

Ral odetchnął. Powinien żałować, że rozbójnik umknął z życiem, lecz potrzeba ziemi była tak wielka, że poczuł natychmiastową ulgę. Po chwili jednak ogarnęła go złość. Gdyby przyjechał pierwszy, nic takiego by się nie wydarzyło.

– Co się stało? – spytał.

– Postawił straże ze wszystkich stron. Mieliśmy nadzieję go zaskoczyć, ale w porę go ostrzeżono. Na drzewach i na skałach nad nami siedzieli łucznicy. Zabiliśmy ich wielu, ale straciliśmy pięciu swoich.

– Skąd wiedziałeś, gdzie ich znaleźć?

– Od lorda Stephena.

Ral zmarszczył brwi. Dopiero co jadł kolację ze Stephenem. Musiał już wiedzieć o rozbójnikach, lecz starannie to przemilczał. On również.

– Niedobrze, że uciekł. Przyczai się na jakiś czas, a gdy zbierze więcej ludzi, powróci. – A wtedy nic na świecie nie powstrzyma go przed zdobyciem jego głowy.

– Tak, panie. Łajdak nie wie, kiedy przestać.

Ral nie odezwał się już, tylko zebrał ludzi i ruszył z nim w stronę drogi. Nawet Odo niewiele mówił, doskonale zdając sobie sprawę z rozczarowania przyjaciela.

– Znajdziesz go, Ralu. Następnym razem ci się powiedzie.

Ral nie odpowiedział. Jego uwagę przykuł zbliżający się z naprzeciwka oddział zbrojnych.

– Malvern – stwierdził Odo. – Durandowi nie udało się złapać Ferreta. Będzie wściekły.

– Durand będzie musiał zdać raport o tym, co się wydarzyło. Stephen może nie będzie zadowolony, lecz schwytanie Ferreta nie ma dla niego takiego znaczenia jak dla mnie.

Obie grupy wojów zatrzymały się. Ral zbliżył się do Stephena i stanął z nim strzemię w strzemię. Jego czarny rumak tańczył nerwowo przy siwym wierzchowcu Stephena.

– Za wcześnie na gratulacje – powiedział Ral. – Niemniej jestem wdzięczny, że pozbyłem się bandytów, których zabili twoi ludzie.

– Wędrowcy będą bezpieczniejsi, ale nasza wojna z Ferretem nie jest jeszcze zakończona.

– Zdaje się, że tak.

– Może następnym razem ty pierwszy ich znajdziesz.

Ral zmusił się do uśmiechu.

– Możesz na to liczyć, Stephenie.

– Tym razem niewiele brakowało, a poszczęściłoby ci się bardziej niż mnie, gdyby twoja śliczna mała żonka nie uczyniła mi przysługi, zdradzając kryjówkę Ferreta, zanim zobaczyła się z tobą.

Widząc zaskoczenie, którego Ral w porę nie opanował, Stephen uśmiechnął się z zadowoleniem. – Nie oczekiwałem takiego daru, niemniej jestem wdzięczny. – Uśmiechnął się ponownie i dał znak ludziom, by ruszyli. Odjechał na czele kolumny, zostawiając Rala oniemiałego ze złości.

– Pozdrów ją ode mnie, dobrze? – Stephen krzyknął przez ramię.

Ral patrzył za odjeżdżającym ze szczękiem zbroi oddziałem wzbijającym kurz na drodze. Dłoń w rękawicy zacisnął w pięść, ogarnięty wściekłością.

– Może nie mówi prawdy – ostrzegł Odo.

– To jest prawda. Czuję to.

– Anglosaska krew. Mówiłem ci, że nie można jej wierzyć.

– Jest moją żoną. – Szczęki zacisnęły mu się tak mocno, że ledwo mógł mówić. Wściekle ściągnął wodze, aż Szatan zakręcił się w koło, przysiadł i zatańczył pod nim nerwowo. Rzucił jeszcze ostatnie nienawistne spojrzenie Malvernowi, po czym ruszył galopem w stronę zamku.

* * *

Stephen de Montreale dołączył do swoich ludzi na polanie, która kiedyś była obozem Ferreta, i podjechał prosto do Duranda. Wielki barczysty rycerz z kwadratową szczęką i przerzedzonymi włosami zajmował czołowe miejsce wśród jego najbardziej zaufanych ludzi – przynajmniej dopóki był za to dobrze wynagradzany.

– Schwytałeś Ferreta? – spytał Stephen.

– Jest związany i dobrze strzeżony. Trzymamy go w ukryciu w krzakach.

– Jesteś pewien, że Braxton niczego się nie domyślił?
– Nic nie wie, panie. Wszystko poszło tak, jak kazałeś.
– Doskonale. Dobrze ci za to zapłacę.
Durand uśmiechnął się, pokazując pożółkłe zęby. Stephen zostawił go i udał się na miejsce, gdzie zbrojni pilnowali Ferreta. Rozbójnik siedział plecami oparty o głaz z głową opuszczoną na pierś. Strąki czarnych włosów opadały mu w nieładzie na czoło. Był to chudy, niewysoki człowiek z rozbieganymi oczkami, człowiek, do którego dobrze pasowało jego imię. Pewne było jednak, że nie był głupcem.
– Zostawcie nas – rozkazał Stephen.
– Tak, panie. – Zbrojni odwrócili się i znikli w lesie.
Oczy Ferreta poruszały się, badawczo przyglądając się przeciwnikowi, oceniając go i czekając na jego słowa.
Stephen uśmiechnął się.
– Powiadają, żeś diabeł wcielony.
Ferret westchnął.
– Słyszałem to samo o tobie.
Stephen zaśmiał się cicho. Okrążył Ferreta, przyglądając mu się badawczo i oceniając jego żylastą siłę. Złapał koniec gałęzi i zmiął między palcami.
– Boisz się mnie?
– Jestem twoim więźniem.
– Nie o to pytałem.
– Tylko głupiec by się ciebie nie bał.
Stephen znów się uśmiechnął.
– To dobrze. Strach to zawsze dobry początek.
Ferret podniósł głowę i patrzył wyczekująco.

– Dobry początek czego?
Stephen zaśmiał się cicho i odrzucił gałązkę.
– Chciałbyś uciec?

* * *

Karyna siedziała przy szachownicy naprzeciwko Richarda. Choć zrobiło się późno, odczuwała dopiero lekkie zmęczenie.
– Twój król jest zagrożony przez moją królową – powiedziała, uśmiechając się do swojego przeciwnika, który wyglądał na zakłopotanego.
– Grasz w szachy lepiej niż niejeden mężczyzna. Czy to lord Harold cię nauczył?
Potrząsnęła głową.
– Rzadko widywałam wuja.
– Twój ojciec?
– Nie. Nigdy go nie było. Nauczył mnie Edwin z Bedford, przyjaciel wuja.
Richard uśmiechnął się.
– Pamiętam go.
– Słyszałam, że żyje. Ciekawe, co się z nim dzieje.
Richard zaczerpnął oddechu, by odpowiedzieć, lecz odgłosy z sali kazały mu skierować uwagę na wejście. Porwał się na nogi.
– Lord Ral wraca!
Karyna także wstała.
– Nie może być! Nie ma go dopiero od trzech dni. Nie zdążyłby wrócić tak szybko.
– To on – potwierdził Richard, rozpoznając Oda, Hugh i kilku innych. – Musi być bardzo zmęczony. Zarządzę, by przygotowano coś do jedzenia.
Zatroskana, co też takiego mogło się wydarzyć, Karyna odwróciła się także i ujrzała Rala stojące-

go w drzwiach. Młody giermek, Aubrey, ściągał mu zakurzoną zbroję. Górujący nad wszystkimi, władczy, z piękną twarzą – wyglądał tak, że serce zaczęło jej bić żywiej. Karyna uśmiechnęła się radośnie i pomyślała, jak przynajmniej tuzin razy w czasie ubiegłych dni, że bardzo za nim tęskniła.

Aubrey pochylił się, żeby zdjąć Ralowi ostrogi, lecz zanim zdołał to uczynić, Ral wyrwał do przodu. Jego wielka postać kładła się cieniem na ścianach w świetle płonących pochodni. Dopiero teraz, kiedy ruszył, Karyna dostrzegła zaciśnięte szczęki i napięcie w ramionach. Kilkudniowy zarost pokrywał jego policzki, a z każdym zdecydowanym krokiem dłonie mimowolnie zaciskały się w pięści.

Święty Boże w niebiosach, był zły. Nawet wściekły. Karyna poczuła, jak zaciskają się jej wnętrzności. Zmusiła się, by wyjść mu naprzeciw i pozdrowić uśmiechem, modląc się przy tym, żeby gniew, który wyczuwała, nie był skierowany przeciwko niej.

– Wróciłeś, panie, wcześnie do domu. Nie jesteś ranny?

Ral stanął przed nią, w jego szarych oczach pojawiły się stalowe błyski, wściekłość sączyła się każdym porem.

– Jakim sposobem mógłbym zostać ranny? Do czasu, kiedy dotarliśmy do obozu, ludzie Ferreta zostali już rozgromieni.

Pomyślała o Stephenie i zrozumiała, że jej plan się powiódł, i przez chwilę poczuła ulgę.

– Zatem ty i twoi ludzie jesteście już bezpieczni.

– Tak, jesteśmy bezpieczni! – Stalowe, szare oczy świdrowały ją na wylot. – Nie pytasz, jak to możliwe. Jakim cudem lord Stephen przybył wcześniej do obozu Ferreta...

– Ja... cieszę się, że wszystko jest w porządku. Oczywiście chciałabym wiedzieć, jak to się stało.

Wargi wygięły mu się w zimnym uśmiechu, mięśnie twarzy napięły.

– Wygląda na to, że lord Stephen także odkrył położenie obozu Ferreta. Wysłał rozkazy do rycerzy w Malvern.

– To przecież dobrze, prawda? Nasze drogi będą w końcu bezpieczne!

– Nie pytasz, skąd lord Stephen wiedział.

– Przypuszczam, że miał informatorów, tak jak i ty.

– A jakże, miał. Ludzi, którzy okazali się lojalni względem niego. Ludzi, którzy zdradzili mnie.

– Zdradzili cię? – Ogarnęło ją nieprzyjemne uczucie. – Nie pojmuję, jak coś, co pomogło ci pozbyć się Ferreta, może być ocenione jak zdrada.

Otaczający ich mężczyźni i służba wstrzymali oddech w pełnej napięcia ciszy, która zapadła na sali.

– To właśnie uczyniłaś, Karyno? Pomogłaś im?

– Nie rozumiem, co masz na myśli.

Złapał ją za ramię i przyciągnął do siebie.

– Mam dość wykrętów. Oboje wiemy, że powiedziałaś Malvernowi o obozie Ferreta. I oboje wiemy, że znowu mnie zdradziłaś!

Karyna otworzyła usta.

– To nie tak!

– Taka jest prawda, moja żono! Zupełnie tego nie rozumiem, dlaczego pomogłaś komuś takiemu jak Stephen!

– Nie zrobiłam tego, żeby mu pomóc!

Wbił palce w jej ramiona.

– Na Boga, jesteś moją żoną! Należy mi się twoja lojalność!

– Nie jestem w pełni twoją żoną, sam to powiedziałeś! Lynette jest twoją żoną bardziej niż ja!

– Nie zamierzała tego powiedzieć, chociaż tak w głębi duszy myślała.

Po raz pierwszy Ral zamilkł. Po chwili gorzki uśmiech wypłynął mu na twarz.

– Co do tego masz słuszność. Wypowiedzenie przysięgi jeszcze nie oznacza małżeństwa. Liczy się połączenie, a tego jeszcze nie uczyniliśmy. Dziś w nocy to się zmieni.

– Ale ja nie...

Puścił ją.

– Wracaj na górę do komnaty. Przyszykuj się na przyjęcie mnie w łożu.

– Co takiego?!

– Słyszałaś! Rób, co każę!

– Przyrzekłeś!

– Tylko głupiec nie naprawia swoich błędów.

– Ale...

– Idź już wreszcie!

Unosząc spódnicę, Karyna popędziła na górę, zatrzasnęła za sobą drzwi i przywarła do szorstkiego drewna.

Święta Mario, Matko Boska. Zerknęła na łoże, całe ciało jej dygotało. Nasłuchiwała kroków Rala na schodach. Oddychała ciężko, jej dłonie zwilgotniały, a serce łomotało tak głośno, że zagłuszało jej myśli.

Błogosławiona Dziewico, co ja teraz zrobię?

Rozległo się krótkie pukanie, na dźwięk którego podskoczyła. Weszła Marta. Starsza kobieta wyglądała na zaniepokojoną, lecz pogodzoną z tym, co stać się musiało.

– Lord Ral przysyła mnie, bym ci usłużyła.

– Marto, dzięki Bogu, że przyszłaś. – Wtuliła się w ramiona kobiety, która mocno ją objęła. – Okropnie się boję. Nigdy nie widziałam go tak złego.

Marta odsunęła ją.

– A dziwisz się? Zrobiłaś z niego głupca.

– Nie chciałam tego.

Marta chrząknęła.

– Odwróć się. – Zaczęła rozbierać Karynę. Zdjęła jej tunikę i koszulę z rękawami spod spodu, zostawiając tylko lnianą, cienką koszulę bez rękawów. – Postąpiłaś bardzo niemądrze – westchnęła. – Przynajmniej jednak położy to kres twojemu strapieniu.

– Jakiemu strapieniu? Co masz na myśli?

Stara kobieta uśmiechnęła się, co pogłębiło bruzdy w kącikach jej ust. – Czyż nie było twoim życzeniem naprawdę zostać żoną lorda Rala?

– Tak, ale...

– Dziś w nocy temu życzeniu stanie się zadość.

Karyna na chwilę się uspokoiła. Rzeczywiście, bardzo tego pragnęła.

– Tyle że on jest bardzo zły.

– To cena, którą musisz zapłacić za swoją głupotę.

Trudno było się z tym spierać.

Nie myślała o tym, jak czuje się Ral, jak to wygląda w oczach jego ludzi. Naturalnie, czyniąc to, co uczyniła miała nadzieję, że się nie dowie.

– Będzie cię trochę bolało – uprzedziła Marta. – Lord Ral jest bardzo duży.

Karyna poczuła nieprzyjemny chłód.

– Bretta powiedziała mi, co się stanie.

– Próbuj uciszyć jego gniew. Pójdzie tym łatwiej, im będzie delikatniejszy.

Karyna kiwnęła głową. Uspokoić Normana nigdy nie było łatwo.

– Spróbuję.

Marta zaprowadziła ją do stolika przy ścianie, wzięła szczotkę i przeczesała nią długie włosy dziewczyny. Równe, delikatne ruchy trochę ją uspokoiły, tak jak Marta się spodziewała. Ułożyła ciężką masę wokół ramion. Potem odłożyła szczotkę.

– Rozgniewa się jeszcze bardziej, jeśli każemy mu długo czekać.

Karyna kiwnęła głową na znak zgody. Niespokojnie oblizała wargi, próbując nie myśleć o tym, co się stanie, kiedy Marta wyjdzie

– To dobry człowiek – powiedziała kobieta. – Bez względu na to, co będzie się działo, nie zapominaj o tym. – Marta opuściła komnatę. Niepokój Karyny rósł, w miarę jak kroki służącej się oddalały.

Zaczęła przemierzać sypialnię, nie zdążyła jednak przejść całej długości, kiedy klamka szczęknęła i do środka wkroczył jej wysoki, śniady mąż. Zauważyła, że się wykąpał. Jego grube, czarne włosy w mokrych kędziorach opadały na brązową tunikę. Był urodziwy, jak zawsze, tak samo dumny i stanowczy – i ani odrobinę mniej zagniewany.

– Ciekaw byłem, czy odważysz się uciec. Gdybyś uciekła, przywlókłbym cię tu za włosy.

Karyna z trudem przełknęła ślinę.

– Nie chcę uciekać.

– Nie? – Gruba, czarna brew uniosła się. – Myślałem, że żona, która zdradza męża, raczej nie będzie miała ochoty pójść z nim do łoża.

Ciężar przygniótł jej pierś.

– Nie sądziłam, że to zdrada.

Ral udał, że nie słyszy, lecz mięsień drgnął w jego twarzy.

– Tam, skąd pochodzę, śpimy bez ubrania. Ściągnij koszulę, żebym cię zobaczył.

Ciężar urósł i stał się boleśnie palący. Kiedy stała nieruchomo i patrzyła w urodziwą twarz wykrzywioną złością, Ral postąpił krok do przodu. Wczepił palce w delikatną, lnianą tkaninę i rozszarpał koszulę z przodu.

– Powiedziałem: zdejmij!

Drżącymi rękami zrobiła, co kazał, pozwalając koszuli opaść miękko u stóp. Starała się trzymać głowę wysoko i powstrzymywała się, by się nie rozpłakać.

– Obróć się. Powoli. Chcę zobaczyć, co tak długo przede mną ukrywałaś.

Posłuchała, starając się na niego nie patrzeć i pragnąc, by serce nie bolało jej tak mocno i żeby ta noc była inna, wypełniona pieszczotą i namiętnością, tak jak sobie wyobrażała.

– Chcę wiedzieć, dlaczego mnie zdradziłaś – rzekł, kiedy stanęła z nim twarzą w twarz. Wyraz jego oczu był surowy i badawczy. – Nie jesteś przecież jego ladacznicą.

Powinna rozgniewać się na te słowa. Tymczasem nie poczuła złości i odparła zwyczajnie: – Nie.

– Wejdź do łoża i rozłóż nogi.

Coś się w niej zacisnęło. Czuła, że pieką ją oczy, i chociaż bardzo się starała, łza potoczyła się jej po policzku.

– Zrobię wszystko, czego sobie życzysz, panie. Chcę jednak, żebyś wiedział, że nie chciałam cię zdradzić. Leofryk powiedział, że Ferret to morderca. Mówił, że wielu dobrych i mężnych rycerzy zginęło z jego ręki. Martwiłam się o ciebie. O ciebie i twoich ludzi. Nie sądziłam, że to ma jakiekolwiek znaczenie, który z was położy kres jego zbrodniom.

Zdejmując ubranie gwałtownymi, szarpiącymi ruchami, Ral nieoczekiwanie znieruchomiał. Odrzucił na bok tunikę i odwrócił się ku niej.

– Powiadasz, że nie wiedziałaś o nagrodzie?

– Jakiej nagrodzie?

Ral przyjrzał się jej twarzy, wielkim, ciemnym oczom i delikatnym drżącym wargom. Dostrzegł ból bijący z jej twarzy, żal i skruchę. Nagroda nie była tajemnicą, ale też nie była to rzecz powszechnie wiadoma. Poza tym nie mówił jej, jak ważne jest dla niego schwytanie Ferreta, ani nawet nie pomyślał o tym, by jej powiedzieć. Gniew powoli zaczął go opuszczać, wściekłość opadała, pozwalając mu zebrać myśli.

– Król zaofiarował ziemie pomiędzy Braxton a Malvern w zamian za głowę Ferreta.

Karyna zamarła.

– Ziemię, którą obiecałeś wieśniakom?

– Tak

– Boże miłosierny!

– Mówisz, że nie wiedziałaś?

– Chciałam ci tylko pomóc – rzekła cicho. – Wolałam, żeby zginęli ludzie Malverna, a nie nasi z Braxton.

Ral przyglądał jej się długo z surowym wyrazem twarzy.

– Dlaczego miałbym ci uwierzyć? – Chciał. Na krew Chrystusa, nigdy niczego nie pragnął bardziej. Jej oczy spoczęły na jego twarzy, aksamitne i brązowe w świetle świec.

– Bo nienawidzę Stephena de Montreale bardziej niż ty. Bo kocham swoich wieśniaków i nie chcę, by działa im się krzywda. Bo jesteś moim mężem i chciałam, żebyś bezpiecznie wrócił do domu.

Czy była szczera? Czy mógł jej zaufać? Jej spojrzenie przekonywało go, że to prawda. Ral wziął głęboki oddech, żeby się uspokoić, i poczuł, jak zrobiło mu się lżej na sercu.

Powiódł palcami po jej policzku, ujrzał niepewność i nadzieję, którą rozbłysła jej twarz.

– Chodź do łoża. To, co powiedziałaś, nie zmieni tego, co musi się stać dziś w nocy. – Odsunął przykrycie. – Tylko sposób, w jaki się to stanie.

Coś w jego ruchach musiało pomóc jej pozbyć się obaw, bo ustąpiło paraliżujące ją napięcie.

– Tak, panie.

Uczyniła, co kazał. Wspięła się i wsunęła pod przykrycie, po czym zobaczyła, że poszedł do drzwi zawołać sługę, żeby przyniósł im wino. Kilka chwil później zjawił się paź z dzbanem i dwoma wysokimi pucharami. Ral zaczekał, aż chłopiec wyjdzie, napełnił puchary i podszedł do łoża.

– Wypij. To pomoże ci się odprężyć.

Przyjęła wino lekko niepewnymi dłońmi i wychyliła duży łyk, podczas gdy on zaledwie spróbował. Zdjął koszulę, nogawice i nagi dołączył do niej w łożu.

Utkwiła wzrok w przykryciu i odwróciła skromnie głowę. Dotknął ręką jej policzka i zmusił, żeby na niego spojrzała.

– Znowu zaszło nieporozumienie. Nie chcę, żeby się to powtórzyło. Od tego dnia jesteś moją żoną. Musisz być lojalna względem mnie.

– Zawsze byłam wobec ciebie lojalna, od dnia, kiedy poznałam prawdę o tym, co spotkało moją siostrę.

– Stephen de Montreale to mój zaprzysięgły wróg. Jeśli w jakikolwiek sposób mu pomożesz, będzie to poczytane za zdradę. Nie puszczę tego płazem, rozumiesz?

– Tak, panie.

Pochylił głowę i pocałował ją, poczuł jej drżące wargi pod swoimi.

– Postaram się, żeby cię nie bolało.

Po drugim delikatnym pocałunku rozchyliła usta, przyjmując do środka jego język. Smakowała wytrawnym czerwonym winem, które wypiła. Pachniała mydłem i kociętami. Chciał wypić ten jej zapach, posmakować językiem każdy cal jej słodkiej skóry. Chciał głaskać jej piersi, aż sutki stwardnieją, po czym rozchylić jej nogi i wedrzeć się do środka.

Napominał się jednak, że musi robić wszystko powoli, a nawet wtedy może się zdarzyć, że nie będzie dla niego gotowa. Czuł dreszcz lęku przechodzący przez jej drobne kobiece ciało.

Odsunął się i spojrzał na nią.

– Tak bardzo się boisz, że zrobię ci krzywdę?

Przeczący ruch głowy zaskoczył go. Ciężkie kasztanowe włosy rozsypały się miękko z tym gestem.

– Nie, panie, to nie strach sprawia, że drżę. Kiedy mnie dotykasz, przechodzi mi dreszcz po skórze.

Ral zaśmiał się cicho i poczuł spływającą na niego ulgę.

– To dopiero początek, *chèrie.*

Tak było. Ral pocałował ją znowu, długo i niespiesznie. Jego gorące usta były delikatne, lecz żarliwe i zaborcze. Językiem muskał kąciki jej ust, wodził po dolnej wardze, przynaglając ją, by się dla niego otworzyła i napełniając ją falą gorąca. Jej język wyszedł na spotkanie jego, początkowo z wahaniem, smakując i próbując. Jego smak pobudzał jej zmysły. Przeniknęły ją dreszcze, małe płomyki poczęły szczypać jej ciało, aż zaczęła się przy nim wić. Ich języki to smakowały, to odparowywały miłosne pchnięcia. Karynę ogarniała gorączka, ale mimo to nie traciła trzeźwości, pragnąc uczyć się, jak go zadowolić.

Czuła jego dłonie na ciele, silne i zwinne, unoszące jej piersi, sprawiające, że stawały się coraz cięższe i pulsowały rozkosznym bólem. Palcami muskał brodawki, aż zrobiły się twarde i tkliwe. Wówczas jego wielkie dłonie przesunęły się niżej, ześlizgując się po gładkiej skórze i zatrzymały przy pępku, głaszcząc go palcem, zataczając kręgi, zalewając jej brzuch strumieniami gorąca.

W nadziei, że sprawi mu przyjemność, powtórzyła to samo swoimi drobnymi dłońmi na jego ciele. Zatoczyła kręgi wokół ciemnych brodawek piersi, powiodła palcami po szorstkich włosach na klatce piersiowej i poczuła pod dłonią napężające się mięśnie brzucha.

Kiedy jęknął, Karyna zatrzymała się w obawie, że zrobiła coś złego.

– Dobrze, *ma chèrie.* Zawsze szybko się uczyłaś. – W jego głosie zabrzmiała szorstka nuta, kiedy pochylił się i ją pocałował. – Powinienem był przewidzieć, że te nauki pojmiesz równie szybko, jak wszystkie inne.

Uśmiechnęła się na myśl, że sprawiła mu przyjemność, po czym wstrzymała oddech, czując jego dłoń poniżej pępka, zsuwającą się na kępkę włosów nad złączonymi udami.

– Spokojnie – uspokoił, kiedy się napięła. Pocałował ją jeszcze, a ona odprężyła się, pozwalając, by ogarnęła ją fala gorąca, by rozpalił się płomień namiętności. Zagryzła wargi, kiedy palec wsunął się w nią, wodząc po śliskiej gładkości jej pożądania. Gorąco jego dotyku było niczym spopielający wszystko płomień. Instynktownie wypięła się w łuk, ponaglając go. Pochylił głowę do jej piersi.

Karyna zadrżała i wygięła się w łuk, przyciskając stwardniałe ciało do jego ust. Gorące wargi przesuwały się po jej ciele, język muskał, zataczał kółka, lizał, smakował. Wczepiła się palcami w jego włosy, odrzuciła głowę do tyłu, a całe jej ciało objął płomień rozkoszy, którą dawał.

Kiedy znów ją pocałował, przeszyła ją błyskawica i oddech stał się krótki, urywany. Ujął jedną dłonią jej pośladki, a palcem drugiej wsunął się do środka. Była wilgotna i śliska, wiedziała o tym. Jej ciało odpowiedziało tak, jak mówiła jej Bretta, szykując się do przyjęcia twardego, długiego członka męża.

– *Mon Dieu* – szepnął po francusku, co zdarzało mu się rzadko. Jego ciało było teraz tak samo napięte jak jej. – Nigdy nie widziałem kobiety bardziej gotowej na przyjęcie mężczyzny niż ty teraz.

Jeśli to, co czuła, było jakąś wskazówką, musiał mieć słuszność. Drżała od stóp do głów, a jej piersi pulsowały podobnie jak miejsce między nogami. Ral wślizgnął do środka drugi palec, na co jęknęła tak głośno, że znieruchomiał.

– Nie chciałem sprawić ci bólu.

– Nie, nie, panie, to, co czuję, to nie jest ból, tylko coś takiego, coś takiego... – Oblizała wargi, lecz nie znalazła właściwego słowa.

Ral chrząknął.

– Zaraz będziesz wiedziała co. – Zdawał się zadowolony. Powrócił do rozkoszy, którą jej dawał, używając dłoni i pocałunków, podsycając płomień, który w niej rozpalił.

Kiedy poczuła, że zaraz spłonie, kolanem rozsunął jej nogi i zawisł nad nią. Poczuła przy udzie jego długą i twardą męskość szukającą drogi wejścia, po czym wsuwającą się w jej śliską, gorącą wilgoć. Kiedy Ral napotkał cienką przeszkodę, która była dowodem jej dziewictwa, zatrzymał się.

– To rzadki i cudowny dar, który mi dajesz, a ja nie przyjmę go tak łatwo. – Po tych słowach ją pocałował, a Karyna wygięła biodra do góry. W tej samej chwili wsunął się głęboko do środka.

Ustami stłumił jej krzyk. Wiedziała, że będzie duży, wiedziała, że ją wypełni, nie spodziewała się jednak tak rozdzierającego bólu, który przeszył jej całe ciało. Leżała pod nim nieruchoma i napięta, czekając na następne brutalne pchnięcie, na kolejny atak męki, która ją strawi. Zamiast tego uniósł się na łokciach, naprężony, spięty.

– Przepraszam. Miałem nadzieję... – Krople potu zalśniły mu na brwiach, surowość odmalowała się na twarzy. Była to widocznie cena, którą płacił za swoją troskliwość.

– Wszystko dobrze, panie.

– Ral – rzekł miękko. – Chciałbym usłyszeć, jak mówisz moje imię.

– Ból już mija... Ralu.

Zacisnął szczęki i poczuła przechodzący przez niego spazm od wysiłku powstrzymywania się.

– Nie mogę już dłużej czekać. Pragnąłem cię bardzo długo.

Słowa coś w niej wznieciły, coś kobiecego i namiętnego. Zaczerpnęła powietrza i zmusiła się, by się rozluźnić. Ral musiał to poczuć, bo westchnął, wysunął się lekko, po czym wsunął, wysunął i pchnął znowu. *Gdzie jest ból?*, pomyślała, ale bardzo mgliście. Po czym zapomniała o bólu, jakby nigdy go nie było, zapomniała o wszystkim prócz niego poruszającego się w środku, prócz jego mocnych, długich pchnięć.

Instynktownie poruszała biodrami, wygięła je do góry, przyjmując go jeszcze głębiej, odpowiadając na każde jego mocne pchnięcie i ponaglając go.

– O Chryste – wyszeptał, a jego ciało stężało, na co jej ciało odpowiedziało napięciem, szaleńczo bijącym sercem, i falą gorąca.

I wtedy poszybowała, zostawiając pod sobą cały świat, lecąc wśród gwiazd w ognistym rydwanie, który pędził ku miejscom pełnym światła i słodyczy. Czerwone promienie słońca grzały, a maleńkie ogniki rozkoszy trawiły ją. Wykrzyknęła głośno imię Rala, kiedy wbił się w nią głęboko, poczuła, jak wlewa w nią swoje nasienie, i wiedziała już, że na całym świecie nic nie może się równać z tą słodką chwilą.

Rozdział 12

Ral uniósł się na boku i objął mocniej Karynę leżącą przy jego boku. Zobaczył, że śpi, i na chwilę również zasnął spokojnym, pozbawionym dręczących koszmarów snem, tak krzepiącym, jakiego nie zaznał od tygodni.

Kiedy się obudził, usłyszał jej płacz.

– Sprawiłem ci ból – powiedział, unosząc się na łokciu. Ogarnął go niepokój, że zrobił jej coś złego. – Obawiałem się, że tak może się stać.

Karyna uśmiechnęła się do niego przez łzy.

– Nie zadałeś mi bólu, Ralu. Dałeś mi coś cudownego i pięknego. To było jak jazda na gwiazdce na księżyc.

– Dlaczego więc płaczesz?

– Myślałam o wieśniakach. Przeze mnie nie dostaną ziemi.

Pocałował ją delikatnie w usta.

– Nie jest tak źle, Karyno. Twój plan nie zawiódł całkowicie. Ferret i kilkunastu jego ludzi zdążyli się oddalić.

– Chcesz powiedzieć, że uciekli?

Pokiwał głową.

– Naprawdę?

– Tak. Ale niedługo będą cieszyć się wolnością. Kiedy spotkam go następnym razem, straci głowę, to pewne.

– Pomogę ci – przyrzekła. – Odkryję, gdzie się schowali, i...

– Niczego nie będziesz robić, słyszysz? Już dość zrobiłaś.

Z westchnieniem opadła na poduszki.

– To nie tylko moja wina, wiesz o tym. Gdybyś bardziej mi ufał i powiedział, co trzeba, nigdy by się to nie stało.

Spojrzał spode łba.

– Mężczyzna nie ma obowiązku zwierzać się ze wszystkiego żonie.

– Możliwe, jednak gdybyś to uczynił, Ferret mógłby być teraz twój.

Pominął tę uwagę milczeniem, po czym westchnął.

– Postaram się mówić ci o istotnych rzeczach. – Objął ją w pasie ramieniem, wsunął pod siebie i przycisnął do materaca. – A ty niczego nie będziesz robić, zanim zapytasz mnie o zgodę, jasne?

Musiała zauważyć jego podniecenie, bo się roześmiała.

– Muszę prosić o pozwolenie na pocałunek?

Ralowi zachciało się śmiać.

– Nie, kobieto, to możesz sobie brać, kiedy tylko zechcesz.

Owinęła mu szyję rękami i pociągając jego głowę w dół, postąpiła zgodnie z wolą swojego pana, przywierając ustami do jego ust, wodząc językiem w środku. Cała była pyszną krągłością i pachniała słodką, kobiecą wonią. Zapragnął jej z siłą, która go zdumiała. Dłonią odszukał jej pierś, pogładził brodawkę, po czym przesunął się niżej, rozchylił płatki i odkrył, że są zdumiewająco wilgotne i gotowe.

Bóg może i uczynił jej pochwę małą i ciasną, lecz wynagrodził to taką śliskością, że przyjmowała go bez trudu. Uśmiechnął się na tę myśl, rozchylił jej nogi kolanem i wsunął się do środka jednym zdecydowanym pchnięciem.

– Na pewno cię nie boli?

– Czuję się wypełniona tobą, to wszystko. To najbardziej niepokojące uczucie, jakie znam.

Ral się roześmiał.

– Mam nadzieję.

Zaczął się w niej poruszać, czując pod dłonią, jak przyspiesza jej serce. Jego serce też biło jak oszalałe, a w żyłach krew krążyła mu coraz szybciej. Zmuszał się, by poruszać się powoli, przypominając sobie, że jego żona jest nowicjuszką mimo całej swojej łatwości uczenia się. Całował ją głęboko, dłonią ściskając jej pierś, po czym pochylił głowę i począł delikatnie ssać brodawkę, która stwardniała i urosła. Karyna zadrżała. Jej pierś nabrzmiała w jego dłoni, a skóra zadziwiająco się wygładziła. Przesuwał palcami po jej ciele do zwężającej się talii, po czym wędrował do kobiecych bioder i twardych, krągłych pośladków.

Poczuł ogromne napięcie w lędźwiach, kiedy ją tam pogłaskał, a ogień rozlał się po całym jego ciele. Z jękiem pokonanego stracił nad sobą panowanie i uległ namiętności. Poruszał się szybciej, sięgał głębiej i mocniej. Karyna jęczała i wczepiała się w jego ramiona, podając mu biodra, ogarnięta falą niewysłowionej przyjemności.

Wyzwoliła jego rozkosz i nasienie trysnęło w jej wnętrze gorącym strumieniem, uspokajając jego szaloną żądzę. Na jakiś czas.

Uśmiechnął się w ciemności. Jeśli kiedykolwiek miał wątpliwości, czy tak mała kobieta może go zaspokoić, nie będzie ich miał już nigdy więcej.

* * *

Karyna wyciągnęła się w łożu u boku śpiącego męża. Czuła się zupełnie inaczej, wypełniona nową życiową mądrością. Czuła się prawdziwą kobietą i zastanawiała się, czy będzie to po niej widać. Ral otworzył oczy i zrozumiała, że nie spał, tylko przyglądał się jej spod gęstych, ciemnych rzęs.

– O czym myślisz? – spytał. – Dlaczego twoje śliczne brwi tak się ściągnęły?

Karyna nawinęła sobie na palec kosmyk kasztanowych włosów.

– Chciałabym wiedzieć, Ralu, co stanie się z wieśniakami, jeśli nie uda ci się zdobyć dla nich ziemi.

Ral skrzywił się i usiadł, przeciągając się leniwie. Pierwsze promienie słońca wpadły przez wąskie okienko. W komnacie panował przenikliwy chłód, lecz pod futrami było im ciepło.

– Winien jestem jeszcze pieniądze za budowę zamku. Po zebraniu plonów będę musiał jeszcze raz nałożyć ciężkie podatki. Wieśniacy nie będą mieli dość zapasów na zimę. Niewiele pozostanie też w spichrzach zamkowych. Miałem nadzieję, że wykarczują i zasieją nowe pola już tej wiosny, lecz na to już za późno. Przeżyjemy tę zimę, lecz będzie bardzo ciężko. W przyszłym roku wielu wieśniaków dotknie głód.

Karyna zadrżała.

– Nie ma innej ziemi, którą mógłby ci dać król?

– Żadnej, która nadawałaby się pod uprawę. Jest zbyt jałowa i skalista.

– A inne lenno, gdzie indziej?

– Rozdano wszystko, co było cokolwiek warte. Reszta wymaga włożenia więcej złota w zagospodarowanie, niźli można będzie wyciągnąć.

Karyna zamilkła. Poczuła, jak Ral wstaje z łoża. Gdy spojrzała na niego, stał już przy oknie ubrany w tunikę.

– Gdybyś poślubił majętną dziedziczkę – rzekła cichutko – miałbyś potrzebną ci ziemię.

– Poślubiłem ciebie. I tylko to się liczy.

– Mogłeś poślubić Elianę de Montreale. Jest bogatsza od...

– Co wiesz o Elianie? – spytał i odwrócił się, by spojrzeć jej w twarz. Spojrzenie wyrażało taką złość, że zapragnęła cofnąć te słowa.

– Nic, tylko tyle, że byliście kiedyś zaręczeni.

– Kto ci powiedział?

Zwilżyła usta.

– Jej brat, lord Stephen. Powiada, że Eliana wkrótce przyjedzie do niego z wizytą.

– Co jeszcze mówił?

Zawahała się przez chwilę.

– Rzekł, że ją zhańbiłeś, odmawiając jej swojej ręki.

Westchnął.

– Kimże on jest, by mówić o honorze!

– Zatem nie zależało ci na niej?

– Kiedyś mi na niej zależało, lecz i bez tego poślubiłbym ją, gdyby rzeczy się miały inaczej

– O jakich rzeczach mówisz?

– Dosyć już. Nie chcę rozmawiać o Elianie. Nie tu, nie teraz, nigdy!

– Jak sobie życzysz, panie.

Twarde spojrzenie Rala złagodniało. Podszedł do łoża.

– Nie chciałem być szorstki. – Pochylił się i pocałował ją w usta. – Gdyby ostatnia noc nie była twoją pierwszą nocą namiętności, wziąłbym cię jeszcze raz, żebyś zapomniała o niemądrych pytaniach. – Wziął jej dłoń w rękę i położył na długiej twardej wypukłości w dole tuniki. – Już pragnę cię znowu.

Karyna poczuła, że palą ją policzki.

– Skoro tak uważasz, lepiej będzie zaczekać. – Mimo wszystko była trochę obolała, chociaż gdy wypowiedziała te słowa, puls zaczął jej przyspieszać.

– Jutro to będzie dla ciebie wystarczająco szybko, by podjąć obowiązki małżeńskie.

– Obowiązki? Teraz to słowo wydaje mi się nieodpowiednie dla opisania rozkoszy, które mi pokazałeś.

Uśmiechnął się do niej ciepło.

– Nie dziwi mnie wcale odkrycie, że otrzymałem o wiele więcej, niżbym dostał, gdybym poślubił inną.

* * *

W miarę jak mijał poranek wykąpali się, ubrali i zeszli na dół. W sali było cicho, sługi i rycerze wyraźnie czekali, by ujrzeć, jak ułożyło się między panią a panem.

Chociaż policzki Karyny oblały się rumieńcem, uśmiechnęła się do wszystkich ciepło, a Ral wziął ją za rękę. Poprowadził ją w dół schodami i przez salę do podestu na południowy posiłek. Usiedli przy tacy z mięsem i dzbanie piwa. Rozmawiali cicho i uśmiechali się często, dotykali się też co chwilę. Wcześniej się tak nie zachowywali.

Ral porozmawiał też cicho z Odem. Karyna domyślała się, że mu tłumaczy, iż nic nie wiedziała o nagrodzie i wydawało jej się, że oddaje im przysługę. Odo zmarszczył tylko brwi i odszedł bez słowa.

– Skoro jesteśmy już naprawdę mężem i żoną, chciałbym to uczcić i spełnić twoje życzenie.

Karyna pojaśniała.

– Chciałabym odwiedzić siostrę, Ralu. Tak długo jesteśmy z dala od siebie. Gweneth nie pamięta, że wyjechałam, ale ja pamiętam i bardzo za nią tęsknię. Przez kilka ostatnich tygodni myślałam o niej często i chciałabym zobaczyć, jak się czuje.

– Twoja siostra może zamieszkać tutaj, jeśli tego chcesz.

Karyna potrząsnęła głową.

– Ja bym chciała, ale Gweneth nie. Ona jest najszczęśliwsza w klasztorze. W ciągu spędzonych tam lat odzyskała spokój. Nie chcę jej stamtąd zabierać.

– Zawiozę cię, żebyście się zobaczyły. Wyjedziemy w końcu tygodnia.

Przez ten czas kochali się. Czasami szaleńczo, czasami z czułą troską. Ral był namiętnym, wrażliwym kochankiem, któremu dawanie jej rozkoszy sprawiało wielką radość. Godziny, które razem spędzali, otworzyły przed Karyną nowy, cudowny świat. Czas zmysłowego przebudzenia i bliskości, jakiej nigdy jeszcze nie zaznała.

Kiedy nadszedł dzień podróży do klasztoru, przyłapała się na tym, że cieszy się na spotkanie z siostrą, ale żal jej rozkoszy małżeńskiego łoża. Myśląc o wszystkich tych słodkich chwilach, Karyna uśmiechnęła się, ubrała i przygotowała do drogi, a potem pospiesznie zbiegła na dół.

Droga do klasztoru była łatwa. Ludzie Rala rozbili obóz poza murami kamiennego budynku, podczas gdy Karynę i Rala wprowadzono do gościnnej komnaty na górze. Pomieszczenie było wąskie i duszne, a miejsce do spania o wiele za małe dla Rala. Jednak kiedy zapadła noc, mimo braku miejsca zasnęli przytuleni do siebie. Pragnął jej – widziała to w jego oczach, kiedy na nią spoglądał. Nie kochali się jednak. To miejsce należało do Boga. Poza tym rozumiał, że w jej wspomnieniach związanych z klasztorem nie ma miejsca dla niego.

Gweneth wyglądała tak samo jak wtedy, gdy Karyna ją zostawiła – wypielęgnowana i radosna, z dobrze wyszczotkowanymi, gęstymi czarnymi włosami opadającymi kilka cali poniżej pasa. Dawna przyjaciółka Karyny, Beatrycze, pełniła teraz rolę opiekunki Gweneth, co trochę ją zasmuciło. Jednak teraz miała już własne życie i wydawało jej się, że Gweneth również.

– Jest szczęśliwa? – zapytała Karyna.

Siostra Beatrycze przytaknęła:

– Jak zawsze. Wiesz, jak bardzo kochają ją siostry. Myślę czasami, że odejście Gweneth oznaczałoby zniknięcie światła z ich życia. – Siostra Beatrycze spojrzała na Karynę z uwagą, czekając na jej decyzję. Dziewczyna tylko się uśmiechnęła.

– Ona znalazła tu swoje miejsce. Nie zabiorę jej ze sobą.

Napięcie opadło z twarzy siostry.

– A ty, Karyno? Znalazłaś swoje miejsce?

Karyna popatrzyła na małą i delikatną zakonnicę, która kiedyś była jej tak bliska.

– Całkiem możliwe, że tak. Nie jestem jeszcze zupełnie pewna. Naprawdę dobrze jest wrócić do domu.

– Myślałam, że Ivesham zburzono.

– Nie ma budynków ani dworu, zostali jednak ludzie w wiosce. Zamek Braxton stoi teraz na wysokim wzgórzu. Wypełniają go przyjazne twarze znane mi z przeszłości. – Uśmiechnęła się. – Jest tam Marta i Richard. Rzadko czuję się samotna.

– A mąż? – spytała cicho Beatrycze, a Karyna oblała się rumieńcem.

– Dopiero co zostałam naprawdę żoną, chociaż przysięgę wypowiedzieliśmy już jakiś czas temu. – Policzki jej poczerwieniały jeszcze bardziej. – Z tego, co się dzieje, jasno wynika, że nigdy nie był mi przeznaczony żywot zakonnicy.

Siostra Beatrycze roześmiała się i dzięki temu pomimo ciężkiego czarnego habitu wydała się mniej surowa.

– Nie wydaje mi się, żeby to kiedykolwiek budziło czyjekolwiek wątpliwości.

Następnego dnia Ral odwiedził Gweneth i chociaż czarnowłosa dziewczyna nie pamiętała niczego z wydarzeń sprzed trzech lat, przywitała go ciepło i z uśmiechem podarowała mu krzyż ze świeżo upieczonego chleba. Przyjął podarunek z podobnym uśmiechem, bez najmniejszego śladu tęsknoty, której obawiała się Karyna.

W drodze do klasztoru próbowała się jakoś przygotować do tego, że jej mąż nadal żywi jakieś uczucia do Gweneth. Jednak przy spotkaniu zauważyła, że niepotrzebnie.

– Ma wdzięk i urodę łabędzia – rzekł. – To straszne, że stało się coś takiego. Ale tak jak mówiłaś, wydaje się tutaj szczęśliwa.

– Tak, panie. Mocno wierzę, że tak jest.

– Jak to się stało?

– Jechaliśmy w odwiedziny do rodziny matki. Gweneth nie jeździła konno najlepiej. Koń się potknął, a ona spadła i uderzyła głową o kamień. Obawialiśmy się, że już się nie ocknie, że nie żyje.

Kiedy wróciła jej świadomość, była już taka jak teraz.

– Jak rzekłem, to wielka szkoda. Najważniejsze jednak, że jest szczęśliwa.

– Byłaby doskonałą żoną – rzekła Karyna, patrząc na męża spod rzęs.

– Dla kogoś subtelniejszego niż ja – odparł. – Lubię kobiety z ogniem w żyłach. – Pochylił się i pocałował ją pocałunkiem pełnym żądzy, który powiedział jej, co myśli naprawdę. Pewna już, że to jej Ral pragnie, a nie jej piękniejszej siostry, Karyna odetchnęła z ulgą.

Pożegnała się z Gweneth z lżejszym sercem i nową nadzieją na przyszłość. Razem z mężem i świtą opuściła klasztor.

* * *

Strugi deszczu spływały po zimnych, szarych murach zamku Braxton, a porywiste podmuchy wichru wciskały się do środka. Ludzie tłoczyli się w wielkiej sali, kręcąc się z nudów. Richard obawiał się, że może z tego wyniknąć jakaś kłótnia, lecz dotychczas ogólny spokój mąciły tylko małe zatargi.

Południowy posiłek złożony z baraniny i potrawki z duszonego zająca właśnie się skończył. Lord Ral pozostał jeszcze przy stole, by porozmawiać z Odem o podróży do Francji, o Ferrecie i spodziewanych kłopotach. Richard zostawił ich, żeby wrócić do swoich obowiązków. Zatrzymał go jednak Geoffrey, wskazując ręką posłańca stojącego w drzwiach.

Richard podążył za Geoffreyem zaciekawiony i zaniepokojony zarazem, że może nie powiodło się coś bardzo ważnego. Przywitał się krótko z posłańcem, odebrał wiadomość, po czym podszedł do podestu, by ją wręczyć Ralowi. – Królewski posłaniec, panie. – Richard wspiął się po stopniach, przyciągając uwagę zgromadzonych ku królewskiej woskowej pieczęci. – Posłaniec nie chciał zostać. Polecono mu zatrzymać się tu tylko na chwilę, by mógł być pewien, że wiadomość dotarła do twoich rąk.

– Otwórz! – polecił Ral.

Richard wykonał polecenie i przebiegł list wzrokiem, poważniejąc z każdym przeczytanym słowem.

– Zamieszki na północy kraju, panie. Wilhelm prosi cię, byś zebrał tylu ludzi, ilu zdołasz, i dołączył do niego na polu pod zamkiem Caanan. Wypowiada wojnę Caanan.

– Lord Arnaut. Już od jakiegoś czasu król podejrzewał, że nie można mu ufać. – Pięść potężnego śniadego Normana opadła na stół. – Na najświętszą krew Chrystusa, czy ta walka nigdy się nie skończy!

Chociaż lord Ral nigdy nie uchylał się od obowiązków wobec swojego pana, Richard wiedział doskonale, jak bardzo nienawidził zabijać.

– To typowe dla wielu mężów – powiedział Richard. – Póki nie zaznają goryczy wojny, zbyt chętni są płacić krwią za chęć zwycięstwa.

Ral przytaknął.

– To, niestety, prawda. – Westchnął i spojrzał na schody. – Ufam, że utrzymasz wszystko i wszystkich w ryzach, kiedy mnie nie będzie.

– Oczywiście, panie. – Idąc za wzrokiem wysokiego Normana, uśmiechnął się. – Pani będzie za tobą tęsknić.

Kąciki ust Rala uniosły się. Widoczne było, że ta uwaga sprawiła mu przyjemność.

– Już ja się o to postaram. – Odgarnął do tyłu włosy, zszedł z podestu i zawołał Oda, by przekazał ludziom jego rozkazy, po czym opuścił salę i wszedł na górę.

Richard popatrzył za nim z lekkim ukłuciem zazdrości. Lady Karynie zaczęło już na nim zależeć – dostrzegał to w jej oczach za każdym razem, kiedy spoglądała w stronę męża. Małżeństwo było czymś, co należało poważnie rozważyć. Nawet Odo napomykał czasami, że chętnie wybrałby kobietę, ożenił się, spłodził i wychował synów.

Richard zmarszczył się na tę myśl. Byłby nieuczciwy względem tej, którą pojąłby za żonę. Miał za dużo pracy, że dzień był za krótki, aby ją wykonać. Z drugiej strony i tak nie miało to znaczenia, ponieważ nie spotkał jeszcze kobiety, która by go pociągała na dłużej niż na chwilę rozkoszy. Nie miał też czasu jej poszukać.

Richard wydał pomruk niezadowolenia i odpędził niewygodne myśli. Skierował się do kantorka w końcu wielkiej sali, gdzie pracował nad księgami. Lord Ral potrzebował pieniędzy, aby zwrócić długi. Jego obowiązkiem było sprawdzić, skąd można by je wziąć. Czekało go odłożone na później generalne sprzątanie zamku, spiżarnie do napełnienia. Były jeszcze święta i uroczystości, które należało urządzać, no i wkrótce trzeba rozpocząć prace w ogrodach. Lista była bardzo długa.

Nie skarżył się jednak. Był tu potrzebny, a zamek Braxton był jego domem.

Podszedł do ciężkiego drewnianego stołu, gdzie leżała otwarta księga. Usiadł i z wyrazem znużenia na twarzy wziął się do pracy.

* * *

Trzy dni po wyjeździe Rala nuda, zmartwienie i świeżo zmieniony status Karyny jako uznanej małżonki sprowadziły ją na dół.

– Chcę pomówić z tobą, Richardzie – zawołała przez otwarte drzwi kantoru.

– Oczywiście, pani. – Richard wstał zza stołu, gdzie siedział obłożony księgami, dokumentami i petycjami. – Co się stało?

Usiadła naprzeciwko w fotelu z wysokim rzeźbionym oparciem i z siedzeniem pokrytym skórą.

– Myślisz, że wygramy tę bitwę?

Richard usiadł za stołem.

– Wielka siła stoi za królem. Nie tylko lord Ral do niego dołączył, ale także Stephen de Montreale.

Nie przestawała się o niego martwić, z każdym dniem bardziej. Westchnęła.

– Mam już dość tej pogody.

– Ja także – odparł Richard. Przyjrzał jej się uważnie, po czym zapytał ostrożnie: – Czy coś się stało, pani? Może czegoś ci potrzeba?

Karyna zmusiła się do uśmiechu.

– To proste, Richardzie. Teraz, gdy naprawdę zostałam żoną lorda Rala, chciałabym, żebyś nauczył mnie obowiązków pani na zamku.

Ciemna brew Richarda uniosła się w górę.

– Przecież nie znosisz tej pracy. Od dziecka jak ognia unikałaś zajęć związanych z domem.

– To prawda. Nie są to zadania, z których byłabym szczególnie rada, ale do mnie należy, by ich przypilnować. Mam mnóstwo czasu i... – Purpura wpłynęła jej na policzki.

– I...?

– Chciałabym sprawić przyjemność mojemu mężowi.

Sceptyczny wyraz twarzy nie znikał. Kształtne usta Richarda zacisnęły się w cienką kreseczkę.

– Jesteś tego pewna, pani?

– Czyż nie uczę się szybko? Znasz mnie długo i dobrze, Richardzie. Umiem czytać i pisać. Uczyłam się łaciny i francuskiego. Wiem, jak uprawia się zboże i jak się poluje. Potrafię wymienić nazwy wielu zwierząt i roślin i całkiem nieźle znam się na hodowli koni. Nie ma niczego, czego bym się nie nauczyła, jeśli już podejmę takie postanowienie.

Po raz pierwszy Richard się uśmiechnął. W policzkach zrobiły mu się dołeczki. Nie widziała ich wcześniej, bo zazwyczaj miał zatroskaną minę.

– To prawda – przyznał. – Zawsze uwielbiałaś się uczyć nowych rzeczy i zawsze czyniłaś to sumiennie. Nauczę cię wszystkiego, co powinnaś wiedzieć. – Pochylił się do przodu. – Między Bogiem a prawdą, wyświadczysz mi ogromną przysługę, jeśli mi pomożesz.

Zaczęli naukę jeszcze tego samego dnia. Karyna przebrała się w prostą, brunatną, lnianą tunikę, zaplotła włosy w warkocze i upięła w kok nad karkiem.

– Ujmując najkrócej – zaczął Richard – zadaniem pani na zamku jest dopilnowanie, aby wszystko dobrze funkcjonowało. W Braxton jest jeszcze dużo do zrobienia. Spóźniamy się ze sprzątaniem, trzeba wymienić wszystkie maty, pobielić ściany, wreszcie musimy przygotować mnóstwo świateł.

Lampy robiono z lnu maczanego w łoju, którym napychano pustą w środku trzcinę. Inne z kolei były robione z nasączonej łojem słomy. Kiedyś pomagała matce je robić, a raz robiła je razem z Martą. Przynajmniej w tym względzie nie potrzebowała pomocy.

– Lepiej by wyglądało, gdybyśmy zasłonili czymś ściany – dodała, patrząc na wnętrze z surowego kamienia. – We wsi jest artysta, nazywa się Morcai. Potrafi malować śliczne obrazy na drewnie. A w piwnicach widziałam gobeliny. Pewnie Ral przywiózł je z Francji.

Richard się zarumienił.

– Miałem zamiar je powiesić, pani, ale do tej pory nie wystarczało mi na to czasu...

– Nie przepraszaj, Richardzie. To ja zgrzeszyłam zaniedbaniem. Zamierzam jednak się poprawić.

Uśmiechnął się. W tym nastroju wyglądał znacznie młodziej. Spostrzegła, że nie jest wiele starszy od niej.

– Jest mnóstwo do zrobienia – dodał. – Choć służba ci pomoże, to dopilnowanie jej zabierze ci dużo czasu. Jeśli się rozmyślisz, daj mi znać bez zwłoki.

– Nie zmienię zdania, Richardzie.

Nie rozmyśliła się.

Od świtu do zmierzchu pracowała ze służbą. Początkowo, mimo jej największych wysiłków, zmiany prezentowały się skromnie. Sprzątanie pozwalało jednak nie zamartwiać się o Rala. Po kilku tygodniach atmosfera we dworze widocznie się zmieniła.

– Twój pan małżonek będzie z ciebie dumny – rzekła Marta, rozpromieniając się na widok gobelinu, który zawisł w sypialni pana. – Chociaż nie będzie zachwycony, gdy się dowie, jak ciężko pracowałaś.

– Chcę, żeby wszystko było gotowe przed jego powrotem. Nie znamy dnia jego przyjazdu, będę więc pracować, jak pracuję.

Marta westchnęła.

– Tak bardzo zawsze nienawidziłaś podobnych zajęć, że pewnie wkrótce wróci ci rozsądek.

Minął jeszcze jeden tydzień, a potem następny. Naprawiono stoły, wybielono i pocerowano obrusy. Mężczyźni zasiedli do strugania mis i łyżek, wyplatania wiklinowych i trzcinowych koszy i sieci do łowienia ryb.

Od rana do nocy w wielkiej sali wrzała praca. Zajęci byli wszyscy poza Lynette, która rzadko zachodziła do dworu. Teraz gdy powszechnie było wiadomo, że lord Ral dzieli łoże ze swoją małżonką, wysoka złotowłosa piękność trzymała się z dala. Karyna wolałaby, żeby stąd wyjechała, jednak Lynette nie miała dokąd, poza tym widocznie nie porzuciła nadziei odzyskania względów Rala. Karyna starała się odpędzić tę myśl, która nawiedzała ją zazwyczaj w środku nocy.

Chociaż wychudła od pracy, a pod jej oczami pojawiły się sińce, pracowała nadal po całych dniach, dopóki to, co zamierzała zrobić, nie zostało ukończone. I słusznie, ponieważ już następnego dnia przybył posłaniec obwieszczający przybycie pana.

– Strażnik na wieży zobaczył jego proporzec! – Karyna pobiegła do Marty. – Czy dobrze wyglądam? Może powinnam zmienić tę bursztynową tunikę na zieloną?

Słodki Boże, miała nadzieję, że wygląda nieźle. Przez całe tygodnie szykowała się na ten dzień, nie mogła się doczekać wyrazu zadowolenia, który – tego była pewna – pojawi się na jego twarzy, gdy zobaczy, w jak świetnym stanie jest teraz zamek.

Od piwnic po wieże Braxton wyglądał bowiem jak klejnot. Sadza znikła ze świeżo pobielonych ścian, wszędzie wisiały gobeliny, a świeże maty na podłogach pachniały koprem i szałwią.

Karyna stanęła na dziedzińcu razem z załogą pozostawioną na zamku dla obrony i służbą wyczekującą powrotu pana. Wszyscy w milczeniu patrzyli, jak Czarny Rycerz prowadzi swoich ludzi przez most zwodzony. Jechał tylko z małą świtą, główne siły zostawił w Caanan przy królu.

Jechał w zbroi błyszczącej w promieniach słońca, bez hełmu. W ręku trzymał swoją czarno-czerwoną tarczę ze smokiem. Widocznie mył się w strumieniu, gdyż miał świeżo ogoloną twarz, a jego włosy wyglądały na mokre. Światło słoneczne wydobywało granatowoczarne błyski z ciężkich kręconych kędziorów.

Szukał jej wzrokiem, a kiedy napotkał, już nie odwrócił spojrzenia. Zatrzymał wielkiego czarnego rumaka na środku dziedzińca, przełożył przez grzbiet długą, muskularną nogę i rzucił wodze paziowi. Podszedł do niego giermek i Ral ukląkł, żeby młodzieniec mógł zdjąć mu ciężką zbroję i odpiąć zakurzone ostrogi. Nadal nie spuszczał oczu z Karyny.

Po chwili giermek skończył i rycerz mógł do niej podejść. Spodziewała się, że się zatrzyma, porozmawia z Richardem, zamieni słowo z księdzem. Tymczasem zmierzał prosto ku niej. Uśmiechnął się szelmowsko, otoczył ramieniem jej talię i zamknął w uścisku.

– Święta Dziewico, Ralu! Co tobie?

Roześmiał się tylko, pochylił głowę i pocałował ją z żarliwą zachłannością. Kiedy skończył, cała drżała, prawie nieświadoma tego, że przeniósł ją już przez świeżo naoliwione drzwi, że przeszedł przez całą wielką salę, nie zwracając uwagi na świeże obrusy na stołach i wspiął się po pachnących, wyszorowanych schodach bez jednej plamki.

– A co z ludźmi? – spytała, kiedy niósł ją świeżo pobielonym korytarzem. – Są na pewno głodni i spragnieni. Trzeba was teraz nakarmić.

– Oczywiście, *ma chèrie*, bez wątpienia. – Było jednak pewne, że ma na myśli całkiem inny pokarm. Otworzył drzwi kopniakiem, zostawiając ślad na świeżo wypolerowanym drewnie, po czym zatrzasnął je za sobą łokciem.

– Całe tygodnie nie myślałem o niczym innym, jak tylko o twoim słodkim ciele.

Postawił ją, zsuwając po całej długości swojego ciała.

– Bardzo się o ciebie martwiłam – rzekła.

– Walka skończona. Zamek został zdobyty.

– Dzięki Bogu! – Przez ubranie czuła twardniejącą broń pod jego tuniką. Siła jego pożądania sprawiała, że jej ciało rozgrzewało się i wilgotniało. Jego usta dotknęły jej warg i świat wokół gdzieś odpłynął, pozostawiając ją drżącą i omdlewającą. Poczuła, że wczepia się w jego ramiona, otwiera przed jego nalegającym językiem, pragnąc, by dłońmi pieścił jej piersi.

Zupełnie jakby usłyszał jej myśli, gdyż w tej samej chwili zdjął z niej tunikę i koszulę i zaniósł nagą do łoża. Usiadł, trzymając ją na kolanach, a jednocześnie nie przestając jej całować i walcząc ze sznurówkami od nogawic, by nareszcie się od nich uwolnić.

– Tęskniłem za tą chwilą. Nie myślałem o niczym innym, tylko żeby znaleźć się przy tobie. – Zdarł z jej głowy złotą zapinkę podtrzymującą włosy i uwolnił ciężką masę, by otoczyła jej ramiona. Uniósł ją, rozwarł nogi i posadził tak, że siedziała okrakiem na jego twardych, muskularnych udach.

Karyna przywarła do jego szyi i poczuła jego dłonie na pośladkach, masujące, ugniatające, podniecające. Przez jej ciało przeszły dreszcze, a krew zawrzała. Kiedy wsunął w nią palec, Karyna wstrzymała oddech i poczuła, jak jej ciało zaciska się na nim, po czym rozluźnia, wpuszczając go do środka.

– Jak zawsze jesteś gotowa – powiedział lekko ochrypłym głosem. – To cud, za który dziękuję Bogu. – Pocałował ją długo i głęboko. – Owiń wokół mnie nogi.

– Ale na pewno tak nie możemy...

– Zaufaj mi, *chèrie*, że zadbam o to, byśmy oboje zaznali rozkoszy.

Dygotała tak mocno, że trudno jej było się ruszyć, dlatego owinął jej nogami swoją wąską talię.

Pocałował ją potem bardzo delikatnie, ręką masując piersi. Jej sutki się ściągnęły, stały się bolesne, napierały na jego dłoń. Wtedy ją podniósł i wślizgnął się w jej wnętrze, jednym mocnym pchnięciem nasadzając ją na całą długość swojej kopii.

Przeszła przez nią fala gorąca, wyzwalając z jej gardła jęk pożądania. Jej ciało drżało, a miejsce między nogami paliło ogniem. Napierał na nią, ściskając i próbując utrzymać nieruchomo, podnosząc ją i napełniając znowu, żądając jej odpowiedzi.

– Ralu, słodki Boże, Ralu. – Odrzuciła głowę do tyłu, aż długie włosy opadły na jego silne uda. Całował ją dziko, ściskał pośladki i zanurzał się w niej. Świat stał się zamglony i odległy, po czym znikł. Ogarnął ją płomień, fale wzmagającego się pożądania, aż wreszcie spłynęła na nią paraliżująca umysł rozkosz. Skąpana w słodyczy, obmyta z płonącego purpurowego piachu wykrzyczała imię Rala, kiedy tryskał w nią nasieniem, podążając razem z nią do tego odległego lądu. Jego ruchy nareszcie spowolniały.

Pokryty lśniącym potem wtulił twarz w jej ramię, łaskocząc ją w szyję grubymi czarnymi kędziorami. Karyna drżącymi rękami odgarnęła mu je z czoła, wymacała wyrzeźbione linie jego kości policzkowych, zmysłową linię ust.

Kiedy wróciła na ziemię, zobaczyła, że Ral w pośpiechu nie zatroszczył się nawet, żeby zdjąć bieliznę. Zrozumiała, że ona też go bardzo pragnęła. Pragnęła czuć jego szeroką, pokrytym szorstkim włosem pierś i muskularne pośladki, i harmonijkę mięśni płaskiego brzucha. Chciała, by znowu w niej był i żeby zupełnie nic nie dzieliło ich ciał.

Ześlizgnęła się z jego ud i uklękła, żeby zdjąć mu buty. Jedna z jego brwi uniosła się ze zdziwienia. Kiedy odgadł motywy, posłał jej uśmiech aprobaty. Ściągnął tunikę przez głowę, pochylił się, by odwiązać podwiązki, lecz ubiegły go dłonie Karyny.

– Zdaje się, że ty także się za mną stęskniłaś – powiedział dobrodusznie, a jej policzki zaróżowiły się jeszcze mocniej niż przed chwilą.

– Tak, panie, bardzo.

– Sprawiłaś mi przyjemność. I to większą, niż myślisz.

Miała mu już powiedzieć, że i ona, i jego ludzie zrobili o wiele więcej, żeby sprawić mu przyjemność, lecz zakrył jej usta, podniósł i ułożył w pościeli. Znów twardy i pulsujący leżał przy jej udzie, a ona znów była wilgotna i gotowa na jego przyjęcie. Ile razy się kochali, nie umiałaby policzyć. Wiedziała tylko, że słońce dawno już zaszło, że zapadł zmrok, że jakiś czas spali, po czym obudzili i znowu zaczęli się kochać.

Za którymś razem, późno w nocy, ogarnęło ich znużenie i zapadli w głęboki i orzeźwiający sen.

Obudziła się rano, obróciła na bok i zobaczyła, że Ral zniknął.

Rozdział 13

Karyna ubrała się pospiesznie i poszła szukać męża. Całe jej ciało było obolałe i podrapane po nocy namiętności, a mimo to uśmiechała się, czując się spełniona i szczęśliwa.

Stanęła przy schodach.

– Gdzie jest lord Ral? – zapytała Martę. – Spałam tak głęboko, że nie słyszałam, kiedy wstał.

– Wyjechał, dziecinko.

– Wyjechał?! Gdzie wyjechał?

– I on, i jego świta wyjechali z zamku. Richard dopilnował, by się najedli, po czym pojechali znów do Caanan. Lord Ral musiał dołączyć do wojska.

– Przecież walka skończona, król Wilhelm zwyciężył!

– Mówił, że spałaś tak słodko, że nie chciał cię budzić. Powiedział, że wróci tak szybko, jak tylko będzie mógł.

– Przecież nie mógł tak wyjechać! Nie po tym, jak zadaliśmy sobie tyle trudu! Na pewno uczynił jakąś uwagę na temat zmian na zamku i tego wszystkiego, co zostało zrobione.

Marcie wyrwał się z piersi głuchy odgłos.

– Co się stało? Dlaczego tak na mnie patrzysz? – Nie czekając na odpowiedź starej kobiety, Karyna obróciła się na pięcie, pognała na górę i popatrzyła z galerii na wielką salę. Ławy były poprzewracane, kilka z nich połamano i posiekano. Te obrusy, które jeszcze ocalały w całości na stołach, poplamione były winem, błotem i zasypane resztkami zeschłego jedzenia i okruchami chleba. Podobnie wyglądała podłoga, chociaż tutaj większość resztek uprzątnęły psy. Jeszcze powarkiwały na siebie, kiedy ten czy ów wyciągał kość spomiędzy mat.

– Nie do wiary!

– Ludzie byli w świetnym nastroju – wyjaśniła Marta. – Święcili zwycięstwo i to, że spędzają noc w domu.

– W świetnym nastroju – powtórzyła Karyna. – A czy zauważyli zmiany, nad którymi tak ciężko pracowaliśmy, czy widzieli, jak czyste są ściany, i to, że na obrusach nie ma jednej plamki? Czy nikt nie pochwalił, jakie dobre jest jedzenie?

Marta wzruszyła ramionami.

– Bardzo chwalili minogi w galarecie. To danie cieszyło się wczoraj największym powodzeniem.

– To wszystko? Nie powiedzieli nic więcej? A lord Ral? Przecież Braxton należy do niego. Na pewno zauważył ocieplone ściany, żeby nie było przeciągów, gobeliny na ścianach, żeby ogrzać wnętrza? Musiał też zauważyć, że nie ma brzydkich zapachów.

– Obawiam się, że nic nie powiedział.

– Nie pochwalił pięknych malowideł Morcaia?

– Nie, dziecinko.

Karyna pomyślała o długich, nieznośnie ciągnących się godzinach, które spędziła na sprzątaniu i upiększaniu dworu. Pomyślała o Leofryku i Bretcie, o Marcie i tuzinie innych, którzy pracowali tak ciężko, aż bolały ich grzbiety i kolana. Pomyślała, jak padała na posłanie całkowicie wyczerpana, tylko po to, żeby wstać o świcie i zacząć na nowo.

– Ach, więc lord Ral nie poświęca takim drobiazgom uwagi. – Podparła się rękami pod boki i oceniła ogrom zniszczeń w wielkiej sali. – Kiedy tym razem wróci, daję słowo, że zauważy. – Odwróciła się i popatrzyła Marcie w twarz. – I będzie to widok, którego nigdy nie zapomni.

* * *

– Błagam, lady Karyno. Musisz skończyć z tym szaleństwem przed powrotem lorda Rala. – Brwi Richarda uniosły się niemal do połowy czoła.

– Mówiłam ci, Richardzie, już z tuzin razy, że nic nie zostanie zrobione, prócz tego, co jest niezbędne dla naszej własnej wygody.

– Richard ma słuszność, pani. – Geoffrey także poświęcił wiele godzin, by ją odwieść od tego pomysłu. – Nie czynisz nic innego, jak tylko zarabiasz sobie na baty.

– Może i tak, ale przynajmniej Ral zwróci uwagę. To pewne, że przestanie traktować porządek jak coś, co istnieje samo przez się.

Mijały długie tygodnie, kiedy w wielkiej sali wykonywano jedynie konieczne prace, a na podwórzu działo się jeszcze mniej. Richard i Geoffrey spierali się z nią, nie pochwalając takiej taktyki, pewni, że kara dosięgnie także ich. Marta załamywała swoje stare ręce i modliła się, żeby Karynie wrócił rozsądek.

Nawet służba zaczęła się martwić, chociaż to właśnie ich ciężka praca została zlekceważona i Karyna sądziła, że będą jej sprzyjać.

– Pozwól nam przynajmniej oczyścić palenisko i wymienić maty – prosił Richard. – Podłogi są zasypane kośćmi i ptasimi odchodami. Śmierdzi psami, którym pozwoliłaś tu nocować.

– Musimy napełnić spiżarnie – błagała Marta. – Lord Ral i jego ludzie spodziewają się sutego posiłku na przywitanie. – Miało to nastąpić za niecały tydzień.

– Dostali suty posiłek, kiedy byli tu ostatni raz. Nie przyszło im do głowy podziękować nam za naszą ciężką pracę.

– Obrusy są okropnie poplamione – powiedział Richard. – Wszystkie. Pozwól je chociaż wybielić, żeby wyglądały trochę lepiej.

– Ani mi się waż, Richardzie. W dniu powrotu lorda Rala stoły muszą być przykryte najbrudniejszymi obrusami, jakie tylko znajdziesz. Nie będzie posiłku i niczego w spiżarni. Po zamku będą biegały psy, a w palenisku nie będzie płonął ogień. Może następnym razem lord Ral nie będzie tak skory lekceważyć tych, którzy bardzo ciężko pracowali dla jego przyjemności.

– Pani, błagam... – zaczął Geoffrey, lecz Karyna zgromiła go wzrokiem i głos zamarł mu w ustach.

– Zostawcie pielenie w ogrodzie, wywożenie łajna ze stajni i czyszczenie chlewów. Powiedz służbie, że do końca tygodnia może sobie leżeć i odpoczywać. – Uśmiechnęła się z ponurym zadowoleniem. Z dumnie uniesioną głową odwróciła się i odeszła.

Troje jej przyjaciół patrzyło za nią w milczeniu, wiedząc, że Karyna postanowiła zlekceważyć sobie ich ostrzeżenia. Była przekonana, że nikomu poza nią nie grozi niebezpieczeństwo. Do powrotu

Rala najwyższą władzą była tu ona. Jej słowo było prawem i jej mąż o tym wiedział.

Cenę za swoje zuchwalstwo zapłaci tylko ona sama.

Karyna zadrżała na myśl o potężnym ciemnym Normanie i jego wściekłości, po czym wyprostowała plecy. Bitwa, którą niebawem miała stoczyć, może i była przerażająca, ale to ona spodziewała się zostać zwycięzcą.

* * *

Nie mogąc się doczekać powrotu do Braxton, a dokładniej – by znaleźć się w objęciach ślicznej, małej żony – Ral poganiał ludzi bardziej niż zwykle. Marsz z Caanan zajął im tylko cztery dni i chociaż wszyscy padali ze zmęczenia, nikt się nie skarżył. Wszyscy tęsknili za domem prawie tak samo jak on.

– Ciągnie cię tak do twoich włości – spytał Odo jadący przy nim – czy do twojej małej żoneczki?

– Nie dręcz mnie, Odo. To, że pragnę zdrowej kobiety, nie jest chyba dziwne. Całe tygodnie obywałem się bez tego.

– Przecież były dziewki w Caanan. Mogłeś mieć każdą, gdybyś tylko chciał.

– Mam ochotę na tę jedną, która czeka na mnie w domu.

– Może nigdy już nie będziesz miał żadnej poza nią.

Ral westchnął.

– Nie opowiadaj głupstw.

– Powiadasz, że nadejdzie czas, kiedy znowu pójdziesz do Lynette albo do jakiejś innej?

– Nigdy nie padnę ofiarą uczuć do kobiety. Kto jak kto, ale ty powinieneś to wiedzieć najlepiej.

– Pomyślał o Elianie, o jej zdradzie i wiedział, że Odo pomyślał o tym samym.

Rudowłosy rycerz błysnął zębami w gorzkim uśmiechu.

– Cieszę się, że to słyszę. To nic dobrego oddać całe swoje serce.

– Szczególnie że jest z Anglosasów. Tak sobie pomyślałeś, prawda?

Odo milczał. Nie musiał nic mówić.

– Nie lubisz jej, mam rację?

– Jest Anglosaską. Straciłem ojca i brata przez plugawego anglosaskiego zdrajcę. To lekcja, która uczy ostrożności. Ale, jak mówisz, ona jest zdrową, ponętną kobietą. Nie twoja wina, że ciągnie cię do łoża.

Ral mocno zacisnął szczęki. On i Odo byli serdecznymi przyjaciółmi przez całe życie, kiedy jednak Odo tak się wyrażał o Karynie, Ral z trudem powstrzymywał się, żeby nie zrzucić go z konia i nie sprawić lania.

Było to uczucie, którego nie pojmował. Niemniej nie sprawiało mu przykrości. Prawdą było, że jej pożądał i w jej towarzystwie czuł się wyjątkowo dobrze. Była jednak tylko kobietą. Prawdą było, że kobiet mógł mieć wiele.

– Widzisz już, panie? – zapytał Aubrey, giermek Rala.

– Braxton leży za tym zakrętem – rzekł. – Jeśli spojrzysz pomiędzy te drzewa, gdzie przebija się słońce, dostrzeżesz narożnik murów obronnych.

Aubrey wyciągnął szyję i dostrzegł w oddali szary kamień, poprawił się w siodle i uśmiechnął radośnie.

– Dobrze wrócić do domu, panie.

Kąciki ust Rala podniosły się.

– O tak! – Już wyobrażał sobie powitanie: rycerzy i giermków odzianych w najlepsze stroje czekających na dziedzińcu, by go pozdrowić, wspaniałą ucztę przygotowaną i podaną przez chętną służbę, puchary wina wychylane bez końca, ogólny śmiech i rozmowy.

Najchętniej ze wszystkiego malował w wyobraźni drobne ramiona żony na swojej szyi, jej słodkie delikatne pocałunki, jej rosnącą namiętność i ciasne ciało otaczające jego twardość, gdy przyjmuje go do środka.

Poczuł napięcie w lędźwiach i siłą woli powstrzymał westchnienie.

– Czemu nie opuszczono mostu zwodzonego? – spytał Aubrey, kiedy zbliżyli się do wejścia.

– Nie mam pojęcia. Na pewno otrzymali wiadomość. – Ral wyjechał do przodu, zawołał do straży na murach obronnych i most spuszczono. Wprowadził ludzi przez bramę na dziedziniec i stanął jak wryty na widok, który roztoczył się przed jego oczami.

To, co kiedyś było schludnie utrzymanym podwórzem przed stajniami, teraz pokryte było słomą i gnojem. Wszędzie leżały porozrzucane beczki i koryta. Świnie grzebały w śmieciach, które wysypywały się z przewróconych koszy. Przed spichrzami psy kopały głębokie dziury i skakały sobie do gardeł, walcząc o na wpół wykopaną kość.

Zdumiony Ral spojrzał w kierunku frontowych schodów wiodącymi do dworu, gdzie powinni oczekiwać go jego poddani. Jeśli spodziewał się uroczystego powitania, swojej żony, zamkowych straży i sług, srodze się rozczarował.

Byli tam jego ludzie kręcący się nerwowo i rzucający w jego kierunku spłoszone, zatroskane spojrzenia. Była służba – niechlujnie odziana i nieumyta, o bladych i poważnych twarzach. Była tam także jego żona stojąca obok Richarda. Właściwie tylko domyślił się, że to ona, bo nie był tego pewien.

Rzucił wodze paziowi, zeskoczył z rumaka i zbliżył się do niej. Kobieta przed nim – małe, zaniedbane stworzenie z tłustymi włosami i pobrudzoną twarzą – uśmiechnęła się na powitanie. Miała na sobie zniszczoną, poplamioną brązową tunikę, gdzieniegdzie dziurawą, i nie zatroszczyła się nawet o to, by włożyć buty.

– Co się tutaj dzieje? – ryknął Ral, zatrzymując się przed nią. Dłonie odruchowo zacisnęły mu się w pięści.

Karyna uśmiechnęła się lekko.

– Witaj w domu, mój panie. Dobrze, żeś już wrócił.

Ral rozejrzał się po dziedzińcu, zatrzymując wzrok na chrząkających świniach i stertach gnijących śmieci, i pomyślał, że na pewno zaraz obudzi się z tego sennego koszmaru.

– Powiedz mi zaraz, co tu się dzieje? – zażądał, z trudem zachowując spokój.

– Ależ zupełnie nic, mój panie. Myślę, że to widać.

Mięsień nerwowo chodził mu w twarzy. Minął ją, wchodząc po dwa, trzy stopnie, nie zamykając za sobą ciężkich, dębowych drzwi.

Karyna udała się za nim, z zadowoleniem odnotowując zdumiony wyraz jego twarzy, kiedy zobaczył, w jak opłakanym stanie jest wielka sala. Kark mu poczerwieniał, a usta zacisnęły się w cienką kreskę. Richard i Geoffrey weszli do sali, a za nimi pozostali akurat w chwili, kiedy się odwrócił, żeby stanąć z nią twarzą w twarz.

– Dlaczego? – spytał cicho i złowrogo. – Dlaczego to zrobiłaś?

Udawała obojętność.

– Przecież nic nie zrobiłam. To widać chyba od razu.

W gniewie wykonał kilka kroków w jej stronę, złapał ją za ramię i przyciągnął do siebie.

– Mów zaraz, o co chodzi! Wytłumacz w tej chwili, co narobiłaś i dlaczego.

Jeszcze raz rozejrzał się po sali, spoglądając na zaniedbane podłogi i czując nieprzyjemny zapach unoszący się z mat. – A potem upokorzę cię tak samo jak ty mnie. Przy wszystkich zaciągnę cię na podest, zadrę spódnice i będę bił, że mało nie wyzioniesz ducha.

Puścił ją, odsunął się i obrzucił wzrokiem pełnym wściekłości, który świadczył, że mówi poważnie.

Karyna zwilżyła wargi. Wiedziała, na co się naraża, zanim podjęła tę grę. Jednak nie zamierzała cofać się teraz.

– Twoje niezadowolenie zdumiewa mnie, mężu. Właściwie dziwi mnie, że zadałeś sobie trud, by to dostrzec. Pewne jest bowiem, że nie dostrzegłeś naszej ciężkiej pracy ostatnim razem, kiedy przyjechałeś do domu, chociaż wszyscy na zamku pracowali ciężko od świtu do zmierzchu i starali się, byś był zadowolony. Jako że nie zwróciłeś uwagi na to, co wtedy zrobiliśmy, nie wierzę, że dziś widzisz, że nie zrobiliśmy niczego.

Ral zmarszczył swoje gęste brwi.

– Kiedy tu byłem ostatnim razem, zamek Braxton lśnił jak nigdy dotąd.

Karyna uniosła brew.

– Teraz mi mówisz, że to dostrzegłeś?

– Naturalnie, że widziałem. To musiało kosztować wiele tygodni wytężonej pracy, by doprowadzić wszystko do takiej świetności. To było miejsce, z którego mąż może być tylko dumny.

– Dlaczego zatem nic nie powiedziałeś? Dlaczego pozwoliłeś ludziom, ot tak sobie, zmarnować nasze wysiłki? Dlaczego po prostu wszedłeś, wziąłeś to, co twoje, i odjechałeś, nie mówiąc nawet „zostańcie z Bogiem"?

Po raz pierwszy Ral poczuł się niezręcznie.

– Nie zastanawiałem się wtedy. Sądzę, że to było samolubne i bezmyślne... Tak wiele miałem na głowie... ludzie w Caanan, lord Arnaut i król.

– Czy masz w ogóle pojęcie, jak nienawidzę takich zajęć? Że wolałabym jeździć konno na przejażdżki i odwiedzać okoliczne wsie? – Była to prawda, chociaż ostatnio odkryła, że praca na zamku jednak sprawia jej przyjemność. Niemniej wymagało od niej żelaznej woli, by wytrwać w postanowieniu i doprowadzić zamek do porządku.

Popatrzył na nią dziwnie.

– Skoro tak bardzo nienawidzisz tych zajęć, czemu się ich podjęłaś?

Karyna poczuła, że robi się jej gorąco. Miała nadzieję, że pod smugami brudu nie było tego widać.

– Ponieważ chciałam ci zrobić przyjemność!

Przyglądał się jej uważnie.

– A dzisiaj?

Karyna wyprostowała się i podniosła wysoko głowę.

– Chciałam, abyś zrozumiał, jak ciężko pracują twoi poddani, by zadowolić swojego pana. Jaka jest lepsza metoda nauki niż przez porównanie?

Ral jeszcze raz rozejrzał się po sali, a Karyna wstrzymała oddech. Zbadał wzrokiem każdy kąt, spoglądając to na zawieszone pieczołowicie gobeliny, to na ogołocone palenisko i brudne obrusy. Zgniły zapach unosił się znad mat, tym razem nieodświeżonych suszonymi kwiatami i ziołami.

Kącik jego ust drgnął i podskoczył do góry. Wokół oczu pojawiły się zmarszczki, po czym Karyna dostrzegła błysk białych, mocnych zębów. Uśmiech przeszedł w rechot, a potem w wybuch serdecznego śmiechu. Uderzył pięścią w stół, po czym roześmiał się jeszcze głośniej. W jego ślady poszli Richard, Odo, Geoffrey. Hugh i Lambert zaczęli się krztusić, Aubrey zanosił się śmiechem, a Leo opuścił dłoń, którą zasłaniał usta, i pozwolił sobie na drżący chichot.

W sali zapanował chaos. Śmiała się Bretta, dając kuksańca w bok Oda. Nawet Marta chichotała, bardziej w poczuciu ulgi niż z rozbawienia.

– Masz szczęście, *ma petite* – Ral wytarł łzy napływające mu do oczu – że ci nie skręciłem twojego uroczego małego karku.

Karyna uśmiechnęła się.

– Nie obawiałam się o to, panie.

– Przypuszczam, że teraz doprowadzisz wszystko do porządku, skoro już osiągnęłaś swój cel.

– Służba już pracuje, by odświeżyć salę. Przed chwilą dostali polecenia. – Pracowali, zdejmując poplamione obrusy i zgarniali maty. Z kuchni zaczął dobiegać zapach pieczonego mięsa. – Pod koniec tygodnia to, co dziś widziałeś, zda ci się złym snem.

Podniósł dłonią jej podbródek.

– A co z naszą sypialnią? Czy i ona wygląda jak zły sen?

Poczuła, że rumieniec na jej policzkach nabrał intensywniejszej barwy.

– Nie, panie. Reszta zamku nie ucierpiała. Miałam nadzieję, że rozwiążemy ten problem, zanim spoczniemy w łożu.

Ral chrząknął lekko.

– Jak to jest, że zamiast mnie rozgniewać, rozbawiłaś mnie? Zadziwiasz mnie, moja mała żono.

– Ja także, mężu, jestem bardzo ci rada. Jeśli pozwolisz mi się wykąpać i przebrać, przywitam cię, jak należy.

– Może sam cię wykąpię. W ten sposób będę miał pewność, że będziesz naprawdę czysta.

– Może ci pozwolę – przekomarzała się. – Ale tylko jeśli ty pozwolisz mi również obsłużyć się w tym względzie.

Ral obrzucił ją spojrzeniem od góry do dołu, a w jego oczach widać było pragnienie i serdeczność. Karyna wzięła go za rękę, ich palce się splotły. Kiedy służba gorączkowo krzątała się, by przygotować salę, ona poprowadziła go na górę.

* * *

Ral obudził się na długo przed świtem zaniepokojony i oszołomiony, chociaż ciało miał nasycone. Ostrożnie odsunął się od śpiącej żony, ubrał się i wrócił do sali. Sala odzyskała już schludny wygląd. Dziś jednak ten widok przywołał na jego twarzy wyraz zamyślenia zamiast uśmiechu.

Wspomnienie sali przy powitaniu i rozmowy z Karyną obudziły go, wyciągnęły z wygodnego łoża i ściągnęły tutaj. Rozmyślał, w jaki sposób poskromiła jego gniew, w jaki sposób go oczarowała i tak szybko nagięła do swojej woli.

Zacisnął zęby, schodząc po kamiennych schodach. Nigdy żadna kobieta nie ośmielała się mu przeciwstawiać, tak jak żona. W dodatku uczyniła to tyle razy w rozmaitych okolicznościach! Powinien ją ukarać za to, co zrobiła, czy byłoby to sprawiedliwe, czy nie. Tymczasem jej brawurowa odwaga go rozbawiła. A ich namiętne chwile nasyciły go tego wieczoru jak nigdy dotąd.

Ral przemierzył wielką salę przy akompaniamencie chrapania śpiących mężczyzn i wyszedł na dziedziniec. Obudził giermka w stajni i rozkazał osiodłać gniadego wierzchowca, po czym powędrował do ptaszarni, skąd przyniósł Cezara, niosąc go na nadgarstku osłoniętym grubą rękawicą.

– Dzisiaj będziemy polować, przyjacielu – rzekł do niego miękko. – Muszę mieć sposobność, by porozmyślać o tym i owym. – Bardzo rzadko wyjeżdżał w pojedynkę. W lesie było niebezpiecznie, zwłaszcza dla pana na zamku. A bez niego w niebezpieczeństwie byli jego ludzie. Dzisiaj jednak chciał zaryzykować. Potrzebował odpoczynku od Karyny, czasu, by zrozumieć uczucia, które w nim wzniecała, i znaleźć sposób, jak się z nimi uporać.

Uczynił to postanowienie w pewnej chwili w nocy, kiedy kochali się, a on tulił ją z żarliwą zaborczością. Nie zaniepokoiłoby go to, gdyby była jedną z jego poddanych, kimś, kto do niego należał.

Zaniepokoiło go wrażenie, że to on należy do niej.

Ral minął most zwodzony i zagłębił się w las, upajając się porannym chłodem i śpiewem dopiero zbudzonych ptaków. Kiedy znalazł się na polanie, ściągnął wodze i rozejrzał dokoła. Podniósł mały skórzany kaptur, który okrywał głowę sokoła, i uwolnił ptaka.

Cezar wzlatywał wysoko, coraz wyżej, torując sobie drogę skrzydłami przez niebiosa. Ral wiedział, że ptak wróci przyciągnięty niewidzialną siłą, która istniała między nimi. Oswoił go i teraz ptak był jego jeńcem. On sam zaś, jeśli nie nauczy się trzymać swoich uczuć na wodzy, stanie się jeńcem Karyny.

Ral zobaczył, że sokół upatrzył sobie ofiarę i rozpoczął lot w dół, na łąkę, by jej dopaść. Przez tę krótką chwilę ptak sam kieruje swoim losem, ale już za chwilę wróci na jego nadgarstek i odda się na służbę swojemu panu.

Ral uroczyście jak nigdy dotąd przysiągł sobie, że nie odda się na służbę Karynie.

* * *

– Wygląda na to, że wszystko gotowe. To będzie wspaniała uczta na przywitanie naszego pana. – Karyna uśmiechnęła się do Richarda. Od dnia powrotu Rala planowali ten wieczór. Mąż i jego ludzie nie dostali w dniu przyjazdu tego, co im się należało. Tego wieczoru uczczą należycie powrót do domu.

– Wierzę, że twój małżonek będzie bardzo zadowolony – rzekł Richard.

Oboje z Richardem zaplanowali uroczystość i pracowali, by przywrócić salę do porządku. W nocy po powrocie odbyła z Ralem poważną rozmowę o jej obowiązkach jako pani na zamku. Ustalony został kompromis. Miała pilnować, żeby dwór był dobrze utrzymany, ale tak, by mieć także czas dla siebie. Nie było potrzeby, rzekł, by pracowała od świtu do zmierzchu.

Ten kompromis odpowiadał Karynie, ponieważ dawał jej czas na odwiedzanie wieśniaków i konne przejażdżki po lesie. Odkryła jednak, że kiedy zakończyła wreszcie swoją pracę i sala wyglądała na dobrze utrzymaną, sprawiło jej to ogromną przyjemność.

– Tak, to będzie stosowne powitanie – powiedziała Karyna. – Choć znacznie przyjemniej byłoby świętować bez towarzystwa de Montreale'a i jego ludzi.

Lord Stephen dał znać o swoim przybyciu. Wraz ze świtą, sługami, rycerzami konnymi i zbrojnymi miał się zjawić w Braxton przed zachodem słońca.

– Jeździ z królewskim poborcą podatkowym. Nie możemy uczynić nic innego, jak tylko powitać go z otwartymi ramionami.

– I otwartymi skrzyniami. To zwiększy obciążenie wieśniaków. Lord Ral już się martwi, że nie przetrwają najbliższej zimy.

– Oddamy tylko to, co jesteśmy winni królowi Wilhelmowi. To nie jest przesadny ciężar. Braxton boryka się ciągle z kosztami budowy warowni. Lord Stephen nie ma takich zmartwień.

– Nie miałby ich i lord Ral, gdyby poślubił siostrę Malverna. – Karyna rzuciła Richardowi zatroskane spojrzenie. – Wiesz, że ona przyjedzie z nimi?

– Tak.

– Jak przywita ją Ral?

Richard potrząsnął głową.

– Wiem tylko, że kiedyś byli zaręczeni. To już przeszłość, tego jestem pewien, lady Karyno. To ty jesteś żoną lorda Rala, nie lady Eliana.

Karyna była jego żoną, niewiele jednak wiedziała o jego uczuciach. Nigdy nie wspomniał, że ją kocha. Po plecach przeszły jej ciarki. Richard z pewnością niewiele mógł powiedzieć o kobietach z przeszłości Rala. Karyna wolałaby, żeby wiedział. Przez ostatnich parę dni Ral był odległy i zamyślony. Od powrotu z Caanan unikał jej poza godzinami namiętności spędzanymi w sypialni.

Karyna nie miała pewności, jednak obawiała się, że może mieć to coś wspólnego z przyjazdem siostry lorda Stephena.

– Wkrótce zjawią się tu trubadurzy – powiedziała Richardowi, postanawiając nie myśleć o Ralu, tylko skupić się na zbliżającej się uczcie. – Powiadają, że są bardzo zabawni.

– Mamy też grajków i akrobatów, więc szykuje się niezapomniany wieczór.

W to nie wątpiła. Jej jedyne wątpliwości dotyczyły tego, jak Ral będzie się zachowywał wobec kobiety, która była w przeszłości jego narzeczoną. Powiedział przecież, że kiedyś coś do niej czuł. Skoro tak, to dlaczego nie zgodził się na małżeństwo?

Jakie uczucia żywił do niej teraz?

Mimo że uczta trwała już kilka godzin, Karyna nadal tego nie wiedziała. Od kiedy goście zjawili się w wielkiej sali, Ral był zadumany, milczący i nieobecny duchem. Lord Stephen i jego siostra przybyli z François de Balmainem, królewskim poborcą podatkowym, który siedział teraz obok nich na podeście. Karyna ubrała się starannie, dobierając tunikę w kolorze głębokiej czerwieni do białej, jedwabnej koszuli. Ral miał na sobie szafirową tunikę haftowaną złotą nicią.

Był wobec Karyny uprzejmy, tak jak wobec swoich gości. W jego oczach nie było jednak ciepła. Uśmiechał się, lecz w jego zachowaniu było coś dziwnego, co mąciło zadowolenie ze starannie zaplanowanego wieczoru.

Kiedy indziej czerpałaby przyjemność z wykwintnych dań, które pojawiały się na stole: pawia przybranego w opalizujące pióra, dzika nadziewanego grzybami, świeżych warzyw z ogrodu, kuropatw, śledzi, suszonych owoców, orzechów i fig. Łowiłaby uchem słodkie dźwięki lutni i cytry, fletów i rogów.

Trubadurzy byli tak utalentowani, jak jej mówiono. Zabawiali gości pieśniami o męstwie i chwale. Większość z nich opiewała czyny Karola Wielkiego, jego bitwy z Baskami, oraz Rolanda i Olivera – jego dwóch zaufanych przyjaciół. Pieśń głosiła, że Roland wsławił się walecznością, podczas gdy Oliver – mądrością w wojnie z Saracenami.

Zaśpiewali także pieśń o Czarnym Rycerzu, Raolfie de Gere, rycerzu bezlitosnym w walce, od czego wziął swój przydomek. Śpiewali o jego męstwie, zasługach w bitwie pod Senlac, o tym, jak Ral przyjął na siebie cios miecza, by ocalić życie królowi.

Chociaż rodacy Karyny zostali w tej wojnie pokonani, opowieść o męstwie jej męża napełniała ją dumą i miłością. Miłością. Jakże niemądra była, że nie dostrzegała tego wcześniej. Kiedy to zrozumiała, zapragnęła, by Ral czuł to samo.

Tymczasem on siedział daleki, zbyt często spoglądając na Elianę, marszcząc brwi, jakby w jej obecności coś jeszcze go dręczyło, a mimo to przyciągało jego uwagę. Była piękną kobietą, co z niepokojem zauważyła Karyna. Czarnowłosa i błękitnooka, o cerze tak jasnej jak cera Stephena.

Z rysów była podobna do Stephena – twarz regularna i delikatna, nos prosty, nie tak spiczasty jak jego. Była wysoka i zgrabna, z wysoko uniesioną, pełną piersią i dojrzałymi, rubinowymi ustami. Kiedy się śmiała, jej śmiech melodyjnie rozlegał się w całej sali, zwracając na nią uwagę wszystkich mężczyzn.

– Jest urocza – szepnęła Karyna do Rala, kiedy posilali się mięsem z jednej tacy.

– Poza tym, że jej piękno sięga tak głęboko jak grubość skóry.

– Lord Stephen uważa, że jest zabawna.

Wzrok Rala zatrzymał się na parze siedzącej przy końcu stołu.

– Stephena oczarowała już wtedy, kiedy był dzieckiem.

– Które z nich jest starsze?

– Eliana, ale tylko o rok. To nie wiek, tylko kobiece sztuczki dały jej władzę nad Malvernem. Całkiem możliwe, że jest jedyną osobą na ziemi, która nim rządzi.

Karyna usłyszała śmiech lorda Stephena w odpowiedzi na coś, co powiedziała lady Eliana. Miał zarumienioną twarz, blask w oczach, a jego śmiech był cieplejszy niż zwykle. Kiedy Karyna spojrzała na Rala, zauważyła, że spochmurniał.

– Bóg mi świadkiem, że ta kobieta ma moc czarownicy. Przeżyła już jednego męża. Już mi żal następnego głupca, który się z nią ożeni.

Zwrócił wzrok na François de Balmaina, królewskiego poborcę.

Posiwiały mężczyzna zamienił z nim kilka słów szeptem i wskazał na kobietę o imieniu Tayte, która podróżowała jako jego kochanka. Zaśmiał się lubieżnie, a Ral mu zawtórował. Obaj odeszli od stołu i poszli do mężczyzn pijących i bawiących się w sali.

Karyna patrzyła, jak się oddala, czując ucisk w żołądku. Ral wprawdzie mówił nieprzyjemne rzeczy o Elianie, jednak od jej przyjazdu zachowywał się z jeszcze większą rezerwą. Dzisiejszego wieczoru był inny niż zwykle. Wobec Karyny zachowywał się tak powściągliwie jak nigdy dotąd. Dostrzegła, że spoglądał na kochankę de Balmaina, ujmującą kobietę o długich, brązowych włosach. Wyraźnie oceniał jej kształty, uśmiechając się w odpowiedzi na coś, co powiedziała.

Po chwili znalazł się obok Oda, który także dobrze się bawił w towarzystwie kochanki poborcy. Śmiali się razem, napełnili puchary winem i poszli w stronę ognia. Kiedy Tayte opuściła ich towarzystwo wsparta na ramieniu de Balmaina, Karyna odetchnęła z ulgą.

Wtedy do Rala podeszła Lynette. Zaczęli rozmawiać szeptem, a Karynę ponownie ścisnęło w żołądku.

Słodki Boże, co to wszystko ma znaczyć? Nigdy nie widziała, żeby Ral się tak zachowywał, nawet przed ich ślubem. Zupełnie jakby jej tu nie było, jakby umyślnie ją lekceważył. Zaczęły drżeć jej ręce, a w gardle zrobiło się sucho. Dopiero kiedy zostawił Lynette i podszedł do Richarda, poczuła ulgę.

Nie bądź niemądra, skarciła się w duchu, walcząc z dręczącymi ją obawami. *Ral jest teraz twoim mężem*. Pomyślała o chwilach, które spędzała w jego ramionach, delikatności, z jaką ją tulił, o namiętności, którą wspólnie dzielili. Jest rozdrażniony obecnością Malverna i jego siostry. Kiedy odjadą, będzie tak jak przedtem.

Odzyskawszy pewność siebie, Karyna pełniła rolę gospodyni z uśmiechem dla wszystkich i dla każdego z osobna. Jednak w miarę jak wieczór się przedłużał, nadal prawie nie widziała męża. W końcu poczuła zmęczenie. Eliana udała się na spoczynek, lord Stephen również. Odnalazła Rala przy schodach.

– Udam się na spoczynek, panie. Większość z gości już to uczyniła. Zapewne nieliczni, którzy zostali, obejdą się bez mojego towarzystwa.

Ral lekko kiwnął głową.

– Będziesz tu jeszcze długo, panie?

– Nie wiem. Lepiej, jeśli nie będziesz czekać.

Przez chwilę poczuła się niezręcznie, lecz uśmiechnął się do niej i zrobiło jej się lekko na duszy.

– Dobranoc, panie – pożegnała się, lecz on nie odpowiedział, pogrążony w rozmowie. Wchodząc na górę, Karyna rozejrzała się, czy nie widać gdzieś Lynette. Nie widząc jej nigdzie, uspokoiła się.

Rozdział 14

– Marto, widziałaś lorda Rala? – Karyna ubierała się pospiesznie, chociaż słońce ledwie co wstało. Starannie dobrała jasnozieloną tunikę do żółtej koszuli.

Stara kobieta odwróciła się do niej. Pomarszczone i pokryte plamami ręce pogłaskały włosy Karyny i odgarnęły parę kosmyków z twarzy.

– Na pewno wróci wkrótce, nie masz się czego się obawiać, gołąbeczko.

Wyraz zatroskania na twarzy Marty obudził obawy Karyny.

– Nie było go tutaj w nocy. Zasnął pewnie w swojej sypialni.

– Na pewno tak – pospieszyła z odpowiedzią Marta, lecz jej spłoszony wzrok uciekał gdzieś na bok, budząc czujność Karyny.

– Powiedz mi, Marto. Wiesz o wszystkim, co się dzieje na zamku. Jeśli wiesz coś o moim mężu, musisz mi powiedzieć.

– Roznoszenie plotek mi nie przystoi.

– Proszę – szepnęła Karyna i mocno złapała kobietę za rękę.

Ramiona Marty pochyliły się, jakby dźwigały wielki ciężar. Załamała ręce i westchnęła z rozpaczą.

– Marto?

– Myślałam, że jest inny, że cię nie zrani. Niesłusznie wierzyłam...

– Powiedz mi!

– Twój małżonek wrócił do swojej konkubiny...

– Nie! Nie uwierzę, że Ral uczynił coś takiego!

– Oni wszyscy tacy są. Miałam nadzieję, że lord Ral jest inny.

– Bo jest! Jest dzielny i silny... i szlachetny. – Ledwie wypowiedziała te słowa, z ust wydarł jej się szloch. Pochyliła się do Marty, a oczy wezbrały jej łzami. Odwróciła się nagle do drzwi. Tak jak stała – z nieupiętymi włosami – uniosła jasnozieloną spódnicę i wybiegła z komnaty, zostawiając za sobą słaby głos wołającej za nią Marty.

Z bijącym dziko sercem, ze strachem wzbierającym w piersi zbiegła po schodach i minęła śpiących w sali mężczyzn. Otworzyła dębowe drzwi prowadzące na dziedziniec i pobiegła boso przez błotniste podwórze.

– Wracaj! – wołała za nią od drzwi Marta. – Nie wolno ci tego robić! – Karyna przyspieszyła.

Dysząc ciężko, nie zważając na chłód, który przenikał stopy, przebiegła przez dziedziniec do budynku sąsiadującego ze stajniami. Wspięła się po schodach na drżących nogach i weszła do pomieszczenia, które służyło Lynette za mieszkanie. Złapała zasłonę, jednym ruchem odsunęła ją i stanęła jak wryta.

Jej małżonek leżał rozciągnięty na łożu, z nagą piersią, przykryty tylko do bioder. Na jego ciemnej twarzy widniał jednodniowy zarost. Obok niego spoczywała Lynette, z głową na jego ramieniu, z długimi włosami owiniętymi wokół jego szyi.

Szloch zamarł Karynie w gardle. Przez chwilę stała, nie mogąc się poruszyć. Serce biło jej mocno, oczy zasnuła mgła, gorące łzy popłynęły po policzkach. W piersi poczuła ból tak silny, jakiego w życiu jeszcze nie zaznała. Nie mogła uczynić żadnego ruchu. Tymczasem jej małżonek się poruszył i bezwiednie pogłaskał pierś Lynette. Otworzył oczy i utkwił wzrok w jej twarzy.

– Karyno... – Z trudem łapał powietrze.

Zaszlochała, kiedy ich oczy się spotkały, i zakryła palcami drżące wargi. Chciała wykrzyczeć swoją udrękę. Chciała rzucić się na podłogę, bić pięściami i wypłakać wszystkie łzy. Zamiast tego odwróciła się na pięcie od widoku, który złamał jej serce, i zbiegła po schodach z rozwianymi włosami.

– Na rany Chrystusa – przeklął Ral. Wyplątał się z długich jasnych włosów Lynette, opuścił nogi na podłogę i trzęsącymi się rękami zaczął szukać ubrania. Naciągnął nogawice i zawiązał podwiązki, chociaż sprawiło mu to sporą trudność.

Nie chciał, by tak się stało, nie pomyślał w ogóle, że Karyna może pójść za nim aż na dziedziniec.

Nie myślał też, że jej widok rozedrze go na pół.

Popatrzył na kobietę jeszcze śpiącą w łóżku. Wziął ją szybko i poczuł tylko krótką chwilę rozkoszy. Zrobił to celowo i po długim zastanowieniu, sądząc, że gdy to uczyni, w jakimś stopniu uwolni się od Karyny.

Nie poczuł się jednak wolny, lecz zdruzgotany.

I bardziej samotny niż kiedykolwiek.

Wyszedł od Lynette i długimi krokami podążył do dworu, chcąc znaleźć żonę i wyjaśnić...

Co miał jej wyjaśnić? Zapytał sam siebie, przystając przed wejściem do stajni. Że uczynił to, co czynią wszyscy inni zdrowi mężczyźni? Że uczynił to, do czego miał prawo jako pan?

Nie musi się przed nią tłumaczyć z tego, że zrobił to, na co miał ochotę!

Odwrócił wzrok od drzwi prowadzących do wielkiej sali. Tego przecież chciał. Chciał uwolnić się od mocy, którą miała nad nim jego mała żona. Odzyskać swoją męskość.

Zacisnął dłonie w pięści i poczuł powolne i głuche łomotanie serca. Na piersi legł mu ciężar, gardło się zacisnęło, a wnętrzności począł trawić ogień. Nadal widział ściągniętą twarz Karyny, łzy w jej wielkich brązowych oczach i mokre ślady na policzkach. Widział wyraźnie ból, który czuła, widząc go w łożu z inną kobietą.

Gdyby nie zeszła na dziedziniec, gdyby ich nie zobaczyła... Gdyby tylko nie była taka naiwna, żeby wierzyć, że nigdy nie będzie chciał innej.

Żachnął się na tę myśl. Nie pragnął ani Lynette, ani Tayte, ani Eliany. Pragnął tylko Karyny. Wyobrażał sobie, że to ona leży pod nim, nawet wtedy, kiedy brał swoją kochankę.

Na rany Chrystusa, musiał to zrobić. Musiał się ratować. Wiedział zbyt dobrze, co może się stać, kiedy kobieta zawładnie sercem mężczyzny. Pamiętał jeszcze, jak się czuł, kiedy zaskoczył Elianę z bratem. Kiedy zrozumiał, jak łatwo dał się oszukać. Kiedy przejrzał jej plan polegający na tym, żeby go poślubić i zrobić z niego głupca.

Dręczyło go nieoczekiwane poczucie winy, skręcało boleśnie jego wnętrzności. Kto by uwierzył, że udręka, którą zgotował Karynie bardziej niż w nią ugodzi w niego?

* * *

Karyna płakała, póki starczyło jej łez, nie pozwalając wejść do komnaty nawet Marcie. Gardło ją bolało, a oczy piekły. Czuła ból we wnętrzu, serce miała zranione i złamane.

Słodki Boże, pomyślała, jakaż byłam głupia. Powinnam była to wiedzieć. Był mężczyzną jak każdy inny. Jak Odo i François de Balmain. Nie różnił się wiele od Stephena de Montreale'a. Nawet jej ojciec miewał inne kobiety. Powinna była się na to przygotować.

Późnym popołudniem poczuła się wyczerpana i wypalona. Serce miała ciężkie, a umysł przytępiony. Nie zeszła na południowy posiłek, wiedząc doskonale, że goście zauważą jej nieobecność, i wiedząc, że Lynette będzie triumfować i zadba o to, żeby wszyscy poznali przyczynę. Minęło popołudnie, a ona nie wychodziła z komnaty, wymawiając się chorobą, nie czując się na siłach, by spojrzeć wszystkim w twarz.

Jednak kiedy zapadł zmierzch, górę wzięła jej anglosaska duma.

Wysoki śniady Norman może i jest jej mężem, ale po tym, co uczynił, stracił jej serce. Może i była naiwna, a nawet głupia, żeby go pokochać, jednak nie obdarzy go miłością nigdy więcej. Pokaże jemu i wszystkim, że jest jej obojętny. Jeśli wybrał kochankę, niechaj tak zostanie. Będzie trzymała głowę tak wysoko, że jej anglosascy bracia będą z niej dumni.

Z największą starannością dobrała strój na wieczerzę. Obmyła zimną wodą płonące policzki i doprowadziła się do porządku. W sali było pełno gości oraz trubadurzy, grajkowie, błaźni i akrobaci.

Dzisiejszego wieczoru skieruje uwagę na ich sztuki, modląc się, żeby ją rozśmieszyli i rozbawili. Pokaże mężowi, że nie jest w stanie jej zranić.

Że już o niego nie dba.

Kiedy zapukała Marta, Karyna była już gotowa i otworzyła drzwi z przyklejonym do twarzy uśmiechem. Kasztanowe włosy miała wyszczotkowane i błyszczące, osłonięte jedwabną wzorzystą siateczką.

Marta pokiwała głową z zadowoleniem.

– Miałam nadzieję, że nie dasz mu się pokonać.

– Sam się pokonał.

– Do wieczerzy zostało jeszcze trochę czasu. Lord Ral późno wrócił z łowów.

– Gdzie jest teraz? – spytała Karyna obojętnym tonem.

– W swojej sypialni. Bierze kąpiel, tak jak lord Stephen i François de Balmain. Kiedy skończą, zejdą na wieczerzę.

Karyna skinęła głową.

– Zaczekam na nich. – Oczekiwanie pomoże jej się odprężyć, poza tym chciała już wyjść z komnaty. Marta pogłaskała ją po policzku, lecz nie powiedziała nic więcej. Karyna skierowała się w stronę wielkiej sali. Kiedy weszła na schody, spostrzegła Lynette siedzącą przy ogniu na dole.

Chociaż starała się powstrzymać, zadrżały jej wargi i łzy stanęły w oczach. Zawróciła, przeszła obok swojej komnaty i poszła korytarzem aż do schodów z drugiej strony. Prowadziły na górę do niszy, z której przez wąski otwór w murze łucznicy mogli bronić zamku. Oparła się o zimny, szary mur. Przez okienko wdzierał się zimny wiatr, ale Karyna nie zwracała na to uwagi. Chłód pomagał jej oczyścić serce i duszę.

Stała tam tylko chwilę, gdy usłyszała szczęk zasuwy w drzwiach. Odwróciła się i zobaczyła młodzieńca z pomalowaną na biało i czarno twarzą, odzianego w strój błazna o tych samych barwach. Błazen podskoczył, widząc, że nie jest sam.

– Wybacz, pani. Nie spodziewałem się, że kogoś tu spotkam. – Jego czarna czapka z długim czubkiem podskoczyła, aż zadzwoniły przymocowane do niej dzwoneczki. Pęk dzwoneczków u szyi dźwięczał cicho przy każdym ruchu.

– Skąd wiedziałeś o tym miejscu?

– Odkryłem je wczorajszego wieczoru po uczcie. Prawie w każdym zamku jest takie miejsce. Lubię panujący tu spokój.

– Ja także – odparła Karyna. W chłopaku było coś intrygującego, w błyszczących zielonych oczach czaiła się mądrość, a głos, choć niski, brzmiał melodyjnie. Wydawał się starszy, niż był.

– Wyglądasz dzisiaj przepięknie – rzekł. – Jednak czuję, że jesteś smutna. – Uśmiechnął się do niej, i zatańczył lekko, by zadźwięczały dzwoneczki. – Moim zadaniem jest cię rozbawić.

Karyna uśmiechnęła się lekko.

– Czy nigdy nie bywasz smutny, błaźnie?

– A jakże, pani. Czasami tęsknię za domem, przyjaciółmi i rodziną, której mogę już nigdy więcej nie zobaczyć. Maluję twarz, by ukryć swój smutek.

– Ja mogę go ukryć tylko siłą swej woli.

Błazen ujął jej rękę i uścisnął lekko. Karyna zauważyła, że miał nadzwyczaj delikatną i miękką skórę.

– Siła to coś, czego masz pod dostatkiem, gotów jestem się założyć. – Miał delikatne rysy twarzy i byłby przystojny, niemal piękny, gdyby nie małe, mocno odstające uszy. – Poza tym zawsze jest jutro. Kto wie, co przyniesie przyszłość?

– Właśnie, kto wie? – zawtórowała mu Karyna, zmuszając się do uśmiechu. – W przyszłości, której się spodziewała, nie było zbyt wiele pociechy. Mogła to powiedzieć błaznowi, bo był obcy i chętny, by jej wysłuchać, ale kiedy się obejrzała, już go nie było.

Myśli Karyny przez chwilę krążyły wokół wesołka, jego delikatnych dłoni i promiennego uśmiechu, lecz w sali na dole był mąż, z którym musiała się zmierzyć. Teraz już pewnie siedział przy stole. Do tej pory po nią nie posłał i nie spodziewała się, by to uczynił. Dawał jej czas, by pogodziła się z tym, co każda inna żona wiedziała od samego początku, że małżeństwo zawiera się tylko po to, by spłodzić dziedzica. Że mąż czerpie zeń przyjemność, nie musząc dawać niczego w zamian.

Nie potrzebowała już więcej czasu, by się z tym pogodzić. Udzielono jej gorzkiej lekcji.

Na szczycie schodów przywołała na twarz wymuszony uśmiech. Prezentowała się jak dama i choć nie była tak piękna jak Lynette czy Eliana, była wystarczająco urodziwa, żeby przyciągać wzrok wszystkich mężczyzn, kiedy przechodziła obok suto zastawionych stołów. Ku swojemu zaskoczeniu spostrzegła, że wzrok męża także się od niej nie odrywał. Wyraz jego błękitnoszarych oczu uderzył ją z taką mocą, że musiała użyć całej siły woli, by nogi nie odmówiły jej posłuszeństwa.

Karyna trzymała głowę wysoko uniesioną, a ramiona wyprostowane i uśmiechała się do wszystkich mężczyzn i kobiet, których mijała. Zatrzymywała się tu i ówdzie, by zamienić parę słów. Kiedy podeszła do podestu, Ral wstał i zaczekał, póki nie usiadła.

– Byłem ciekaw, czy zejdziesz na dzisiejszą wieczerzę. Twoja służąca powiedziała, że źle się czujesz. – Jego spojrzenie powiedziało jej, że zna prawdę, jest zaskoczony jej pojawieniem się i wcale nie jest nim uradowany.

Może po prostu nie miał, tak samo jak ona, ochoty, by spojrzeć jej w twarz.

– Mam nadzieję, że czujesz się lepiej – rzekł lord Stephen. – Mojej siostrze brakowało twojego towarzystwa.

– Czuję się już dobrze. To była przelotna słabość – rzuciła znaczące spojrzenie w kierunku męża. – Na pewno nigdy więcej mi się nie przytrafi.

Ral spochmurniał.

– Jak udały się łowy? – spytała de Balmaina. – Uśmiechnęła się do niego serdeczniej, niż wypadało, i spostrzegła, że w twarzy Rala mięsień zagrał nerwowo.

– To był wyjątkowy dzień, pani. Twój mąż był waleczny. Powalił mieczem jelenia.

Zwróciła głowę w stronę Rala.

– Naprawdę, panie? Po całej nocy... picia i hulanki... to zadziwiające, że dopisywała ci siła. – Nie zwracając uwagi na pochmurne spojrzenie, które jej rzucił, wróciła do konwersacji z de Balmainem. W następnej kolejności zwróciła się do lady Eliany: – Żywię nadzieję, że dobrze się u nas bawisz, pani.

Czarnowłosa piękność odpowiedziała uśmiechem.

– Zamierzam spędzić lato w Malvern. Może dotrzymasz mi towarzystwa przez jakiś czas.

– Moja żona będzie zajęta – wtrącił się Ral.

– Sprawiłoby mi wielką przyjemność obejrzenie okolicy – odparowała Karyna. – Pewna jestem, że mąż obejdzie się beze mnie parę dni.

– Porozmawiamy o tym w stosownym czasie – powiedział Ral ostrzegawczo, po czym zmienił temat. – Jest tu ktoś, kogo chciałbym ci przedstawić.

Po raz pierwszy Karyna zauważyła siedzącego przy końcu stołu człowieka o oliwkowej skórze. Wstał, kiedy poczuł na sobie wzrok Rala, i pozdrowił ją głębokim ukłonem. Głowę miał przykrytą długą chustą do ramion, którą utrzymywała na miejscu szeroka opaska.

– Hassan jest medykiem – wyjaśnił Ral. – Służył królowi Wilhelmowi. Po bitwie pod Senlac ocalił mi życie.

Karyna widziała bliznę po cięciu mieczem, którą Ral miał między żebrami. Była długa, lecz równa i nieszczególnie szpecąca. Uśmiechnęła się lekko do smukłego mężczyzny o oliwkowej cerze.

– Mam zatem dług wdzięczności wobec ciebie, Hassanie. Na pewno wszystkim nam bardzo brakowałoby naszego pana. – Przeszukała wzrokiem stoły poniżej i znalazła jasnowłosą głowę Lynette. – Niektórym bardziej, innym mniej.

– Za kilka tygodni Hassan ponownie przyjedzie do Braxton – rzekł Ral, nie zwracając uwagi na kąśliwy ton jej głosu. – Może mógłby cię nauczyć, jak stosować niektóre jego zioła.

– Przekupię go, żeby to uczynił – uśmiechnęła się oschle. – Kto wie, jaka moc może się kryć w ziołach, które nauczę się stosować.

Ich spojrzenia spotkały się i Ral wyczytał z jej oczu gorycz. Chociaż wymamrotał coś niezrozumiale pod nosem, pomyślała, że chyba dostrzegła iskierkę podziwu.

Wieczór upływał miło i rozrywkowo. Karyna modliła się w duchu, aby wyglądało na to, że bawi się świetnie. Śmiała się głośno, uśmiechała i radośnie konwersowała z lady Elianą. Co, jak się przekonała, nie było wcale łatwe.

Siostra Stephena była nieco inna, w pewien sposób nieodgadniona i roztaczała wokół siebie dziwnie mroczną aurę. Spowijała ją jak gęsta nocna mgła, sprawiając, że Karyna czuła się nieswojo, chociaż starała się za wszelką cenę to ukryć.

Podobnie jak swoje uczucia względem Rala. Jednak ilekroć na nią spoglądał, coś się w niej ściskało. Wszystko, co mogła zrobić, to siedzieć tutaj przy nim, uśmiechać się i zwracać do niego po imieniu.

Nie chciała tego, nie chciała oglądać jego pięknej twarzy, nie chciała oglądać uśmiechniętej twarzy jego kochanki. Chciała wstać od stołu, pobiec do sypialni i z niej nie wychodzić. Chciała obrzucić go stekiem najgorszych wyzwisk, płakać, zawodzić i walić pięściami w mur, żeby ulżyć swojej złości.

Zamiast tego musiała uśmiechać się słodko i nagradzać śmiechem popisy błazna. Pamiętając ich krótkie spotkanie, jeszcze raz zamyśliła się nad dziwnie zniewalającym urokiem jasnowłosego młodzieńca. Na podłodze pod podestem chłopak wykonał zręczny i błyskotliwy taniec, dźwięcząc dzwoneczkami na czapce i wokół szyi, po czym zaczął recytować zgrabne wersy:

Stary Mort nie wiedział, co to cnota.
Ręce miał krzepkie, lecz za krótkie,
Gdy na dziewki przyszła mu ochota,
Brał takie tylko, co obłapić dał radę
Mizerne przeto dziewki były i... blade.

Mężczyźni roześmiali się dobrodusznie, po czym zawołali o dalszy ciąg, a błazen skwapliwie spełnił ich życzenie, rozciągając twarz w na wpół białym, na wpół czarnym uśmiechu.

Sprytny młodzieniec z Pontefac
Zabawiał się z dziewkami i tak, i siak
Tę szczypnął, tej skradł całusa.
Lecz szukał czegoś innego
Dla swego tego i owego
Zgadnijcie sami do czego?

Błazen rozbawił wszystkich. Jego występ został nagrodzony serdecznymi brawami. Po raz pierwszy od długich tygodni w twarzy Rala pojawiły się dołeczki. Później Karyna zauważyła, że rozmawiał z błaznem przy ogniu.

Przez chwilę patrzyła na nich, zazdrosna o śmiech, którym wybuchali, czując się w głębi duszy smutna i opuszczona, choć uśmiechała się radośnie. Wymagało to takiej uwagi, że nie usłyszała ciężkich kroków męża za sobą.

– Wyglądasz na nadzwyczajnie rozbawioną tego wieczoru – rzekł. – To nie jest nastrój, jakiego się spodziewałem.

– Z powodu tego, co zdarzyło się dziś rano?

– Tak. Rano widziałem na twojej twarzy łzy.

– Już ostatnie z tego rodzaju, to mogę ci przyrzec, panie. Łzy młodziutkiej, głupiutkiej dziewczyny. Stałam się dziś dojrzałą kobietą, która przejrzała na oczy, choć po gorzkiej lekcji.

– Nie chciałem cię zranić.

– To przecież nie twoja wina, panie, że okazałam się taką idiotką.

Przez chwilę Ral milczał. Następnie wziął ją za ramię i skierował się ku schodom.

– Co robisz? – Karyna wyszarpnęła się z uścisku.

– Jest późno. Pora udać się na spoczynek.

Oczy Karyny zwęziły się i spoczęły na jego ciemnej, pięknej twarzy.

– Jako że mamy dziś gości, możesz odprowadzić mnie na górę. Jeśli jednak masz zamiar dołączyć do mnie w sypialni, przekonasz się, że nie jesteś już tam mile widziany.

Ral zacisnął zęby.

– Jesteś moją żoną. Twoim obowiązkiem jest przyjąć mnie w łożu, kiedy tylko będę tego chciał.

Karyna roześmiała się nienaturalnie i nieprzyjemnie.

– Jeśli chociaż przez chwilę wierzyłeś, mój panie, że dostaniesz ode mnie to, co dostawałeś wcześniej, gorzko się pomyliłeś. Przedłożyłeś nad to sypianie ze swoją nałożnicą. I tam też będzie jedyne miejsce, gdzie znajdziesz pocieszenie.

Ruszyła po schodach, wyczuwając obecność męża obok siebie. Kiedy podeszli pod drzwi sypialni, jej serce mocno zabiło z lęku. Mógł ją zmusić – był przecież bardzo silny. Nie mogła się jednak wycofać. Teraz budził w niej tylko gorycz, nie namiętność. Może by i dostał swoją przyjemność, lecz ona czułaby tylko lodowatą urazę.

– Dam ci trochę czasu. Wkrótce pojmiesz, że mężczyzna musi sobie czasem ulżyć z innymi kobietami, taka jest jego natura.

Karyna się zachwiała i zimna maska opadła. Ból pojawił się w oczach, które wypełniły się łzami.

– Zawsze uczyłam się szybko, panie. Możesz być pewien, że tej lekcji tak łatwo nie zapomnę.

Coś przelotnie błysnęło w oczach Rala. Karyna odwróciła się od niego, po czym weszła do sypialni, zamykając drzwi przed swoim mężem i swoimi marzeniami.

* * *

Dręczony gorzkimi myślami i bezsennością, Ral spędził całą noc sam. Potem jeszcze jedną i kolejną. Poborca podatkowy i Hassan wyjechali ze Stephenem do Grennel, zamku Malverna na południu. W wielkiej sali zapanowała cisza głębsza niż kiedykolwiek.

Niepokojąca cisza, niezwykła. Zdawało się, że ściany przesiąknięte są smutkiem.

A może to było odbicie smutku, który zamieszkał w jego duszy?

Ral podniósł grube, futrzane przykrycie, moszcząc się wygodniej. *Ulży ci kiedyś*, powiedział do siebie w myśli. *Kiedyś ten ból się skończy*. Był jednak ciekaw, jak wiele czasu będzie to jeszcze trwało, i nie rozumiał, dlaczego cierpienie jego małej żony tak bardzo go zraniło.

Ral wymamrotał siarczyste przekleństwo i odrzucił przykrycie. Lepiej trzymać swoje uczucia na wodzy, niż pozwolić jej rządzić. Widok Eliany i Stephena bardzo silnie mu o tym przypomniał.

Musiał jednak przyznać sam przed sobą, że tęsknił do jej śmiechu i towarzystwa, jej delikatności i poczucia humoru, ciepła jej ciała obok jego ciała. Tęsknił za namiętnością, którą dzielili, i za miękkim spojrzeniem jej oczu, kiedy doprowadzał ją do spełnienia.

– Dosyć! – powiedział na głos. – To największe głupstwo, jakie może uczynić mężczyzna: oddać się bez reszty kobiecie. – Z czasem, tego był pewien, złamie okowy, w które zakuła jego serce. Wpuści go do łoża i pogodzi się z tym, że jest jej panem.

Nawet w tej chwili, jeśli przyszłaby mu chętka, mógł iść do jej komnaty, otworzyć drzwi i zażądać, żeby poddała się jego woli. Mógł to uczynić – miał do tego prawo jako jej mąż i pan. Wiedział jednak, że Karyna nie odda się bez walki, a on nigdy nie brał kobiet siłą.

Poza tym była mała i drobna i mógł niechcący zrobić jej krzywdę.

I chociaż próbował temu zaprzeczyć, nie chciał jej do siebie zrazić jeszcze bardziej, niż już to uczynił.

Ral przeczesał palcami potarganą w czasie snu czuprynę. Myśli o Karynie ciążyły mu bardzo i sprawiały ból. Pragnął jej silniej niż kiedykolwiek, ale ona już go nie chciała.

Próbował zerwać nić lęku, która poczęła snuć się pajęczyną wokół jego serca.

* * *

– Co cię tak trapi, Richardzie? Czy zobaczę kiedyś, jak się uśmiechasz? – Błazen zjawił się nagle znikąd. Farbę z twarzy już zmył, lecz na głowie, skrywając lśniące jasne włosy, tkwiła nadal błazeńska czapka. Gdyby nie małe odstające uszy, byłby bardzo przystojnym młodzieńcem, niemal pięknym. Miał w sobie także dużo ciepła.

– Ostatnio rzeczywiście mało się uśmiecham. Martwię się o lady Karynę. – Dlaczego tak otwarcie wyznał swoje myśli błaznowi? – Tego Richard nie umiał powiedzieć, jednak nie miał wątpliwości, że nie będą one nigdzie powtórzone.

– Śmieje się radośnie, podczas gdy jej dusza szlocha. Opłakuje stratę męża, jakby go już pochowała.

– To zaskakujące, że odgadłeś – rzekł Richard. – To wielka tajemnica, którą skrywa.

– Błazen zna wszystkie sekrety. Śmiech to cudowny lek na frasunek.

– I rozwiązuje ludziom języki? – zapytał.

– A jakże. Wszystkie tajemnice są jednak bezpieczne, twoja także.

– Moja tajemnica? – powtórzył Richard, a błazen lekko skinął głową. Ruch powietrza rozwiał kosmyki na jego twarzy błazna i Richard zauważył, że ma niewiarygodnie gładką skórę.

– Te twoje żarty zaćmiły ci umysł. Nie mam żadnej tajemnicy.

– Czyżby? Wiem, że pracujesz za dużo i frasujesz się zbyt często.

– To nie tajemnica. A pracuję już lżej, od kiedy lady Karyna przejęła zarządzanie dworem.

– Wiem, że chciałbyś mieć dzieci.

Głowa Richarda aż podskoczyła.

– Skąd... skąd ty to wiesz? – Ancil się roześmiał i Richard złapał się na tym, że z przyjemnością słucha tego śmiechu.

– Wiem, że ożeniłbyś się, gdybyś tylko znalazł czas poszukać sobie właściwej partii.

– Zaczynam wierzyć, że jesteś czarnoksiężnikiem w przebraniu błazna. Nikomu o tym nie mówiłem. – *A może tak?* W nocy podczas uczty sporo pił. Rozmawiał z błaznem, dumny z pracy, którą razem z lady Karyną wykonali, by uczta była udana. Ten jeden jedyny raz pozwolił sobie na odpoczynek i zaczął się bawić.

– Zatem to prawda, że chcesz się ożenić?

Richard wzruszył ramionami.

– To w końcu nic dziwnego.

– Czego szukałbyś w dziewczynie?

Richard uśmiechnął się.

– To jasne. Delikatności i dobroci. Słodyczy... powinna też być pracowita.

Błazen wydał z siebie dźwięk podobny do westchnienia.

– A co z ogniem, Richardzie? Co z namiętnością i miłością? O tym nic nie mówisz, a ja jestem zdania, że to najważniejsze.

Namiętność i miłość? Richard nieoczekiwanie dla siebie zapatrzył się w zgrabne nogi błazna. Były długie i kształtne, jak u dziewczyny, odziane w ciasne nogawice, co uwypuklało ich kształt. Richard skarcił się w duchu i odwrócił wzrok.

– Byłaby to dodatkowa zaleta, gdybym odkrył namiętność w małżeńskim obowiązku. Najbardziej chciałbym jednak, żeby była uległa i chętna i by jak najszybciej dała mi syna.

Zielone oczy błazna zwęziły się. Po raz pierwszy Richard zobaczył go zagniewanego.

– Mężczyźni – prychnął chłopak i ściągnął gniewnie brwi. – Wszyscy jesteście głupcami!

Zaskoczony, że jego słowa wywołały takie zachowanie młodzieńca, Richard patrzył, jak się oddala. Patrzył za nim dłużej, niż powinien, podziwiając wdzięk, z jakim młodzieniec się porusza. Kiedy zrozumiał, co robi, syknął gniewnie i przeniósł wzrok w inną stronę.

Nie czuł dotąd pociągu do młodych, ładnych chłopców. Najwyraźniej zbyt długo już nie miał kobiety. Zanotował sobie w myśli, że powinien zadbać o zaspokojenie tej potrzeby koniecznie w tym tygodniu.

Rozdział 15

Ral pozwolił żonie na ciche dni przez dwa długie tygodnie. Zachowywała się wobec niego uprzejmie, chociaż z dystansem. Nie zabiegała też, by go widzieć, chyba że musiała.

Ponieważ nie powrócił do łoża kochanki, Lynette także przestała z nim rozmawiać, chociaż za to akurat był wdzięczny.

Ral zaklął cicho, grzejąc się przy ogniu w wielkiej sali. Głęboka czerwień płomieni przywodziła mu na myśl kolor włosów Karyny. Siedziała niedaleko, po drugiej stronie paleniska, grając w szachy z młodym rycerzem, Geoffreyem. Jej suknia napięła się na piersiach, kiedy pochyliła się nad szachownicą i trąciła Geoffreya w ramię. Ral usłyszał męski śmiech. Kiedy dołączył do niego melodyjny śmiech Karyny, Ral poczuł, że ścisnęły się mu wszystkie wnętrzności.

Słodki Boże, co zaszło między tą parą? Żona nie okazywała mu ostatnio zainteresowania, natomiast sporo czasu spędzała z młodym rycerzem wyznaczonym kiedyś do pilnowania jej. Jeśli przez chwilę by pomyślał... Jeśli miałby najmniejszą wątpliwość, że Geoffrey przekroczył granice... Zacisnął dłonie na poręczy fotela i obserwował ich dalej. Chociaż w zachowaniu młodego rycerza nie było niczego podejrzanego, patrzenie na nich wywoływało u niego falę zazdrości.

Na rany Chrystusa, jaką moc ma ta dziewczyna, że sprawia, że czuje się w ten sposób? Miał ochotę wysmagać ją batem, a Geoffreya zdzielić pięścią. Był coraz bardziej pewny, że postępuje słusznie, lecz coraz mniej pewny słuszności tego, co uczynił wcześniej.

Wiedział tylko, że Karyna należy do niego, a nie do Geoffreya. Że jej miejsce jest w jego łożu. Na krew Chrystusa, miał prawo jako jej pan i małżonek żądać, żeby mu się oddała i urodziła mu synów!

Zerwał się z fotela tak szybko, że przewrócił go z hukiem na wysypane wonnymi ziołami maty. Okrążył palenisko, z pochyloną głową zmierzając do obojga szachistów. Spochmurniał i powziął mocne postanowienie. Wyciągnął rękę i złapał Karynę za nadgarstek.

– Mój panie? – Podniosła głowę znad szachownicy, gdzie planowała ruch królowej.

– Skończyłaś grać. Pora spać.

Zesztywniała i rzuciła spojrzenie Geoffreyowi, co wprawiło Rala w jeszcze gorszy nastrój.

– To pewne, że wygrałaś tę partię – rzekł jasnowłosy rycerz ze spokojnym uśmiechem.

Karyna popatrzyła znów na Rala, lecz nie opierała się, jak myślał. Zamiast tego dumnie uniosła głowę. – Jak sobie życzysz, panie.

W ciszy podążyli na górę. Ral nie spuszczał wzroku z połyskujących, ciężkich kasztanowych włosów i uwodzącego kołysania bioder. Już był podniecony i twardy, żądny znaleźć się w jej wnętrzu.

Kiedy zbliżyli się do drzwi ich sypialni, zatrzymała się.

– Uczyniłam, jak sobie życzyłeś, i poszłam z tobą na górę. Pragnę jednak, żebyś wiedział, że nie chcę z tobą dzielić łoża.

W twarzy zagrał mu mięsień.

– Nie ma żadnego znaczenia, czego chcesz. Jesteś moją żoną! Tylko to się liczy. – Nacisnął klamkę i otworzył drzwi, po czym wciągnął ją do sypialni.

Kiedy wziął ją w ramiona, nie opierała się, jednak nie była też powolna jak dawniej.

– Tęskniłem do ciebie, Karyno. – Podniósł jej podbródek i zamknął jej usta pocałunkiem. Jej wargi były zimne i sztywne, nie poddawały mu się. Rozchylił je językiem i wsunął się do środka, nie poczuł jednak ciepła, które zazwyczaj ogarniało jej drobne ciało. Zakończył pocałunek, lecz nie odsuwał się.

– Masz zamiar mnie odtrącać?

– To twoje mężowskie prawo, żeby mnie wziąć. Oddam ci się, jeśli taka jest twoja wola.

Uniósł brwi ze zdziwieniem i ogarnął go gniew coraz większy, w miarę jak rósł ciężar, który legł mu na sercu.

– Oddać się, ale nie odwzajemnić. Taki masz zamiar?

– Jeśli chcesz, żebym udawała...

– Nie drażnij mnie, żono.

– Nie chcę cię drażnić. Po prostu moje uczucia do ciebie wygasły.

W jego oczach pojawiło się nieme pytanie.

– Kiedyś cię pragnęłam. Teraz już nie.

Ral poczuł, jak ogarnia go złość.

– Jesteś namiętną kobietą. Nigdy nie uwierzę, że tak łatwo ostygły twoje zmysły. – Przyciągnął ją do siebie i znów pocałował, namiętnie, używając języka, pieszcząc dłońmi jej piersi, muskając sutki. Powiódł po jej ciele, lecz ono milczało. Serce biło jej takim samym rytmem jak przedtem.

– Kiedyś mnie chciałaś – powiedział, zmuszając się, by się odsunąć, rozdarty między złością, rozczarowaniem i narastającą obawą. – Chcesz mi powiedzieć, że teraz nic nie czujesz? – Karyna milczała. – Jeśli myślisz, że uda ci się zaciągnąć do łoża Geoffreya, to jesteś w błędzie.

– Geoffreya? Przecież to jeszcze chłopiec.

– Jest już mężczyzną i to ambitnym. Nic nie odpowiadałoby mu bardziej niż władza, jaką by zdobył, gdyby posiadł klucz do twojego serca.

– Nie czuję pociągu do Geoffreya. I nie chcę ani jego, ani nikogo innego.

Poczuł ulgę, choć nigdy by się do tego nie przyznał.

– Czego zatem chcesz?

Karyna utkwiła w nim wzrok.

– Wolności. Tego pragnęłam od dnia, w którym się poznaliśmy.

Ral zacisnął zęby.

– Jesteś moją żoną. Twoja wolność zależy od mojej woli. Mam prawo ci rozkazywać, tak samo jak mam prawo mieć cię w swoim łożu.

Zamiast jednak wziąć ją siłą, jak zamierzał, odwrócił się na pięcie i nie oglądając się za siebie, zamknął z trzaskiem za sobą drzwi.

Karyna patrzyła za nim i nagle kolana się pod nią ugięły. Nie wziął jej siłą, chociaż mógł, gdyby wiedział, jak mocno starała się ukryć namiętność, którą w niej rozpalał. Wymagało to całej siły jej woli i zdecydowania, żeby ukryć ogień, który zapłonął w jej wnętrzu. Zdumiało ją, że jej się to powiodło. Była to niewątpliwie miara anglosaskiej dumy, którą odziedziczyła po swoich przodkach.

Głęboko ukryta cząstka jej duszy pragnęła skrycie, żeby zdarł z niej ubranie i zaniósł do wielkiego łoża. Żeby ją całował tak długo, aż zmiękłyby pod nią kolana, żeby ugniatał jej piersi i żeby wszedł w nią głęboko. Pragnęła, żeby mówił czułe słówka po francusku, żeby ją trzymał i pieścił, i doprowadził do szału rozkoszy dotykiem swojego muskularnego ciała.

Nade wszystko jednak pragnęła, żeby ją kochał.

Tak mocno jak ona jego.

* * *

Ral spał tej nocy niespokojnie, wyobrażając sobie Karynę w ramionach urodziwego, jasnowłosego Geoffreya, widząc ból w jej twarzy jak wtedy, kiedy zobaczyła go w łożu z kochanką. Obudził się zlany zimnym potem, a jego wnętrzności zasupłały się w twardy bolesny węzeł.

Zaklął cicho. Krzywiąc się na sztywne członki i pulsowanie w dolnej części ciała, odrzucił na bok przykrycie i wstał z łoża. *Karyna. Ciągle Karyna.* Pragnął jej z żarem, który go zdumiewał. I dlatego odmawiał sobie ulżenia sobie i wzięcia jej siłą.

Walcząc ze swoimi uczuciami, zmusił się do myślenia o czekających go codziennych obowiązkach. Ubrał się jak do walki w brązową tunikę i nogawice. Wciągnął długie buty z miękkiej skóry. Wziął miecz i tarczę i zszedł na dół. Na dziedzińcu giermek pomógł mu założyć zbroję i zapiął pas, przygotowując go do ćwiczeń.

Wszyscy na dobre już rozpoczęli, uzbrojeni w miecze i tarcze, odziani w kolczugi. Ral wypatrzył Oda, który rozmawiał z Lambertem i Hugh, oraz jasnowłosego Geoffreya przepełnionego młodzieńczą energią i arogancją.

Ral rzucił spojrzenie na wysoki mur wieży i wąskie okno sypialni. Czy jego młoda żona patrzy na zebranych na dziedzińcu rycerzy? Czy jej oczy wypatrują jasnowłosego przystojnego rycerza, czy jego? Stojąc przy Lambercie odzianym w gruby kaftan i kolczugę, Geoffrey ćwiczył sam, unosząc miecz i zamaszyście tnąc nim w dół, jakby miał przed sobą prawdziwego przeciwnika, a nie swój cień.

Ral uśmiechnął się złośliwie i wyciągnął z pochwy swój miecz. Wypróbował ostrze kciukiem, przekonując się, że giermek dobrze naostrzył broń, po czym zbliżył się do Oda i Geoffreya.

– Zdaje się, że jesteś dziś w dobrej formie, Geoffreyu.

– Tak się czuję, panie.

– Masz silne ramię do władania mieczem. Zobaczmy, czy wspólne ćwiczenie poprawi twoje umiejętności. – Ral nałożył hełm i przesunął go tak, by osłona na nos znalazła się we właściwej pozycji.

Geoffrey przywitał ofertę uśmiechem.

– Jak sobie życzysz, panie.

Stanęli naprzeciwko siebie, wyczekując, unieśli tarcze i miecze. Mężczyźni wokół zamilkli, ciesząc się z przerwy w ćwiczeniach, a poza tym ciekawi pojedynku, choć nikt nie miał wątpliwości co do jego zwycięzcy.

Ral postąpił bliżej, rzucając młodzieńcowi parę słów, chcąc, by Geoffrey uderzył pierwszy. Kiedy to uczynił, ostrze miecza napotkało metal, aż drżenie przeszło przez jego rękę.

Ral nie poczuł nic. Wspomnienie snu, obrazu Geoffreya z Karyną, rozgrzało mu krew.

Odparował trzy potężne ciosy z głośnym szczękiem miecza, zrobił unik przed następnymi kilkoma, po czym ruszył do natarcia. Geoffrey zasymulował ruch w prawo, po czym odskoczył w lewo, zablokował ciężkie uderzenie i natychmiast je odparował. Początkowo dawał sobie radę z odpieraniem ataków, po chwili jednak zaczął słabnąć.

Ralowi nie potrzeba było wiele czasu, by zorientować się w słabych stronach przeciwnika. Wymierzył ostrze w lewy bok Geoffreya, raz i drugi zablokował słabe uderzenia młodego rycerza, by przejąć kontrolę, po czym kontynuował wściekłe natarcie, póki młodzieniec nie padł na kolana. Ral jednak nie przerwał i zdzielił płazem miecza Geoffreya po hełmie, a następnie poprawił ciosem w pokryte kolczugą żebra.

– Poddaję się, panie! – wykrzyknął Geoffrey, lecz minęła dobra chwila, zanim słowa przebiły się przez bitewny zapał Rala. Drżącymi rękoma cofnął miecz. Krew żywo tętniła mu w żyłach. Kiedy młody rycerz się podniósł, Ral zobaczył, że jego hełm jest tak wgnieciony, że prawdopodobnie trzeba go będzie prostować na kowadle.

Rala ogarnęło poczucie winy.

Nigdy nie zauważył, żeby Geoffrey odnosił się do Karyny inaczej niż z szacunkiem. Nie była to wina młodego rycerza, że Karyna lubiła jego towarzystwo.

To nie była wina Geoffreya, a jednak wściekłość, którą czuł, kipiała w nim, parząc mu wnętrzności i nie dając spokoju.

* * *

– Richardzie, chodź tu, szybko!

Zarządca zobaczył biegnącego ku niemu błazna. Od uczty atmosfera na zamku była tak cięż‑

ka, że lord Ral polecił trubadurom, by jeszcze pozostali.

– Co się stało, Ancilu? – Richard rzucił zaniepokojone spojrzenie.

– Przyszli wieśniacy. Chcą się widzieć z lordem Ralem. Powiadają, że połowa ich bydła jest zarażona.

Pomór. Choroba, która niszczyła całe stada bydła, sprowadzając głód na ich właścicieli.

– Gdzie są? – Richard odłożył rachunki i pośpieszył do błazna.

– Za fosą. Ci ludzie, których bydło jeszcze nie choruje, domagają się, żeby lord Ral zniszczył chore sztuki.

– Jeśli to naprawdę pomór, nie będzie innego wyjścia. Trzeba będzie spalić chore zwierzęta, żeby uratować zdrowe.

Richard wyszedł energicznym krokiem na dziedziniec, słysząc za sobą krótsze, lżejsze kroki Ancila. Dziwne, ale Richardowi sprawiało przyjemność jego towarzystwo.

– Tutaj. – Ancil wskazał kępę drzew.

Richard skinął głową. Był już blisko wieśniaków, kiedy usłyszał za sobą głęboki głos i ciężkie stąpanie.

– Co się tutaj dzieje, Richardzie? – Ral dogonił ich paroma długimi krokami.

– Pomór, panie. Wieśniacy mówią, że może się rozprzestrzenić.

Pomór. Dla Rala był to ciężki cios. Bez bydła nie będzie masła, sera ani mięsa na zimę. Ostatnia rzecz, której potrzebował, to strata bydła.

Porozmawiał z ludźmi stojącymi za mostem zwodzonym, po czym wrócił na dziedziniec po konia. Wybrał smukłego gniadego zamiast czarnego bojowego rumaka. Razem z Richardem pojechali za wieśniakami do wsi. Zatrzymywali się przy każdej, nawet najmniejszej chacie z wikliny oblepionej gliną. Na widok chorych zwierząt przygnębienie Rala rosło. Objawy pomoru były oczywiste. Co gorsza, nie połowa, ale prawie wszystkie zwierzęta we wsi były chore.

– Na Boga, czy ktoś rzucił na nas klątwę? – wymamrotał pod nosem.

– Taka jest kolej rzeczy, panie – rzekł Richard. – Nieszczęścia lubią chodzić w parze.

– To prawda, mój przyjacielu, a o najgorszym lepiej nawet nie mówić.

– Pomór dołoży nieszczęścia na zimę.

– Na pewno.

Gdy zakończyli sprawdzanie bydła we wsi i otaczających ją przysiółkach, Ral poczuł się zdruzgotany. Chciał mieć przy sobie kogoś, z kim mógłby się podzielić swoimi obawami, kogoś, kto by go pocieszył.

Pomyślał o Karynie, o tym, jak by się poczuł, gdyby otoczyły go jej drobne, miękkie ramiona, pozwalając na chwilę zapomnieć o troskach. Przypomniał sobie, że przedtem zawsze dzieliła z nim jego zmartwienia.

– Trzeba je wszystkie zniszczyć – rzekł do Richarda.

– Tak, panie. I trzeba to uczynić, nie zwlekając.

– Każ umieścić odcięte łby na wszystkich rozstajach. – Był to powszechnie znany sygnał, który miał ostrzegać podróżujących z bydłem. Musieli zawrócić, bowiem handel bydłem w takich przypadkach zabroniony był w promieniu kilku mil od ogniska zarazy.

Nastrój Rala pogarszał się z każdą chwilą. Skierował wierzchowca w powrotną drogę. Kiedy wjechał na dziedziniec, ujrzał błazna stojącego obok wartownika.

– Co tutaj robisz, chłopcze?

– Nic – odparł błazen. – Po prostu zabijam czas. – Widać było jednak, że chłopak czeka na Richarda.

Ral zmarszczył się. Zainteresowania zarządcy dotąd nigdy nie zmierzały w tym kierunku. Niemniej nie wiedział tego na pewno, a poza tym często widywał ich rozmawiających.

Ral wzruszył ramionami. To, co robi jego sługa, to nie jego zmartwienie. Chociaż rad byłby zobaczyć go ustatkowanego, z żoną i w otoczeniu silnych, zdrowych synów.

* * *

Karyna spędziła cały dzień we wsi, próbując budzić nadzieję tam, gdzie ludzie popadli w czarną rozpacz.

– Lord Ral nie pozwoli wam głodować – obiecała Neldzie, owdowiałej matce Leofryka. – Ma zboże odłożone właśnie na takie ciężkie czasy. Musicie mu zaufać. Wesprze was.

– Lord nie jest bogaty. Jeśli nawet przeżyjemy zimę, co będzie dalej?

– Mój mąż na pewno znajdzie jakąś radę. Musisz w to wierzyć, Neldo.

Jednak nawet Karyna miała wątpliwości, które nasiliły się, kiedy później tego wieczoru zastała Rala zamyślonego w sypialni. Siedział z łokciami na dębowym stole i z głową podpartą dłońmi. Gęste czarne włosy zmierzwiły się, połyskując w świetle świecy płonącej w kałuży roztopionego wosku. W jego szerokich ramionach widać było napięcie, co świadczyło o tym, że coś go trapi.

Na ten widok Karyna poczuła bolesne ukłucie w sercu.

– Dobry wieczór, panie – powiedziała cicho, próbując odegnać współczucie. – Brakowało cię podczas wieczerzy.

– Czyżby? – spytał, unosząc głowę. – Komu? Tobie, żono?

Tak, pomyślała. *Tęsknię za tobą, z każdym dniem bardziej.*

– Odo o ciebie pytał, Richard i wielu innych.

– Nie mam w ogóle ochoty na jedzenie po rzezi zwierząt w Braxton.

Ona także nie miała.

– Byłam we wsi. Rozmawiałam z ludźmi. Zapewniałam ich, że nie pozwolisz im umrzeć z głodu.

Ral westchnął ciężko.

– Zaraza nie mogła przyjść w gorszym czasie.

– Będziesz w stanie ich nakarmić?

– Nie wiem. Może być trudno. Budowa zamku była bardzo kosztowna. Chociaż nie jestem biedakiem, daleko mi też do zamożności.

– Masz prawo polować, a w spichrzach jest dużo ziarna. Może to wystarczy.

– Będzie musiało wystarczyć. – Zmarszczki porały mu czoło. – Wolałbym, żeby było inaczej, żeby wieśniacy nie ucierpieli od danin aż tak bardzo. Zamek był jednak najważniejszy. Warownia strzeże przejścia. Jest centralnym punktem systemu obrony Wilhelma.

– Powiadają, że król Wilhelm nadał ci tę ziemię, bo ocaliłeś mu życie.

– To prawda.

– Jesteś odważnym człowiekiem, wykazałeś się w bitwie. To też bitwa, tylko trochę inna.

Ral pochylił się do przodu.

– A ty, Karyno? Staniesz obok mnie w tej bitwie? – Popatrzył na nią posępnym wzrokiem zdradzającym niepewność. Przez chwilę dostrzegła w jego oczach błysk pożądania.

– Tak, panie. Uczynię wszystko, co będzie trzeba, by pomóc mojemu ludowi. – Wiedziała, że nie o to pytał. Chciał, by wróciła do jego łoża. W pewien sposób także tego pragnęła, wiedziała jednak, na jakie niebezpieczeństwo się naraża. Przyrzekła sobie przecież, że nie odda mu już nigdy swojego serca.

Dłuższą chwilę Ral się nie odzywał, tylko patrzył w ten swój sposób, który sprawiał, że czuła się niezręcznie, w sposób przywodzący pamięć o tym, co czuła, będąc w jego ramionach. Odsunął fotel i wstał, wypełniając całą salę swoją zwalistą sylwetką. Kiedy okrążył stół i zbliżył się do niej, Karyna cofnęła się.

– Chcę ciebie, Karyno. – Wyciągnął do niej ręce i zamknął w zachłannym objęciu. – Potrzebuję cię.

Czuła jego siłę, moc mięśni tuż przy swoich piersiach i udach. Ustami władczo poszukał jej ust. Karyna poczuła żar pocałunku, niewiarygodne zmysłowe ciepło. W jego dotyku był żar namiętności i tęsknoty za tym, by odpowiedziała, odwzajemniła pocałunek i oparła się na jego mocarnym ramieniu.

Kiedy zdała sobie sprawę z tego, co uczyniła, zesztywniała i odsunęła się.

– Błagam cię, pozwól mi odejść, panie.

Ręce jej drżały tak, że przycisnęła je do rdzawej tuniki.

– Jesteś moją żoną – odparł. – I to już od dłuższego czasu. Chwycił ją na ręce. Karyna chciała zaoponować, lecz silny uścisk i szybkie długie kroki, które stawiał, podpowiedziały jej, że niczego nie osiągnie.

Ral pocałował ją, niosąc przez salę, a pocałunek był pożądliwy i gorący, po czym otworzył drzwi kopnięciem obutej nogi i zaniósł ją do łoża. Ogarnęła ją gorączka, namiętność płynęła gorącym strumieniem w żyłach. Wiedząc, do czego to prowadzi, znalazła siłę, by się opanować.

Kiedy zaczął zdejmować ubranie, nie uczyniła żadnego ruchu, żeby go zatrzymać, ale też mu nie pomogła. Pozostała sztywna i zamknięta, pozwalając mu samemu mocować się z supłami i ściągać bieliznę przez głowę. Ral jakby tego nie dostrzegał, a jeśli to widział, widocznie było mu wszystko jedno. W okamgnieniu ściągnął ubranie swoje i jej i usadowił ją na łożu.

– Rozgrzewasz mi krew – powiedział, kładąc ją na wznak i przyciskając do materaca wielkim ciałem. – Nigdy dotąd nie pożądałem nikogo tak jak ciebie.

Pragnął jej tak jak przedtem. Ale przecież poszedł do kochanki.

Zatem wtedy pragnął Lynette. Kogo zapragnie jutro? Ta myśl wystarczyła, żeby ochłodzić zapał, chociaż jego dotyk parzył jej skórę.

– Błagam cię, Ralu – wyszeptała pomiędzy żarliwymi pocałunkami. – Nie proś mnie, bym to robiła.

Jego ręka znieruchomiała, po czym powędrowała do jej serca.

– Mocno bije. Zaprzeczysz, że mnie pragniesz?

Z jej ust wyrwał się jęk bólu.

– Moje ciało może cię pożądać, ale serce cię odrzuca.

Zaklął szpetnie.

– Zatem musi mi wystarczyć grabież twojego ciała. – Po tych ostrych słowach zabrał się do pracy, wypowiadając wojnę jej ciału, jakby była niezdobytą twierdzą.

Złożył na jej ustach żarliwy pocałunek, od którego zakręciło jej się w głowie. Dłońmi ugniatał jej piersi, masował i ściskał, póki nie stwardniały mu pod dłońmi. Drapał ją zarostem na szczęce, szorstkimi włosami na piersi, uwierał twardością członka.

Chociaż tego nie chciała, pod jego umiejętnym dotykiem jej ciało zaczęło odpowiadać na te zabiegi, serce jęło bić jak oszalałe, a krew zgęstniała w żyłach. Jej świadomość pozostała jednak obojętna, jakby patrzyła z boku na to, co się dzieje, lecz nie brała w tym udziału. Czuła się tak bezpieczniej – mogła przyjąć jego gorące pieszczoty bez oddawania mu swojej duszy.

Ral rozsunął jej nogi kolanem i wsunął palce do środka. Głaskał ją, aż zwilgotniała, zapłonęła pożądaniem. Wtedy wsunął się głęboko, aż po samą nasadę członka.

– Jakże słodko – wyszeptał. – Jakże za tym tęskniłem…

Karyna wygięła się w łuk, mieszcząc w sobie całą jego długość, czując zmysłowe ślizganie się, gorące łaskotanie i jego ciężką męską żądzę. Po chwili wyginała ciało, odpowiadając na każde jego mocne pchnięcie, lecz...

Zdawało jej się, że czegoś zabrakło, czegoś najważniejszego, co wcześniej ją pociągało, a teraz się wymknęło.

– Nie mogę już czekać – szepnął, penetrując ją mocno i głęboko, ponaglając. – Zbyt długo cię nie miałem.

Ciągle jeszcze nie rezygnował i z zapałem nacierał na nią. Innym razem odpowiedziałaby, pozwoliłaby się ponieść dzikiemu porywowi rozkoszy. Kiedyś tak było...

Rozgrzana i spocona, drżąca z podniecenia, Karyna nie osiągnęła spełnienia. Poczuła tylko, że Ral znieruchomiał i poczuła we wnętrzu jego nasienie. Leżał na niej nieruchomy i wyczerpany, oblany potem, powoli uciszając szalone bicie serca. Kiedy odsunął się na bok, twarz miał nachmurzoną.

Karyna nic nie powiedziała. Zrozumiała, że czymkolwiek było to, co jej umknęło, Ral poczuł to także.

Poczuła jego wycofanie. Miała ochotę go dotknąć i w jakiś sposób pocieszyć. Nie zrobiła jednak tego.

– Przykro mi, że nie sprawiłam ci przyjemności.

Ral milczał. Wstał z łoża i ubrał się, poruszając się niezgrabnie. Kiedy skończył, podszedł do drzwi i nie oglądając się za siebie, otworzył je i wyszedł. Usłyszała jego kroki w drugiej sypialni, dźwięk odkorkowywanej butelki i bulgot wlewanego do gardła wina. Wiedziała już, że spędzi tę noc samotnie.

Czując się mała i zagubiona w wielkim łożu męża, na prześcieradłach jeszcze ciepłych od jego ciała, Karyna dotknęła wygniecionego przez niego miejsca, które teraz było puste, i zaszlochała.

* * *

– Czego chcesz, stara?

Marta weszła do głównej sypialni.

– Racz mi poświęcić chwilę, panie.

– Nie widzisz, że jestem zajęty? Mów, co masz do powiedzenia, i zostaw mnie w spokoju.

Dobrze wiedziała, że nie był zajęty. Siedział pogrążony w myślach, warczał na służbę i z rzadka tylko pojawiał się w wielkiej sali.

– To niepodobne do ciebie okazywać taką złość. Odsunięcie chyba ci nie służy.

Głowa Normana uniosła się.

– A skąd ty wiesz, co mi służy?

– Wiem, że od dnia uczty oboje jesteście nieszczęśliwi. Wiem, że poszedłeś do kochanki. Tego twoja Karyna nie może ci wybaczyć. Wiem też, dlaczego to zrobiłeś.

– Nic nie wiesz – burknął, ale jej nie odpędził.

Marta podeszła bliżej i stanęła po drugiej stronie stołu.

– Znam prawdę o twoich zaręczynach.

Po drugiej stronie ciężkiego dębowego blatu lord Ral wyprostował się gniewnie.

– Jaką prawdę?

– Jedna jest tylko rzecz, którą się zyskuje, gdy człowiek starzeje się i słabnie. Jest jedna taka rzecz: mądrość.

– Mówisz zagadkami jak błazen, kobieto.

– Nie zwraca się uwagi na takich jak my. Nasze kości są stare i kruche. Poruszamy się wolniej, nie rzucamy się w oczy, przecieramy sobie drogę w cieniu, ale swoje wiemy.

– Do rzeczy – warknął.

– Wiem o nienaturalnej więzi między lordem Stephenem i jego siostrą. Widziałam, jak wchodził do jej komnaty.

Lord Ral zmierzył ją zimnym spojrzeniem. Zachował spokój, ale w twarzy poczęły mu drgać mięśnie.

– Co czyni Stephen, nic mnie nie obchodzi.

– Teraz może nie. Był jednak czas, kiedy to wiele znaczyło dla ciebie, panie.

Czarny Rycerz nie odezwał się.

– To był powód zerwania zaręczyn. – Postąpiła krok do przodu. – Odkryłeś ich tajemnicę, tak jak ja teraz. Wzbudziło to w tobie wstręt i obawę. Nie mogłeś sobie wyobrazić, żeby tak silny człowiek jak Stephen, człowiek z taką władzą, rzucony został na kolana przez kobietę.

– Zgubiła jego duszę.

– Którą zgubił wcześniej co najmniej z dziesięć razy. – Marta obrzuciła go przenikliwym spojrzeniem. Zauważyła wyżłobione przez cierpienie bruzdy na dotąd gładkiej twarzy. – To może się zdarzyć, jak sam widziałeś, lecz Karyna to nie Eliana. Nie jest zła, nie chce cię zniewolić. Chce tylko użyczyć ci swojej siły, jak każda dobra żona.

Norman odsunął fotel. Odgłos szurania rozległ się nieprzyjemnie głośno w pustce komnaty. Podszedł do wąskiego okienka.

– Sypiać z kochanką to moje prawo. Nie uczyniłem niczego, czego nie zrobiłby jakikolwiek inny mężczyzna.

– Tyle że ty nie jesteś jakimkolwiek mężczyzną. Ona zaś nie jest jakąkolwiek kobietą.

Lord Ral podniósł się niezgrabnie, przeczesał palcami gęste, czarne włosy, odgarniając je z czoła.

– Nie rozumiesz.

– Rozumiem tyle, że twoje uczucie do niej jest wyjątkowe. Boisz się tego. Wiem też tyle, że nie masz powodu się lękać.

– Niewiele jest rzeczy, których się lękam.

– Otóż to, panie. Jesteś silny i mężny. Dlatego musisz znaleźć swoje przeznaczenie, a potem przyjąć je bez obawy.

Wysoki ciemny Norman patrzył z góry na dziedziniec, skąd dochodził szczęk i metaliczne dzwonienie mieczy i tarcz unoszące się znad placu ćwiczeń. Odwrócił się od tego widoku, przemierzył komnatę i zatrzymał się przed Martą.

– Pomyślę nad tym, co mi powiedziałaś. To wszystko, co mogę obiecać. Teraz nie jestem pewien, czy to ma jakieś znaczenie.

Marta wydała z siebie pełne wdzięczności westchnienie.

– Na pewno, lordzie Ralu, ma znaczenie. – Odwróciła się i odeszła.

Rozdział 16

Karyna wyszła ze stajni i skierowała się do dworu. Razem z Leofrykiem pielęgnowała jelonka i kocięta, chociaż kotki podrosły już na tyle, że same mogły łowić myszy, a jelonek oswoił się z chłopcem i chodził za nim krok w krok, kiedy tylko był w pobliżu.

Karyna spędzała z nimi dużo czasu. Zajmowanie się zwierzętami i obowiązki pani na zamku pozwalały jej nie myśleć o nieszczęsnych wieśniakach i złamanym sercu, które bolało, ilekroć przypomniała sobie o Ralu.

To był jej sposób, by zapomnieć o naiwnych marzeniach.

Walczyła z nimi właśnie w drodze do składów, gdzie szła sprawdzić ostatnie dostawy. Otworzyła drzwi do jednego z pomieszczeń i zatrzymała się, zanim weszła do środka.

– Ancilu, co ty tutaj robisz?

Błazen odwrócił się w jej stronę.

– Lady Karyna! – Nie miał na głowie czapki. Włosy – złote i długie – spływały luźno aż za ramiona. Jedno ucho wystawało z jednej strony głowy, drugie zaś przylegało do czaszki. Było delikatne jak muszla i idealnie pasowało do owalnej twarzy.

– Matko Boska! Ancilu, ty jesteś kobietą! – Wielkie oczy Karyny i zaskoczone zielone spotkały się. Dziewczyna jęknęła i schyliła się w głębokim ukłonie.

– Błagam, lady Karyno, musisz dotrzymać tajemnicy. – Głos błazna nie brzmiał po męsku, a zdecydowanie po kobiecemu: miękką, słodką melodią. – To sprawa życia i śmierci.

– Jak ty to zrobiłaś z uszami? – spytała Karyna, nie odrywając wzroku od niezwykłych uszu: jednego przylegającego do głowy i drugiego odstającego od niej.

– To? Ach, to tylko kawałek gliny. – Oderwała kawałek i pozwoliła, by odstające ucho wróciło do swego naturalnego położenia. – Proszę, pani. Błagam cię, nie mów nikomu.

Była śliczna, delikatna i bardzo miła. Chociaż starsza od niej, nie miała więcej niż dwadzieścia lat.

– Na pewno ktoś jeszcze zna twoją tajemnicę. Na przykład twoi towarzysze.

– Moi towarzysze wiedzą, ale nikt poza tym. Proszę cię, nie mów lordowi Ralowi.

Mnóstwo myśli cisnęło się Karynie do głowy.

– Czy Richard o tym wie?

Potrząsnęła głową, aż zalśniły jej długie włosy. Kąciki ust opadły wyrażając smutek.

– Czasami patrzy na mnie tak dziwnie. Sądzę, że może się domyśla. Gdybym mogła, powiedziałabym mu.

– Dlaczego nie możesz?

Dziewczyna przygryzła dolną wargę, wahając się, po czym westchnęła i zaczęła:

– Nie nazywam się Ancil, lecz lady Ambra. Jestem córką Edwarda z Yorku.

– Słyszałam o nim. Myślałam, że twój ojciec nie żyje.

– Tak jest, pani. Zanim uciekłam, mieszkałam w Morlon, z bratem matki, Karolem.

– Dlaczego stamtąd wyjechałaś?

– Byłam zaręczona z lordem Beltarem Zapalczywym. Jest bogaty i potężny, podczas gdy mój wuj biedny. Beltar był skłonny mnie poślubić, chociaż mój posag jest nadzwyczaj skromny. Wuj zaś ucieszył się, że będzie miał kogoś bogatego w rodzinie.

Karyna zastanowiła się przez chwilę. Gdzieś w zakamarkach pamięci znalazła coś na temat Beltara... coś, co zasłyszała.

– Tak, teraz sobie przypominam. Lord Beltar ogłosił, że porwano cię wbrew twojej woli. Ofiarowuje nagrodę za twój powrót. – *Słodka Mario, Matko Boża, jeszcze jedno zmartwienie dla Rala, jeśli Beltar odkryje, że Ambra jest tutaj.*

– Jest szpetny i niski. Raz chciał mnie wziąć siłą. Przysięgam, że zrobiło mi się niedobrze. – Wyprostowała się – Nie wyjdę za niego. Przysięgam, że nie wyjdę za mąż, dopóki nie zdarzy mi się okazja małżeństwa z miłości.

Karynę coś zakłuło w środku.

– To bardzo trudne w dzisiejszych czasach, lecz tym bardziej szlachetne.

– Zatem dotrzymasz tajemnicy?

Karyna pomyślała, co zrobiłby Ral, gdyby odkrył prawdę.

– Dotrzymam, ale czy nie tęsknisz za domem? Powiedz mi, czy jesteś szczęśliwa, podróżując w męskim przebraniu?

– Przez jakiś czas byłam szczęśliwa.

– A teraz?

– Teraz kogoś poznałam...
Richard.
– Pomogę ci, lady Ambro. Może chociaż ty będziesz szczęśliwą kobietą, która odnajdzie miłość.

* * *

Karyna podniosła się z fotela ustawionego przy kominku, gdzie siedziała z igłą w ręku. Delikatny haft zdobił rękawy jedwabnej koszuli. Przeciągnęła nić przez tkaninę, zadając sobie pytanie, czy Ral zauważy jej staranną pracę. Dziwne, że tak banalne zajęcie przynosiło ulgę w zmartwieniach. Kiedyś nienawidziła robótek, teraz jednak odkryła ich kojące działanie.
– Dlaczego do niego nie pójdziesz? Widać, że tego chcesz.
Spojrzała w górę na Oda, który przystanął obok, patrząc na nią świdrującymi błękitnymi oczami. Pytanie przywołało niechciane myśli.
– Nie chodzi o to, czego ja chcę, ale o to, czego on chce. – Smukły normański rycerz przysiadł na drewnianej ławie. Płomienie wzniecały ogniste błyski w jego rudej czuprynie. – Teraz jestem to ja. Kogo będzie chciał jutro albo za tydzień?
– Co zdarzy się jutro, nie ma znaczenia. Pragnie ciebie tak samo jak ty jego. To ma znaczenie.
– Jeśli tak myślisz, nie masz pojęcia o tym, co jest ważne.
Odo żachnął się.
– Zachowujesz się, jakbyś go opłakiwała.
Karyna popatrzyła badawczo na jego twarz. Ściągnął rude brwi w wysiłku, żeby pojąć, co powiedziała.
– Czy nigdy jeszcze nie kochałeś, Odo?

– Nie. Miłość jest dla głupców.

– Miałeś kiedyś rodzinę. Kochałeś ojca i matkę, braci i siostry?

– A jakże, kochałem – odparł szorstko.

– A kiedy umierali, nie czułeś bólu, nie cierpiałeś?

– Rozpaczałem po nich bardziej niż po kimkolwiek.

– Tak samo boli, kiedy tracisz kogoś, komu oddałeś swoje serce.

Zmarszczył twarz jeszcze bardziej.

– Przecież go nie straciłaś. Wystarczy, że pójdziesz na drugą stronę sali i...

– Nigdy tego nie zrozumiesz. – Wstała z fotela i odłożyła haft. Zobaczyła, że Odo wpatruje się w nią nieruchomym spojrzeniem, próbując zrozumieć znaczenie tego, co powiedziała.

– To proste, Odo – powiedziała smutno. – Żeby kochać kogoś i nie cierpieć, ten ktoś musi odwzajemniać twoją miłość.

Odo patrzył na nią poruszającą się powoli i bez energii ożywiającej ją wcześniej. Chociaż trzymała głowę wysoko, wydawała się przygnieciona rozpaczą. Spojrzał na Rala i zobaczył, że jego szare oczy utkwione są w jej drobnej sylwetce. We wzroku czaił się smutek, niepewność i jeszcze coś, czego nie umiał nazwać. Tak było od dnia, kiedy odwiedził Lynette.

Odo nie wiedział, co dokładnie czuje przyjaciel, wiedział jednak, że cierpi.

Wstał. Niewiele go obchodziło, co czuje Karyna, bo była tylko kobietą, na domiar złego Anglosaską, martwił się jednak o przyjaciela.

– Patrzysz na nią, jakbyś nigdy nie widział kobiety. – Dołączył do Rala na podeście. – Widać, że jej pożądasz. Dlaczego po prostu jej nie weźmiesz?

Ral oderwał wzrok od miejsca, w którym znikła Karyna. Serce bolało go od samych myśli o niej, nie mógł ich jednak powstrzymać.

– Połączenie wywołuje tylko gorzkie wspomnienia. Nie daje przyjemności.

– Dlatego, że jeszcze się nie nauczyła, że musi cię dzielić z innymi? Z czasem pogodzi się z tym, że jak każdy pożądasz też innych kobiet.

Ral popatrzył posępnie.

– Czyżby? Dlaczego żadna inna kobieta mnie nie zadowala? Dlaczego pożądam tylko jej, lecz od kiedy wyrósł między nami mur, nie znajduję żadnej przyjemności w tym, że ją biorę? – Bolesne westchnienie wydarło mu się z piersi. – Dlaczego cierpienie mojej żony odczuwam jak swoje własne?

– Nie znam odpowiedzi. Mogę ci tylko powiedzieć, że...

– Możesz mi powiedzieć, dlaczego sam przed sobą nie przyznaję się do swoich uczuć, skoro nie ma jednej duszy na zamku, która by ich nie widziała?

– Nie bądź głupcem. Jeśli oddasz jej serce...

– To co się stanie? Jakież to straszliwe nieszczęście mnie dosięgnie? Ciekaw jestem, czy może być coś gorszego, niż to, co już mnie powaliło. – Ral ścisnął poręcze fotela i wstał. – Wiem, że mówisz to, w co wierzysz, lecz czas pokaże, który z nas jest naprawdę głupcem. – Nie oglądając się na przyjaciela, odszedł, zostawiając Oda pogrążonego w myślach nad tym, co właśnie usłyszał.

– Na rany Chrystusa – mruknął ponuro Ral, mając dość wszystkich mieszkańców zamku udzielających mu rad, których nie potrzebował.

Wszedł po dwa stopnie na górę, po czym poszedł korytarzem. Ze wszystkich rad, których mu udzielono, wyłaniała się jedna rzecz jasna jak słońce. Pragnął Karyny i wierzył, że i ona pragnie jego.

Widział, jak na niego patrzyła dzisiejszego wieczoru. Czuł na swoim ciele jej wzrok. Obserwował, jak się rumieniła i jak nieświadomie zwilżała wargi. Wiedział, co znaczy ten wyraz twarzy kobiety – nie był wszak głupcem.

Karyna była stworzona do miłości. Mogła się nie przyznawać do pożądania, lecz wierzył, że gdzieś głęboko nadal je czuje. Jeśli pragnie go dość mocno, może z czasem mu przebaczy. Może uda mu się odbudować uczucie, które ich kiedyś łączyło. Może on się nauczy ją kochać jeszcze mocniej.

Ral minął główną sypialnię, po czym podszedł do drzwi swojej komnaty. Zapukał i nacisnął klamkę, nie czekając na zaproszenie.

– Panie? – Karyna stała przed migoczącą świecą, mając na sobie jedynie koszulkę bez rękawów. Rozpuszczone włosy lśniły ciemnym, kasztanowym płomieniem wokół ramion. Na ścianie przed nią tańczyły cienie, nasuwając mu myśli o cieniach przeszłości, które przyszedł zwyciężyć.

– Czas, żebyśmy położyli kres naszemu zmartwieniu. Czas, żebyś ogrzała mi łoże.

Najeżyła się, a on przeklął się w duchu za to, co powiedział. Jednak zdecydował się i miał jasny cel. Nie podda się, dopóki nie zakończy sprawy.

– Czy nie ma znaczenia, że cię nie chcę?

– Nie wierzę w to, inaczej by mnie tu nie było.

– Poprzednio ci się oddałam. Tym razem będę walczyć.

Przyszpilił ją do miejsca długim stanowczym spojrzeniem.

– Jesteś moją żoną. Jeśli spróbujesz mi się opierać, zedrę z ciebie ubranie i przywiążę do łoża.

W głębi jej ciemnobrązowych oczu zapalił się przelotny błysk.

– Jak sobie życzysz, panie. W końcu, jak rzekłeś, jestem twoją żoną, prawowitą i poślubioną.

– Właśnie. Jestem twoim panem, tak samo jak mężem. – Zbliżył się do niej, patrząc na krągłe kształty i wysoko podniesione piersi. Zatrzymał się u stóp łoża. – Chodź do mnie, Karyno.

Wahała się przez długą, niepewną chwilę, po czym podeszła do niego sztywno, starannie powściągając uczucia. Z jej ruchów biła gorzka rezygnacja.

Ral zaklął w duchu. Przysiągł sobie, że przezwycięży jej niechęć. Znajdzie słabe miejsce w jej pancerzu, sposób, by złamać jej opór. Będzie kochał się z nią dopóty, dopóki ona nie zapomni o swojej oziębłości, nie zapomni o wszystkim poza nim i jego twardym członkiem wbijającym się w jej wnętrze.

Stanęła przed nim z dumnie wyprostowanymi ramionami, tak samo zdecydowana jak on, skupiona na tym, by nie poddać się namiętności.

Kiedy Ral pochylił się i ją pocałował, poczuł drżenie jej miękkich warg, ich ciepło, zanim nie przesiąkły chłodną rezerwą. Pocałował ją ponownie, zachęcając do rozchylenia warg, skubiąc lekko kąciki jej ust, zmuszając je, by zmiękły. Wsunął język do środka i smakował słodycz jej oddechu, cierpki posmak wina i uwodzicielski smak kobiety.

Odnalazł jej piersi i zamknął je w dłoniach przez cienką lnianą tkaninę. Przypominał sobie każdą ich słodką krągłość, przypominał sobie, jakie są wysokie i bujne, jakie różowe na czubkach. Przypominał sobie, jak to było wziąć je do ust i ssać, dopóki jej ręce nie wbiły się w jego ramiona. Pragnął robić to znowu, podniósł więc jej koszulę, odwrócił i zaczął pokrywać gorącymi pocałunkami kark i plecy wzdłuż kręgosłupa. Jej skóra pod jego ustami była miękka i delikatna i taka gorąca, że fala krwi napłynęła mu do pachwin. Już sztywna i pulsująca jego kopia uniosła się i stwardniała jeszcze bardziej.

Nadal jednak czuł opór i miał zamiar go przezwyciężyć.

– Usiądź na skraju łoża.

– Jak sobie życzysz, panie – wykrztusiła przez zaciśnięte zęby Karyna. Wypowiedziała to ponurym, lecz lekko drżącym głosem, który pozwolił mu uwierzyć, że nie była aż tak odporna na jego dotyk, jak chciała, by uwierzył. Usadowiła się na łożu i odrzuciła włosy do tyłu, wyglądając na spokojną i skupioną, lecz lekki rumieniec zaróżowił jej policzki. Była naga, a on patrzył na nią z uwielbicniem.

– Myślałem tysiąc razy o tym, jaka jesteś piękna.

Karyna nie odpowiedziała, lecz jej oddech stał się nierówny. Utkwiła wzrok w ścianie po jego lewej stronie.

– Otwórz dla mnie nogi. Niechaj choć ujrzę to, czego tak usilnie starasz się mi odmówić.

Chociaż jej policzki zarumieniły się mocniej, nogi nadal trzymała złączone.

– Jesteś moją żoną – przypomniał jej i pochylił się, żeby pocałować ją w czoło, a potem w oczy, nos i usta. Pocałunki parzyły jej skórę, jego język poruszał się szybko, smakując, zachęcając, łącząc się z jej językiem, po czym odsuwając. Cały czas dłońmi pieścił jej piersi, pocierał sztywne małe sutki, aż nabrzmiały i stwardniały, nabierając ciemniejszego odcienia czerwieni, kiedy brał je jedną po drugiej do ust.

Karyna wydała z siebie dźwięk, cichy jęk, który mógł być wyrazem zarówno złości, jak i rozkoszy. Otworzył szeroko usta, żeby zmieścić całą jej pierś, językiem igrając z ich twardym zakończeniem, zataczając wokół niego koła i delikatnie ciągnąc. Jego wysiłki nagrodzone zostały następnym cichym jękiem, co do którego nie można już było mieć wątpliwości.

Powiódł dłońmi niżej, przez jedwabiste pierścionki kasztanowych włosów stojących na straży jej kobiecości. Rozchylił palcem płatki i zaczął zataczać palcem kółka, a potem delikatnie i powoli wślizgnął się do środka.

– Ależ delikatne – szepnął, prowadząc usta tą samą drogą, którą przebyła jego ręka, składając długie wilgotne gorące pocałunki na jej płaskim brzuchu, trzymając palec w środku. – Ależ wilgotno. – Wsunął język do jej pępka, okrążył go, po czym zsunął się jeszcze niżej. – Jesteś do tego stworzona, Karyno. Nie widzisz tego? – Naturalnie nic nie odpowiedziała, a on poczuł, że się trochę wycofała.

Rozsunął szerzej jej nogi i ukląkł między nimi, całując uda po wewnętrznej stronie, ale nie przerywając pieszczot rękami.

– Proszę... – usłyszał jej szept i poczuł jej dłonie na ramionach, jakby chciała go odepchnąć.

– O co prosisz, Karyno? „Proszę cię, Ralu, nie rób tak, żebym nie czuła tego, co czuję"? Mam prawo jako mąż wziąć wszystko, co możesz mi dać. – Po kilku następnych delikatnych pocałunkach złożonych na jej kuszącym ciele znalazł mały różowy pączek jej pożądania i przywarł ustami do najwrażliwszego miejsca.

Dotknął go językiem i piżmowy zapach rozpalił go, śląc ogień do jego lędźwi i sprawiając, że począł pulsować niespełnionym pożądaniem. Z każdym uderzeniem serca płonął większą żądzą i bólem. Czuł, jak drży jej drobne ciało, wije się pod nim i wypręża. Zobaczył, że jej ręce gorączkowo szarpią pościel, i wsunął język do środka najgłębiej jak mógł.

Karyna wykrzyknęła jego imię i ten dźwięk dodał mu pewności. Kiedy całował ją i smakował, walczyła, żeby mu się oprzeć. Walczyła sama ze sobą. Wkrótce poczuł jej ręce na swojej głowie, a jej ciało się uniosło. Jęknęła cicho z rozkoszy i rozchyliła uda jeszcze szerzej. Oddech miała szybki i urywany.

Nadal grabił jej słodycz, dłonie wsuwając pod pośladki, ściskając je i zmuszając do przyjęcia każdego pchnięcia języka. Poczuł, jak jej ciało sztywnieje, usłyszał szloch poddania się i dreszcz rozkoszy, który ją przeniknął, i już wiedział, że osiągnął swój cel.

Spiesząc się, by nie zdążyła ostygnąć, Ral ściągnął ubranie i wrócił między jej nogi. Jego kopia znalazła wejście, po czym wsunęła się głęboko.

Karyna krzyknęła, czując twardą jak skała męskość w swoim wnętrzu i przygniatające ją stalowe mięśnie jego ciała.

Dobry Boże, nie wolno mi pozwolić mu zwyciężyć. Podczas gdy umysł się buntował, ciało oblewały fale rozkoszy, gorąca i niewiarygodnej przyjemności. Brał ją znowu i każdym pchnięciem swojego członka doprowadzał bliżej do szalonego orgazmu.

Chciała mu się oprzeć, uchronić przed bólem, który miał nadejść potem, lecz tym razem Ral jej nie pozwolił. Nie miała gdzie się skryć, nie było ucieczki przed bezlitosnym natarciem, nie było sposobu, by uciec przed własną namiętnością.

Płonęła gorączką, żarem rozkoszy i pożądaniem. Owinęła go nogami, objęła szyję ramionami i przywarła do niego. Próbowała myśleć o przyszłości, o Lynette i kobietach, których będzie kiedyś pożądał, lecz jedyną rzeczą, o której mogła myśleć, była ta chwila. Po chwili i ta myśl gdzieś uleciała, aż pozostało tylko ciało Rala, tylko jego mięśnie pod gładką śniadą skórą i głęboko w niej.

– Ral... – wyszeptała. – Boże jedyny, Ralu... – Osiągnęła szczyt jeszcze raz, poczuła, że stężał i szarpnął się do przodu, po czym wypuścił do jej wnętrza swoje nasienie.

Jeszcze zanim się to skończyło, w kącikach jej oczu wezbrały łzy i spłynęły słoną ścieżką po policzkach. Chciała się podnieść, lecz jej nie pozwolił. Objął ją mocno w pasie i przytulił do siebie. Przekręciła się na bok, walcząc z płaczem, drżąc z wysiłku i ogromu poniesionej klęski.

Ral jedną ręką odgarnął włosy z jej twarzy.

– Płaczesz, bo myślisz, że przegrałaś tę bitwę – powiedział cicho. – Czy nie widzisz, że to właśnie ty ją wygrałaś?

Krótkie chlipnięcie było jedynym dźwiękiem, który usłyszał w odpowiedzi.

Ral delikatnie odwrócił ją, zmuszając, żeby popatrzyła mu w twarz. W migoczącym świetle świecy jego oczy zdawały się bardziej błękitne niż szare, a pukiel gęstych czarnych włosów opadł mu na czoło.

– Posłuchaj mnie, Karyno. Nie trzeba płakać. To ty wygrałaś tę bitwę, nie ja. – Uśmiechnął się, lecz znużenie odmalowało się na jego twarzy. – Umówiłem się z lordem Pontefactem. Jutro, zanim opuścimy sypialnię, Lynette nie będzie już na zamku.

– Co takiego?
– Odsyłam ją.
– Dlaczego? – Karyna popatrzyła mu badawczo w twarz. – Dlaczego miałbyś to zrobić?
– Czy to nie jest oczywiste, *chèrie*? – Szorstki męski kciuk otarł łzy z jej policzka. – Nie pragnę już Lynette. Tylko ciebie pragnę, żadnej innej.
Karyna przyglądała się grze cieni na jego twarzy, na dumnej, pokrytej szorstkim zarostem szczęce.
Czy naprawdę tak myślał, czy chciał odzyskać jej zaufanie?
– Chciałabym w to wierzyć, ale...
– Bóg mi świadkiem, że to prawda, Karyno. Nie myślałem o żadnej innej kobiecie, od chwili kiedy znalazłem się z tobą w łożu.
Świeże łzy zalśniły jej w oczach, aż musiała odwrócić głowę.
– Dlaczego więc to zrobiłeś?
Przez chwilę Ral milczał, po czym westchnął.
– Trudno mi powiedzieć. Częściowo z powodu Stephena i Eliany. Z powodu władzy, którą ona ma nad nim. Byłem świadkiem tego, co taka kobieta może uczynić z mężczyzną.
– Ja przecież nie jestem taka.
Uśmiechnął się do niej miękko.
– Nie, nie jesteś.
– Kochałeś ją? – zapytała. *Czy jeszcze ją kochasz?*
– Może kochałem... kiedyś. Teraz widzę, że jest chciwa i żądna władzy.
– A Stephen?
Przez chwilę się wahał.
– On ją kocha tak, jak mężczyzna kocha kobietę.
– Nie chcesz chyba powiedzieć...
– Niestety...

– Przecież to najcięższy z grzechów – powiedziała z jękiem Karyna.
– Tak. To z całą pewnością ściągnie na nich klątwę bożą.
– Ciągle nie rozumiem, co to ma wspólnego ze mną.
– Nie wiesz?
– Nie, ja...
– Może lepiej, że tego nie wiesz. – Pocałował ją długo i namiętnie. Czuła miarowe bicie jego serca.
– Tak bardzo do ciebie tęskniłam – wyznała.
– O nie, skarbie, na pewno nie tak bardzo jak ja do ciebie.
Karyna zamknęła oczy i pozwoliła, by ogarnęło jego ciepło. Nie powiedział, że ją kocha, powiedział jedynie, że pożąda jej bardziej niż kogokolwiek innego na świecie. Niemniej był to początek, i to lepszy, niż mogłaby kiedykolwiek sobie wymarzyć.
Objął ją mocniej, przeczesał palcami jej kasztanowe włosy, po czym odchylił jej głowę i pocałował żarliwie i namiętnie. Kiedy ją puścił, drżała na całym ciele.
– Dobrze nam razem, Karyno. Nie widzisz tego?
Dobrze, jeśli chodzi o przyjemność, o ulżenie cielesnej gorączce, ale co z miłością – chciała zapytać. Kiedyś kochał Elianę i został boleśnie zraniony. Czy był w stanie pokochać znowu? To też było pytanie, którego nie zadała. Nie powiedziała też o miłości, którą do niego czuła. Bała się. Już raz od niej uciekł i mógł uczynić to znowu.
Następnym razem już mu nie wybaczy.

Rozdział 17

Zmartwiony nieszczęściem wieśniaków, którym zaraza zabrała bydło, Richard przeszedł przez dziedziniec, kierując się do obór za stajniami. Zwierzęta na zamku Braxton na razie oparły się chorobie, lecz Richard zaglądał do nich codziennie. Ich mięso mogło tej zimy uratować przed głodem wielu ludzi.

Mijając stajnię, pomyślał, że może lady Karyna pielęgnuje jelonka, i postanowił zajrzeć do środka. We wnętrzu panował półmrok. Światło słoneczne wpadało smugami przez otwarte okienka i wrota. Pachniało końmi i sianem. Poruszając się, wzbijał kłaki kurzu na twardym, ubitym klepisku.

Usłyszał czyjś głos i sądził, że znalazł lady Karynę. Skierował się w tamtą stronę. Tymczasem w rogu stajni stał Ancil i mówił coś, czego Richard nie dosłyszał, po czym przechylił się przez krawędź beczki.

– Co ty tutaj robisz, maleńki? – powiedział wyraźniej błazen i roześmiał się cicho. Jego chichot odbił się echem od dna beczki. Richard w ogóle nie słuchał głosu, bowiem jego uwagę przykuły nogi młodzieńca. Krótka brązowa tunika uniosła się powyżej obcisłych nogawic, odsłaniając krągłe pośladki.

Twarde i zaokrąglone, bardzo kobiece. Stanowczo zbyt krągłe jak na takiego młodego, szczupłego chłopca. Brwi Richarda ściągnęły się. Patrząc na poruszające się pośladki błazna, doznał dziwnego uczucia w lędźwiach. Tym razem nabrzmiewająca męskość nie wprawiła go już w zakłopotanie. Wzbudziła w nim tylko silniejsze podejrzenia. Już od kilku dni zastanawiał się nad dziwną reakcją swojego ciała na obecność smukłego młodzieńca, ostatniego z trupy trubadurów, który pozostał na zamku.

Pozostali ruszyli w drogę, lecz lady Karyna nalegała, aby Ancil został jeszcze. Teraz, kiedy Richard patrzył na kształtne nogi, myślał o delikatnych rysach jasnowłosego chłopca i o czasem zbyt grubym głosie. Coś było nie w porządku i właśnie teraz odkrył, co to takiego.

Pozbywszy się wątpliwości, Richard podszedł zuchwale do Ancila i mocno klepnął go w kuszące pośladki. Młodzieniec wylądował z głową w beczce, po czym podskoczył tak szybko, że czapka spadła mu z głowy.

Jedwabiste jasne włosy rozsypały się na ramionach młodzieńca.

– Richardzie!

Słowo zostało wypowiedziane wysokim i śpiewnym głosem, jakiego wcześniej Ancil nie używał. Poza uszami Ancil nie miał żadnej wady. Był tak urodziwy jak każda kobieta, którą najwyraźniej był.

– Tak mam na imię, oszustko! Teraz chcę wiedzieć o tobie całą prawdę.

Dziewczyna rozejrzała się po stajni z rozpaczą, mając nadzieję, że nikt więcej tego nie słyszał. Sięgnęła do beczki i wyciągnęła z niej jedno z kociąt lady Karyny i swój brunatny filcowy kapelusz. Wcisnęła go na głowę, a wkładając do środka włosy, poruszyła ucho, które przywarło do czaszki, nadając jej natychmiast bardziej kobiecy wygląd.

Richard schylił się i podniósł mały kawałek gliny. Zrolował go między palcami.

– Wierzę, że musiałaś tak zrobić. Wyglądasz na...

Złapała glinę z jego ręki i wcisnęła ją za ucho, sprawiając że małżowina zaczęła bardziej odstawać.

– Dziękuję.

– Okłamałaś nas, oszukałaś i zrobiłaś ze wszystkich głupców. – *A zwłaszcza ze mnie*, pomyślał z goryczą. – Muszę wiedzieć, kim jesteś naprawdę.

Nerwowo oblizała usta i popatrzyła w stronę wrót od stajni, jakby chciała rzucić się do ucieczki.

Richard postąpił krok bliżej.

– Powiesz albo mnie, albo lordowi Ralowi. Nie ma to dla mnie żadnego znaczenia, komu wolisz wyznać prawdę.

– Błagam, Richardzie. Nie mów mu nic.

– Dlaczego nas oszukałaś? – Jej smukła ręka dotknęła jego ramienia, ciepłego i gładkiego. Richard poczuł uderzenie gorąca.

– Nie myślałam, że zostanę tutaj tak długo. Prawda nie miałaby znaczenia, gdybyśmy nie zostali przyjaciółmi. Nie ma dnia, żebym nie żałowała swojego oszustwa.

– Dlaczego udajesz chłopaka?

Tak zwięźle, jak się dało, Ancil wyjaśnił, że naprawdę jest lady Ambrą zaręczoną wbrew woli z Beltarem Zapalczywym. Żeby uniknąć tego małżeństwa, musiała salwować się ucieczką.

– Takich zaręczyn nie wolno zerwać – rzekł, czując nieoczekiwany ciężar na sercu. – Będziesz musiała wrócić do wuja.

Ambra hardo zadarła podbródek. Do tej pory uważał, że Ancil jest urodziwym młodzieńcem, teraz, wiedząc, że jest kobietą, wydała mu się istną pięknością.

– Nie – odparła. – Zaszłam już za daleko i nie mam odwrotu. Nie poślubię takiego człowieka jak Beltar.

– Kobieta nic nie ma do powiedzenia w takich przypadkach – stanowczo odparł Richard. – Jeśli zostałaś przyrzeczona Beltarowi, tak musi być. – Sięgnął, by wziąć ją za ramię, ale odskoczyła.

– Nie wyjdę za niego, Richardzie. Ani ty, ani Braxton, ani nikt inny mnie do tego nie zmusi. Zamierzam wyjść za mąż z miłości.

Richard żachnął się:

– Mówisz jak naiwna młódka. Twój wuj wie najlepiej, co jest dla ciebie dobre. Musisz uczynić zadość jego życzeniu. Gdybyś była moją wychowanką, kazałbym cię wychłostać za ucieczkę.

– Na szczęście nie jestem twoją wychowanką. Poza tym nie widziałam jeszcze, żebyś podniósł na kogoś głos, a co dopiero rękę.

Richard poczerwieniał. Nie mógłby jej skrzywdzić. Prawdę mówiąc, wszystko, do czego był zdolny, to dotknąć jej. Zrozumiał, że pragnie tego od dawna.

– Trzeba powiedzieć lordowi Ralowi.

– A niech cię licho, Richardzie. Myślałam, że jesteśmy przyjaciółmi.

Przyjaciółmi. Wiedział już, że pragnie od Ambry o wiele więcej niż tylko przyjaźni, pomimo że okazała się hardą damą, trudną do kierowania, dziką i do tego przyrzeczoną innemu.

– Tak, mnie też się wydaje, że jesteśmy.
– Lady Karyna zgodziła się mi pomóc. Powiedz, czy i na ciebie mogę liczyć.
Mogła. Zrozumiał to, walcząc z nową falą pożądania, którą wzbudziła.
– Jesteś uparta i marzysz o rzeczach nieosiągalnych. Pewne jest, że dasz szczęście każdemu, kogo poślubisz. Niemniej tak, możesz na mnie liczyć.
Zarzuciła mu ręce na szyję i cmoknęła głośno w policzek.
– Dziękuję, Richardzie.
Wszystko, na co go było stać, to powstrzymanie się, by nie przyciągnąć jej do siebie i nie pocałować tak, jak należy całować kobietę. Chrząknął i cofnął się.
– Jestem lojalny przede wszystkim wobec lorda Braxtona. Daję ci czas, żebyś się zastanowiła, co powinnaś zrobić, nie mogę jednak zagwarantować ci bezpieczeństwa na zawsze.
Ambra uśmiechnęła się lekko. Poruszyła się, przedzierzgając się w błazna Ancila.
– Cieszę się, że znasz już prawdę, Richardzie.
On też był zadowolony. Bardzo. Przynajmniej był teraz pewien, że pożądanie, które przenika gorączką jego ciało, jest pożądaniem do kobiety, a nie do chłopca.

* * *

Karyna zeszła po kamiennych stopniach do wielkiej sali. Od kiedy Ral wrócił do jej łoża, był dobry i czuły, kochający i subtelny, a także ogniście namiętny.
Niemniej wydawało się, że stara się nie tracić czujności, by nie pozostać całkowicie bezbronnym.

Jeszcze większą czujność zachowała Karyna.

Jak przyrzekł Ral, Lynette została odesłana z zamku, lecz Karyna już nie ufała mu tak jak dawniej i chociaż każdej nocy jej ciało domagało się jego dotyku, nie sądziła, że zdolna będzie kiedykolwiek mu zaufać jak przedtem. Starała się go unikać, przestraszona władzą, którą miał nad nią, zdecydowana się bronić, trzymać serce zaryglowane przed nim na tyle, na ile się da.

Uśmiechnął się, widząc, jak się zbliża, a w jego szarych oczach, zanim zdołał ukryć wzrok, pojawił się przelotny błysk pożądania. Zamachał do niej, stojąc przy otwartych drzwiach i witając Hassana, arabskiego medyka, który właśnie wrócił na zamek.

Chociaż Ral nie przerwał rozmowy z Arabem, otoczył Karynę ramieniem, przytulając bliżej siebie i sprawiając, że żywiej zabiło jej serce.

– Dobrze cię widzieć, przyjacielu – przywitał wysokiego mężczyznę o oliwkowej cerze. – Niewiele mieliśmy okazji do rozmowy, gdy widzieliśmy się ostatni raz.

– Cieszę się, że wróciłem. – Arab był cichy, szczupły, ciemny i egzotyczny. Jego wąski nos był zakrzywiony w połowie, a oczy, choć czarne jak noc, płonęły dziwnym wewnętrznym blaskiem.

– Medyk zgodził się zostać u nas przez dwa tygodnie – rzekł Ral uśmiechając się do niej. – Będziemy mieli dość czasu, by odświeżyć znajomość.

Karyna także się uśmiechnęła, chociaż wolałaby, żeby Ral uwolnił ją z uścisku, by mogła się trochę odsunąć.

– Powiadają, że arabscy medycy są najlepsi w tym kraju. Czy nasz przyjaciel zgodził się udzielić mi swoich wskazówek?

Arab błysnął białymi zębami.

– Naturalnie, pani, jeśli taka jest twoja wola. – Skłonił głowę. – Zrobię to z największą przyjemnością.

Będzie miała czym się zająć, zamiast martwić się o Rala i o przyszłość.

– Ral opowiadał mi, że leczyłeś kiedyś samego króla – zwróciła się do medyka Karyna, kiedy wchodzili już do środka, kierując się do stołu ustawionego na podeście.

– To prawda. Teraz także pozostaję w jego służbie. Król Wilhelm poprosił mnie, żebym udał się do Grennel. Ucieszy się, gdy się dowie, że mieszkający tam jego przyjaciel będzie żył.

– Byłeś z Williamem pod Hastings? – spytała Karyna.

– Byłem, pani. Miałem zaszczyt opiekować się rannymi na polach Senlac. Kiedy dzielne wyczyny lorda Rala ocaliły życie króla, byłcm tam, by ratować życie twojego małżonka, pani.

Myśl o rannym i krwawiącym Ralu zabolała Karynę.

– Ciekawi cię sztuka uzdrawiania? – spytał.

– Moją żonę ciekawi wszystko, czego można się nauczyć – wtrącił się Ral. – Przedmiot wydaje się mniej istotny.

– Matka dobrze znała się na ziołach i leczeniu – odparła Karyna. – Ja o tym nie myślałam aż do twojej ostatniej wizyty. Od tamtej pory czekam na ciebie, by zdobyć na ten temat choć trochę wiedzy.

Kiedy Ral wrócił do jej łoża, poszła do księdza, mając nadzieję, że jego umiejętności okażą się skuteczne w leczeniu jej obaw.

– Rozmawiałam już z księdzem. Ojciec Burton leczy ludzi w Braxton. Dał mi do przeczytania kilka tekstów po łacinie i francusku.

Ciemna brew Hassana uniosła się.

– Uczona kobieta. To niezwykłe zarówno w waszym kraju, jak i w moim.

Karyna zarumieniła się.

– Mam nadzieję, że cię to nie obraża.

– Wręcz przeciwnie. Czyni moje zadanie znacznie ciekawszym. – Splótł długie ciemne palce na piersi. – Jeśli chodzi o teksty, które czytałaś... najlepsi wasi medycy pochodzą z południa Francji. Nawet oni jednak nie mogą się równać z Arabami.

– To nie są próżne słowa, Karyno. – Ral wyciągnął rękę i ścisnął jej dłoń, wywołując niechcianą falę gorąca. – Znam przynajmniej tuzin dobrych rycerzy, którzy by umarli, gdyby nie Hassan.

– W takim razie będę się pilnie uczyć – powiedziała. – Sprawi mi wielką przyjemność, jeśli będę mogła pomagać ludziom.

* * *

Pomogli im wspólnie. Kiedy tylko w Braxton rozeszła się wieść, że słynny medyk gości na zamku, zaczęli tłumnie przybywać chorzy. Stare kobiety, mężczyźni, słabi, ślepcy i kaleki.

Ral rozkazał posprzątać magazyn, wnieść tam stoły i ławy, by Hassan i Karyna mieli gdzie przyjmować chętnych, ale było ich tak wielu, że przekroczyło to ich najśmielsze oczekiwania.

Ksiądz często zalecał radykalne środki – puszczanie krwi albo amputacje i często przekonywał cierpiących, że ich dolegliwości są karą za grzechy. Kuracje zalecane przez Hassana były mniej surowe i w większości przypadków skuteczne. Gorące okłady na zropiałą nogę, maść ze szczawiu zmieszanego z lanoliną na dolegliwości skórne, podbiał z miodem na kaszel, pieprz z siarką na bóle, chrzan z talkiem na stłuczenia i naciągnięte mięśnie.

Dziwaczne lekarstwa Hassana nie podobały się księdzu, który uważał je za pochodzące od szatana. Kiedy Hassan poradził zmianę diety kobiecie chorej na płuca, ojciec Burton wybuchnął gniewem.

– Nigdy nie uwierzę, że to pomoże – zakrzyknął. – Dlaczego we Francji można ogolić głowę, otworzyć czaszkę i usunąć mózg? To nieprawdopodobne, żeby zmiana diety pomogła w chorobie.

Hassan uśmiechnął się.

– Nieprawdopodobne jest, żeby chory przeżył taki zabieg.

Karyna również się uśmiechnęła. Lubiła egzotycznego, ciemnoskórego człowieka, a z czasem zaczęła go szczerze podziwiać. Każdego dnia, kiedy pracowali razem, chętnie uczyła się mnóstwa nowych rzeczy, zafascynowana leczniczą siłą, którą Hassan potrafił znaleźć w najprostszych ziołach.

Piołun wzmagał apetyt i przydawał się w leczeniu starców i rekonwalescentów. Korzeń mandragory leczył zakażenia skóry i pomagał na sen. Kiedy ksiądz zalecał wywar z głów siedmiu tłustych nietoperzy na zapalenia wątroby i nalewkę ze świetlików i żuków gnojarków na kamienie w pęcherzu, Hassan zbierał i przygotowywał swe zioła, czasem prażąc je w piecu, a czasem ucierając w kamiennym moździerzu.

Pokazywał Karynie każdą technikę, wyjaśniając wszystko dokładnie, a ona jak zwykle błyskawicznie przyswajała sobie nową wiedzę. Chłonęła ją bez żadnych zastrzeżeń, spiesząc się bardzo, bowiem z każdym dniem rywalizacja między Hassanem a księdzem stawała się bardziej wyraźna. Wiedziała, że się nie zakończy, dopóki Arab nie opuści zamku. Musiała zatem nauczyć się możliwie dużo w bardzo krótkim czasie.

Rozejrzała się, słysząc swoje imię.

– Lady Karyno! – to wołała Nelda. – Musisz pani wziąć medyka i przyjść jak najprędzej! – Wysoka chuda kobieta stała w drzwiach zaimprowizowanej infirmerii*. Ręce jej drżały, a pociągła twarz była blada jak ściana.

– Co się stało, Neldo?

– Młoda dziewczyna, Edmee. Przyszedł jej czas, a dziecko nie przychodzi na świat. Izolda powiada, że jest przekręcone. Nie dała rady go ustawić i biedna Edmee słabnie. Błagam cię, pani, pomóż!

– Poszukam Hassana.

Znalazła go siedzącego z Ralem w wielkiej sali, ze zwykłym sobie wdziękiem opartego o kamienną ścianę. Na widok zatroskanej miny Karyny obaj poderwali się na nogi.

– Co się dzieje? – spytał Ral z nieoczekiwanie zatroskanym wyrazem stalowych oczu.

– Kobieta w wiosce. Nie może urodzić dziecka. Proszą Hassana o pomoc.

Arab podszedł do niej.

– Naturalnie. Wezmę tylko potrzebne rzeczy.

– Pojadę z tobą. – Ral objął ją wpół, a ona poczuła, jak bardzo jest mu wdzięczna za wsparcie.

Zebrali wszystko, co mogło się przydać, i rozkazali przygotować sobie konie. Kiedy wyjeżdżali z zamku, padało, a wiatr targał gałęzie drzew i giął trawy. Zrobiło się zimno i Karyna owinięta w płaszcz drżała z chłodu.

---

* Infirmeria – sala przeznaczona dla chorych w klasztorach, koszarach, internatach, bursach itp. – przyp. tłum.

Kiedy poła jej płaszcza zaczepiła się o drzewo, Ral powiedział:

– Powinienem ci kazać zostać. Jest zbyt zimno i mokro jak dla ciebie, to nieodpowiednia pogoda na taką wyprawę.

– Wdzięczna ci jestem za troskę, mój panie, ale czuję się dobrze. Hassan wkrótce wyjedzie. Muszę się nauczyć wszystkiego, czego tylko mogę.

Ral mruknął coś, lecz nie odpowiedział.

Jakiś czas później dotarli do chłopskiej chaty, małego ciemniejącego kształtu na tle zaoranego pola. Karyna przemarzła na kość, ubranie miała mokre i przylepione do ciała, lecz nie zwracała na to uwagi przejęta kobietą i jej nienarodzonym dzieckiem walczącymi o życie.

Hassan zatrzymał ją przed drzwiami.

– Nie wierzy się w to, że czystość ma wpływ na leczenie, lecz w mojej praktyce było mniej jątrzących się ran i mniej zakażeń, kiedy używało się czystych płócien i mydła.

– Przywiozłam je, tak jak prosiłeś – odpowiedziała Karyna.

Arab umył ręce. Karyna postąpiła tak samo. Dopiero wtedy weszli do ciasnej, dusznej izby.

– Tu jest za gorąco – rzekł Arab. – Kobieta traci za dużo wody. Uchylcie drzwi.

– Niechybnie się przeziębi – zawołała Izolda, wstając z siennika, na którym leżała Edmee. – Jeśli nie zabije jej poród, to z pewnością gorączka.

– Rób, co ci każe – polecił cicho Ral. Dodał Karynie otuchy spojrzeniem, po czym skierował się do drzwi, by zaczekać z mężem Edmee, Tosigiem, pocieszyć go butelką wina, odegnać chłód i obawy biednego człowieka.

– Co jej dajesz? – spytała Hassana Karyna, kiedy Ral wyszedł. Zdumiewające, na ile izba wydała się większa, kiedy jego w niej nie było, chociaż zrobiło się dziwnie pusto.

– Lekarstwo z ruty, jałowca, piołunu i irysa. – Przysunął miksturę do drżących ust kobiety. Edmee była cała spocona, a mokre włosy przylgnęły jej do ramion. – Pomoże jej się rozluźnić.

– Już dobrze, Edmee – powiedziała łagodnie Karyna, wycierając jej czoło wilgotnym ręcznikiem. – Hassan wie, jak ci pomóc.

– Proszę, ratujcie dziecko, jeśli trzeba będzie wybierać. Mąż bardzo chce mieć syna.

Karyna poczuła ukłucie w sercu. Kobieta chciała się poświęcić dla mężczyzny, którego kocha. Zadała sobie pytanie, czy ona posunęłaby się aż tak daleko, gdyby chodziło o Rala, ale już wiedziała, że zrobiłaby dla niego wszystko. Nie była to pocieszająca myśl.

– To, że się boisz, jeszcze bardziej przyspiesza bóle porodowe – powiedział Hassan. – Musisz się rozluźnić. – Zaczekał, żeby podane lekarstwo zaczęło działać, po czym rozchylił jej nogi i zbadał. – Jest tak, jak mówiła akuszerka. Dziecko jest źle ułożone i zaklinowane.

– Uda się je przekręcić?

– Nie wiem. – Ale jego ręce już pracowały. Naciskał delikatnie, starając się wymusić właściwe ułożenie dziecka. Każda chwila przeciągała się w nieskończoność, a mała izdebka rozbrzmiewała okrzykami bólu położnicy.

Hassan nie przerywał jednak pracy, aż sam też się spocił. Edmee była tak blada, że Karyna obawiała się, że jest o włos od śmierci. W końcu Hassan popatrzył do góry.

– Gotowe. Główka jest na miejscu.

– Dzięki Bogu – wyszeptała Karyna i pomodliła się w duchu o życie dla matki i dziecka. Tosig oszaleje ze szczęścia. Czy Ral także by się tak czuł, gdyby to ona była tą kobietą, a to dziecko było jego synem?

Hassan zmieszał sok z hyzopu i lebiodki kreteńskiej z dwiema drobinkami rtęci. Edmee wypiła to, zanim zaczęła przeć. Po chwili ukazała się główka dziecka, potem ramiona, a potem całe, błyszczące ciałko.

Izolda wzięła dziecko z szerokim uśmiechem na twarzy.

– Udało ci się, cudzoziemcze. Wygrałeś tam, gdzie ja bym nie poradziła.

– Pokażę lady Karynie, jak przygotować lekarstwo, a ona pokaże tobie. Następnym razem poradzisz sobie sama.

– Nic jej nie jest? – spytał Tosig, wchodząc za Ralem do izby. Popatrzył z niepokojem na zamknięte oczy żony i jej bladą twarz.

– Twoja żona i syn są zdrowi i cali – odparła Izolda i umieściła śpiące maleństwo w ramionach matki. Edmee spała równie mocno jak jej syn.

– Nie ma należytych słów, by ci podziękować – rzekł Tosig do Hassana, a w jego oczach lśniły łzy. – Niechaj Bóg wynagradza ci swoją dobrocią wszystkie nadchodzące lata. – Usiadł przy sienniku i wziął żonę za rękę.

Wyjechali z chaty Edmee prawie o brzasku, lecz Karyna nigdy jeszcze nie czuła się tak ożywiona. Powietrze na zewnątrz nie wydawało się tak przenikliwie zimne, niebo było jaśniejsze, a mrok mniej straszny.

– Uczyniliśmy cudowną rzecz – powiedziała. – Nie może być chyba większej radości. – Stojący przy niej Ral ujął w dłonie jej twarz. Choć wielkie i silne, jego dłonie potrafiły być niezwykle delikatne.

– Tyle że dziecko powinno być nasze – szepnął i pocałował czule jej usta.

Jak by się czuła, rodząc syna Rala? Zastanawiała się. Na pewno by ją bolało – to wiedziała na pewno – ale także byłaby to wielka przyjemność. Radość z trzymania dziecka w ramionach, przyjemność z patrzenia, jak rośnie. Zrobiło jej się miło, że jest to coś, czego pragnie także Ral.

Skierowała wzrok z powrotem na chatę i uśmiech powoli znikał z jej twarzy. W chacie nowo narodzone dziecko ssało wezbraną pokarmem pierś. Karyna pamiętała, jak wyglądała młoda kobieta przez długie miesiące, zanim urodziła, jak była opuchnięta i ociężała. Pomyślała, jak niezgrabnie musiała poruszać się Edmee i jakie ślady na ciele pozostawi po sobie nadmierna waga.

Popatrzyła na męża, kiedy szedł po konie. Był wysoki i przystojny, pełen życia i potężnie zbudowany. Był marzeniem każdej kobiety i nawet bez swojego tytułu miałby powodzenie. Popatrzyła na swój brzuch. Kibić miała smukłą, ale przecież w jej wnętrzu mogło dojrzewać już jego nasienie.

Co będzie o niej myślał, kiedy stanie się tak wielka i ociężała jak Edmee? Czy jej widok będzie wywoływał w nim obrzydzenie? A co z jego namiętnością? Czy będzie z tym czekał do przyjścia na świat dziecka? Czy pozostanie jej wierny?

Prędzej weźmie sobie kolejną kochankę.

Karyna poczuła, że coś ścisnęło ją w środku. Rzucił Lynette, ale nie obiecywał, że nie będzie miał następnej. Poza tym nigdy nie mówił o miłości.

Karyna zadrżała, czując niespodziewany chłód.

– Zimno ci – powiedział Ral, wracając do niej. – Pojedziesz ze mną w siodle.

Karyna nie sprzeciwiła się. Pragnęła ciepła otaczającego ją ramienia. Pragnęła czuć się potrzebna i bezpieczna.

Zadawała sobie pytanie, jak długo jeszcze Ral będzie sprawiał, że tak się czuła.

* * *

Richard kończył posiłek, duchem przebywając gdzie indziej, myśląc o przedstawieniu przewidzianym na zakończenie wieczornej uczty.

– Gdzie błazen? – zapytał siedzący obok lord Ral. – Mamy co świętować. Chciałbym usłyszeć wiersz o dziecięciu z Braxton, które Hassan szczęśliwie przyjął na świat.

Richard zaniepokoił się, gdy pomyślał o dziewczynie, która wkrótce zjawi się tutaj, żeby ich zabawiać. Teraz, gdy wiedział, że Ancil jest kobietą, każdy ruch błazna przyciągał jego uwagę i rozgrzewał krew. Co pomyśleliby inni, gdyby znali prawdę? Ubiór błazna był w najwyższym stopniu nieskromny. Ukazywał kształtne uda pod krótką tuniką i kazał się domyślać rozmiaru jej piersi. Były tak małe, czy też zostały specjalnie spłaszczone, żeby nie było ich widać.

Czując się niezręcznie, Richard zaczekał do zakończenia posiłku, po czym znalazł dziewczynę w korytarzyku przy końcu wielkiej sali.

– Chciałbym z tobą zamienić parę słów, pani.

– Tak, Richardzie. Może wejdziemy do komnaty, gdzie nikt nas nie zobaczy? – Podniosła kotarę do swojej małej sypialni.

– Nie możemy tam wejść. Nie uchodzi czynić takich rzeczy.

– Nikt przecież nie wie, że jestem kobietą. – Jeszcze raz podniosła kotarę.

– Ja wiem – odparł i stanowczym ruchem wyrwał z jej rąk zasłonę i zaciągnął starannie. – I dlatego cię szukam.

Odwróciła się, żeby uważniej spojrzeć mu w twarz. Jej wyraz maskowała biała i czarna farba.

– Mów dalej.

– Nie przystoi kobiecie pokazywać się w takim stroju. Musisz wyznać lordowi Ralowi prawdę.

– Nie, wiesz przecie, że nie mogę.

– To przynajmniej znajdź sposób, by skończyć z tą nieskromną zabawą. Jesteś damą. Nie możesz się tak zachowywać.

Ambra podparła się dłońmi pod boki, co uwidoczniło jej wciętą talię.

– Gram rolę błazna. Nie ma w tym nic nieskromnego, a nawet jeżeli, to nie twoje zmartwienie.

– To jest moje zmartwienie, ponieważ znalazłaś się pod moją opieką.

– Niepotrzebna mi twoja opieka. Nie zachowywałam się też nigdy inaczej, niż przystoi damie. To, że śpiewam i tańczę, niczego nie zmienia. – Wsunęła się za zasłonę, a Richard podążył za nią.

– Ależ jesteś dokuczliwa. – *I zbyt piękna, by opisać to słowami*. Teraz, kiedy Richard wiedział już, co kryje się pod przebraniem, wysychało mu w gardle, kiedy na nią patrzył.

– A ty, Richardzie, oszukujesz sam siebie. Jeśli tak bardzo nie podoba ci się to, co robię, czemu po prostu się nie oddalisz?

Najeżył się, rozdarty pomiędzy złością i pożądaniem, które wzrastało z każdym uderzeniem serca. Skłonił się dwornie i z lekką drwiną.

– Jak sobie życzysz, pani.

– I nie mów tak do mnie. To zbyt niebezpieczne. Co będzie, jeśli ktoś cię usłyszy?

– Od kiedy obawiasz się o swoje bezpieczeństwo? – burknął, odwrócił się i wyszedł.

Rozdział 18

Ral galopował na swoim czarnym rumaku na czele niewielkiego oddziału zbrojnych. Końskie kopyta wzniecały tumany kurzu. Wszyscy w bojowym rynsztunku – w zbrojach, hełmach, z mieczami i tarczami. Rycerze patrolowali tereny na północ od zamku w poszukiwaniu Ferreta.

Od czasu potyczki z ludźmi Malverna banda nie dała znaku życia – nie napadała, nie rabowała podróżnych, nie zabierała im dobytku. Instynkt wyrobiony przez długie lata walki podpowiadał jednak Ralowi, że Ferret wcześniej czy później wróci, że zbiera teraz ludzi i niebawem banda napadnie na niczego niespodziewające się ofiary.

Ral nie chciał na to pozwolić.

– Ślady przecinają drogę w pobliżu rzeki – zameldował Odo. – Wóz i piesi wędrowcy. Nie jest to raczej Ferret.

Ral kiwnął głową.

– On i jego ludzie zapewne jadą konno. Niczego nie przeoczyliście?

– Nie, panie.

Wtedy zbliżył się do nich Geoffrey jadący na białym rumaku, którego nazwał Baron.

– Znalazłeś go, panie? Odo wypatrzył trop?

– Nie, nie ma śladu. Wygląda na to, że będziemy jakiś czas bezpieczni.

Geoffrey odetchnął z ulgą.

– To moje najskrytsze marzenie, żeby ten łajdak nie pokazał już więcej rogów.

Ral nie odezwał się. Pod wieloma względami chciałby tego samego, tyle że ziemia, którą mógł otrzymać za schwytanie rozbójnika, była ważniejsza niż wszystko inne. Teraz jeszcze bardziej, kiedy padło tyle bydła. Jeśli Ferret wróci, zacznie rabować i straszyć kupców na drodze. Bez niego jednak nie będzie nadania ziemi.

Ral spojrzał na Geoffreya, zobaczył, jak się śmieje serdecznie z czegoś, co powiedział Odo. Od powrotu do łoża Karyny nie myślał o nim zbyt wiele. Czasami jednak niemiłe myśli nawiedzały jego umysł.

Karyna nadal darzyła Geoffreya przyjaźnią, chętnie grywała z nim w szachy, nadal częściej się śmiała przy nim niż przy własnym mężu. Jakie naprawdę żywiła względem Geoffreya uczucia? Czy mógł mieć pewność, że te uczucia nie wzmogą się?

Ral znał wiele kobiet. Kochał jednak tylko raz. Elianę. A to była żmija w niewieścich szatach. Sama pokusa i przekupstwo w skórze kobiety. Potrafiła oszukiwać i zdradzać bez najmniejszego poczucia winy.

Inne kobiety, które znał, nie były wcale lepsze. Starały się sprawiać mu przyjemność dopóty, dopóki do nich przychodził, kiedy jednak się nimi znudził, szły do innego, powtarzając te same miłosne zaklęcia i zapewnienia dozgonnej wierności.

Tylko jego matka była dobrą kobietą, lojalną nawet wtedy, kiedy ojciec zbaczał ze ścieżki wierności. Była czuła, kochająca, przymykała oczy na liczne kochanki męża, przyjmując go w małżeńskim łożu za każdym razem, kiedy wracał. Jego siostry, z tego co wiedział, także były uczciwe wobec swoich mężów i wyglądały na szczęśliwe.

A Karyna? Wiedział już, że nie wybaczy mu jego miłostek. Prawdę mówiąc, nie miał nawet ochoty na inne kobiety. A jakie były jej pragnienia? Poza pożądaniem co czuje do niego? Na ile jej na nim zależy?

Jego uczucia z każdym dniem się pogłębiały. To było przerażające. Starał się z nimi zmierzyć. Starał się przezwyciężyć swoje obawy i ofiarować jej swoją uczciwość i swoje zaufanie. Z każdym dniem pogłębiało się także jego zaufanie do niej, ogarniało całą duszę i chwytało jego serce w mocny uścisk.

Przerażała go myśl, czym ryzykuje.

Wracając na zamek, modlił się o to, by tego nie żałować.

* * *

– Gra skończona. Przyjeżdża Beltar!

Serce Ambry zaczęło bić mocno. Stała koło mostu zwodzonego, przechadzając się przed obiadem, grzejąc się w ciepłych promieniach słońca. Na dźwięk głosu Richarda rzuciła się w jego stronę.

– Boże miłosierny, Richardzie, powiedz, że żartujesz. – Zmierzał w jej stronę, stawiając wielkie kroki, a wyraz jego twarzy mówił jej, że to prawda.

– Rano przybył posłaniec. Beltar przybędzie jutro.

– Na pewno nie wie, że tu jestem.

– Przybywa z twojego powodu.

– Jak się dowiedział, gdzie mnie szukać?

– Wie o tym lady Karyna i ja. Wiedzą członkowie twojej trupy. Z pewnością ktoś inny się też się dowiedział.

Próbowała powstrzymać drżenie rąk.

– Co jeszcze jest w wiadomości?

– Beltar oskarża lorda Rala, że cię uwiódł. – Ambra aż syknęła. – Żąda, by cię wydał. Wierzy, że Czarny Rycerz siłą wziął cię do łoża i że zostałaś jego kochanką.

– Dobry Boże w niebiosach! Co na to lord Ral?

Policzki Richarda zaczerwieniły się.

– Jeszcze nic nie wie. Na razie przekazałem wiadomość jedynie lady Karynie. – Spojrzał w stronę wieży z szarego kamienia. Szuka go teraz. Może wyjedna ci jego łaskę.

– Nie będzie zadowolony, że od razu nie przyszliśmy z tym do niego.

– Jak powiedziałaś, ty i ja jesteśmy przyjaciółmi.

– Tak. – Lecz nie przyjaźni oczekiwała Ambra od Richarda. Teraz, kiedy wiedziała, że musi wyjechać, miała już pewność co do tego, co podejrzewała przez cały czas. Chciała od niego miłości.

– Lady Karyna dobrze wywiąże się ze swej roli. Może lord Ral zdoła przekonać lorda Beltara...

– Nie, nie mogę ryzykować. – Ruszyła do przodu, lecz Richard złapał ją za ramię.

– Dokąd chcesz iść?

– Jak najdalej stąd. – Postąpiła jeszcze jeden krok, lecz złapał ją mocniej.

– Nie pozwolę ci. – Jego oczy spoczęły na jej twarzy. Zdjął jej kapelusz z głowy i pozwolił, by włosy wysypały się na ramiona, po czym wyciągnął gliniane podkładki spod uszu. – Jesteś kobietą – rzekł cicho. – Do tego młodą i piękną. Włóczenie się po kraju nie jest dla ciebie bezpieczne. Jeśli lord Ral nie będzie w stanie ci pomóc, będziesz musiała przyjąć swoje przeznaczenie.

Ambra przez chwilę przyglądała mu się uważnie, a serce jej zabiło żywiej. Po chwili uspokoiła się i potrząsnęła głową.

– Może i jestem kobietą, lecz chcę żyć po swojemu. Będę robić to, co robiłam. – Wyrwała się z jego uścisku i chciała odejść, jednak Richard dogonił ją paroma susami.

Złapał za rękę i odwrócił do siebie.

– Zrobisz to, co ja mówię, słyszysz?

– Zrobię to, na co będę miała ochotę. – Próbowała się wyrwać, lecz jej nie pozwolił.

– Jesteś uparta i krnąbrna. Jesteś nieugięta, krnąbrna i zupełnie nie dajesz sobą kierować. Żal mi lorda Beltara, że będzie miał taką żonę.

Ręka sama wystrzeliła jej do przodu i plasnęła go w twarz. Wstrzymała oddech, podobnie jak Richard.

– Wybacz mi. – Zagryzła dolną wargę, kiedy na jego policzku wykwitł czerwony ślad. – Nie chciałam tego.

Richard nie odpowiedział, lecz mięśnie jego twarzy stężały. Złapał ją za ramię i przyciągnął do siebie, po czym pocałował w usta. Poczuła jego gniew i napięcie w całym ciele, lecz poczuła też jego pożądanie. Wsunął język do jej ust, a ona pomyślała, że nogi odmówią jej posłuszeństwa. Wtedy jego pełen żaru pocałunek złagodniał, uścisk zelżał – nie był już brutalny, niemniej nadal władczy. Wargami muskał kąciki jej ust, smakując je, sprawiając, że ciepło z wolna wypełniło jej ciało. Drżała, kiedy się odsunął.

– Przepraszam. Nie powinienem tego robić.

Ambra dotknęła swoich nabrzmiałych od pocałunku ust. Nadal czuła jego smak.

– Chciałam, żebyś mnie pocałował. Chciałam już od dawna.

Richard odwrócił wzrok.

– To niepodobna, ty i ja...

– Wiem. Jestem uparta, chcę zbyt wiele, a ty... ty wytyczyłeś sobie swoją drogę.

Lekki uśmiech wygiął mu usta, po czym się wyprostował.

– Poza tym jesteś przyrzeczona innemu. – Złapał ją za rękę i zmusił, by poszła za nim do zamku. – Mówię poważnie. Nie pozwolę ci uciec.

Pozwolisz za to innemu, żeby mnie wziął. Chociaż nie płakała od bardzo dawna, w jej oczach zebrały się łzy i zaczęły płynąć po policzkach.

* * *

– Nie mogę uwierzyć, że jeszcze raz mnie zdradziłaś – rzekł Ral do Karyny, patrząc na nią tak, jakby go zawiodła. Ten wzrok sprawił, że poczuła się bardzo niepewnie.

– Nie chciałam cię oszukiwać, tylko jej pomóc.

– Byłaś pewna, że ja nie pomogę?

– Cóż, ja...

– Byłaś pewna?

Stali w małżeńskiej sypialni, Ral energicznie przechadzał się tam i z powrotem, aż jego tunika unosiła się przy każdym długim kroku.

Karyna uniosła wysoko głowę.

– Kiedy postanowiłeś mnie poślubić, uczyniłeś to, nie zważając na to, czy tego pragnę. Beltar postanowił poślubić Ambrę. Nie wierzę, że chciałbyś mu się przeciwstawić.

Długo mierzył ją zimnym wzrokiem.

– Dlaczego zatem teraz z tym do mnie przychodzisz, skoro nie uczyniłaś tego wcześniej?

Karyna wlepiła wzrok w czubki swoich pantofli z miękkiej skórki, wciąż ubłoconych po porannym pobycie w stajni.

– Jutro przyjeżdża lord Beltar.

Ral uderzył pięścią w kolumnę łoża.

– Chryste, to nie do wiary! Beltar w Braxton! Tego właśnie nam potrzeba! – Przeczesał palcami falistą czarną czupurynę, a gniew i frustracja wyżłobiły bruzdy na jego twarzy. – Skąd o tym wiesz?

– Richard mi powiedział. Posłaniec był tu dziś rano.

– Richard? To i jego wciągnęłaś w ten spisek?

– Richard odebrał wiadomość. Przyszedł do mnie, ponieważ zależy mu na lady Ambrze. Widziałeś, jak na nią patrzy?

– A jakże, widziałem. Chcesz mi powiedzieć, że Richard też wie, kim naprawdę jest błazen?

– Dopiero co to odkrył, chociaż można rzec, że... jego ciało odkryło to dużo wcześniej.

Ral jęknął.

– Nic im to nie pomoże. Dziewka jutro wraca do Beltara.

Karyna schwyciła męża za rękę i poczuła napięte mięśnie.

– Proszę, mój panie, nie każ jej tego czynić. Ten człowiek to okrutnik. Jeszcze przed ślubem chciał ją zhańbić. Nie możesz jej mu wydać.

– Beltar jest jej narzeczonym. Nic nie można już zrobić.

– Beltar wierzy, że to ty jesteś winien. Sądzi, że dziewczyna została twoją nałożnicą. Może, jeśli mu powiesz, że...

– Na Boga, kobieto! Beltar to jeden z najpotężniejszych ludzi w Anglii. Jeśli zechce, może wystawić tysiąc rycerzy. Chcesz, żebym wszczął wojnę tylko po to, żeby jedna słaba kobieta nie musiała składać małżeńskiej przysięgi?

Karyna zaczerpnęła powietrza, by się uspokoić. Jeśli podejść do tego w ten sposób, Ral ma słuszność. Nie powinien narażać ludzi na śmierć.

– Niczego nie da się zrobić? To taka miła dziewczyna. – Ledwo wypowiedziała te słowa, w głowie zakiełkował jej pomysł.

– Nie. Muszę ją oddać Beltarowi. Miejmy jednak nadzieję, że zdołam go przekonać, iż jej nie uwiodłem.

Karyna odwróciła się, a pomysł już się wykrystalizował w jej głowie.

– Jeśli taka twoja wola, panie. – Podeszła do drzwi, lecz Ral zaszedł jej drogę.

– Poddałaś się zbyt łatwo, moja miła. – Popatrzył na nią badawczo. – Co się dzieje w twojej bystrej główce?

– Bardzo mało, niestety, mój panie.

– To dobrze. Tymczasem dziewka musi pozostać w zamknięciu. Muszę być pewien, że tu jeszcze będzie, kiedy przyjedzie jej narzeczony.

Karyna nie odpowiedziała. Nie zamierzała wcale pomagać Ambrze w ucieczce. Uśmiechnęła się do siebie i wyszła.

* * *

– Muszę z tobą porozmawiać, Richardzie. – Karyna wetknęła głowę do pomieszczenia, w którym pracował. Spodziewała się, że zastanie go pochylonego nad księgami, on jednak przechadzał się w tę i z powrotem, podobnie jak Ral na górze.

– Oczywiście, pani. – Podszedł do niej zamyślony i wzrokiem szukał w jej twarzy znaku, że może jej małżonek zmienił postanowienie.

– Zabrali ją do komnaty w wieży. Lord Ral postawił straże przy drzwiach, żeby nie uciekła.

– Wiem. Płacze, pani. A do tej pory widziałem tylko, jak się uśmiecha. To cios dla mojej duszy.

Karyna pojaśniała.

– Zatem musisz czuć coś do niej. Czy nie tak?

– Oczywiście, że czuję. – Uciekł spojrzeniem. – Jesteśmy w pewnym sensie przyjaciółmi.

– To właśnie czujesz, Richardzie? Przyjaźń?

Wyglądał, jakby uwierało go to pytanie.

– Pożądam jej, jeśli o to ci chodzi. To naturalne. Ambra jest piękną kobietą.

– Cieszę się, że to widzisz.

– Czy to ma jakieś znaczenie? – westchnął. – Lord Ral dopilnuje, żeby poślubiła Beltara.

– To prawda. Prawdą jednak jest i to, że Ambra nie będzie mogła go poślubić, jeśli będzie już poślubiona tobie.

– Co takiego?!

– Na pewno o tym myślałeś. Mówisz przecież, że jej pożądasz.

Richard oparł drżącą rękę na stole.

– Tak, myślałem o tym. Niemniej przyszło mi też do głowy, że byłaby to najgłupsza rzecz pod słońcem.

– Dlaczego? Rzekłeś przecie, że Ambra jest uroczą, młodą kobietą. Będzie dla każdego mężczyzny wspaniałą żoną.

– Dla każdego innego, ale nie dla mnie – burknął.

– Nie rozumiem.

– Nie widzisz? Trudno o gorzej dobraną parę. Ja widzę przy swoim boku cichą i potulną kobietę. Taką, która nie będzie mi się przeciwstawiać na każdym kroku. Ambry nie można nazwać potulną.

– Nie, nie jest potulna. Jest pełna życia i animuszu. Jest porywająca. To kobieta, która będzie szła przy tobie, a nie za tobą. To pewne, że kobieta, którą opisałeś, znudziłaby ci się po dwóch tygodniach.

– Rzecz nie w nudzie – rzekł Richard. – Tylko w zachowaniu, jakie przystoi kobiecie.

– Rzadko zachowuję się tak, jak według ciebie zachowywać się powinna kobieta – przypomniała mu Karyna, zadając sobie nieoczekiwanie pytanie, czy taka żona nie byłaby bardziej w guście Rala.

Richard popatrzył na nią ze zdziwieniem.

– To prawda. Nie chciałem, żeby to tak zabrzmiało.

Przez chwilę Karyna milczała. Wreszcie westchnęła.

– Wybacz, Richardzie. Nie powinnam była z tym do ciebie przychodzić. Zachowałam się źle, namawiając cię do czegoś, czego nie chcesz uczynić. Myślałam tylko, że może... Miałam nadzieję, że... – Odsunęła się od Richarda i skierowała ku drzwiom.

– Zaczekaj!

Karyna odwróciła się i ujrzała niepewność w przystojnej twarzy Richarda.

– Może w tym, co mówisz, jest słuszność. – Wyprostował się, wyglądając zbyt poważnie, jak na rzecz, która powinna mu sprawiać radość. – Może z czasem Ambra się dostosuje. Poza tym to po prostu chrześcijański obowiązek ocalić ją od człowieka takiego jak Beltar.

Chrześcijański obowiązek. Karyna uśmiechnęła się nieznacznie. Trudno nazwać obowiązkiem to, o czym będzie myślał Richard, biorąc Ambrę do łoża.

– Może i ty się trochę dostosujesz z czasem.

Zmarszczył brwi na tę uwagę, lecz nie zaprzeczył.

– Rozmawiałaś już o tym z Ambrą? Jesteś pewna, że się zgodzi?

– Obawiam się, że tę rozmowę musisz przeprowadzić sam.

Wyrwał mu się jęk.

– Żywię obawę, że mi odmówi. Poza tym może być kłopot z księdzem. Nie było zapowiedzi. Może odmówić udzielenia ślubu.

– Ojcowi Burtonowi powodzi się tutaj bardzo dobrze, jak mało gdzie. Uczyni, co trzeba, aby lord Ral był dla niego dalej tak łaskawy.

– A lord Ral?

– Właśnie, moja mała, przebiegła małżonko, co powie lord Ral?

Karyna stężała na dźwięk głębokiego głosu męża dobiegającego zza otwartych drzwi.

– Ach... Dobrze, że przyszedłeś, panie. – Na słowa Karyny jedna brew Rala uniosła się. – Widzisz, najskrytszym pragnieniem Richarda jest poślubić lady Ambrę. Powiedziałam mu, że mu pomożesz.

– Od kiedy przemawiasz w moim imieniu?

Karyna niespokojnie zwilżyła wargi.

– Miałam nadzieję, że będziesz rad, że ucieszysz się, gdy Richard się ożeni. Pomożesz im?

Zaskoczył ją lekkim uśmiechem.

– Po to przyszedłem. Chciałem się dowiedzieć, czy zamiary Richarda są z rodzaju tych szlachetnych.

– Naprawdę, panie?
– Tak. – Zwrócił się do zarządcy: – Co powiesz, Richardzie? Czy dama jest miła twemu sercu?
Richard wyglądał przez chwilę na zagubionego. Wreszcie wyprostował się.
– Tak, panie.
Ral przyglądał mu się przez chwilę badawczo, po czym odwrócił się i wydał ciche polecenie słudze, który stał za nim. Ten skłonił się i odszedł pośpiesznie.
– Kazałem ją przyprowadzić. Zobaczymy, co ma do powiedzenia dama.

* * *

Ambra stała przed szerokim stołem do pracy Richarda.
– Myślę, że wam wszystkim odebrało rozum!
Richard chwycił ją za ramię i ścisnął ostrzegawczo.
– Zapominasz się, pani. Ci ludzie są twoimi przyjaciółmi. Pragną tylko, byś była bezpieczna.
– Wybacz, lordzie Ralu. Nie miałam zamiaru cię obrażać. Tyle tylko, że...
– Że co? – naciskał Ral. – Może masz życzenie poślubić Beltara? Jeśli tak, to dla nas o wiele lepiej.
– Nie chcę poślubić żadnego mężczyzny! Chcę, by mnie zostawiono w spokoju. Chcę być wolna tak jak przedtem.
Karyna podeszła do drżącej Ambry i popatrzyła w wypełnione łzami piękne zielone oczy.
– Myślałam, że zależy ci na Richardzie – powiedziała. – Miałaś w oczach ciepło, ilekroć na niego patrzyłaś.

Ambra zesztywniała.

– Tak było, zanim dowiedziałam się, co on czuje. Teraz, kiedy wiem, wyjdę raczej za Beltara.

Richard zbliżył się z twarzą ściągniętą napięciem.

– Tobie chyba odjęło rozum. Czyż nie mówiłaś, że ten człowiek gwałci kobiety? Czy nie umiesz sobie wyobrazić, co uczyni z osobą, która zrobiła z niego głupca?

Dolna warga Ambry zadrżała.

– Nie poślubię mężczyzny, który mnie nie chce!

Richard zaklął cicho.

– Co każe ci myśleć, że ciebie nie chcę? Nawet teraz ciężko mi utrzymać ręce z dala od ciebie. – Jakby na potwierdzenie tych słów złapał ją za ramiona i potrząsnął. – Jeśli byłabyś moją żoną, zaniósłbym cię do sypialni i kochałbym się z tobą całymi godzinami, bez końca.

– Richardzie!

Rumieniec wypłynął mu na skórę od szyi po brązowe włosy nad czołem.

– Przepraszam. Wprawiasz mnie we wściekłość. Przez chwilę zapomniałem, gdzie jestem.

Ral chrząknął.

– Może lepiej by było, żebyś zapomniał. Co teraz powiesz, lady Ambro? Z całą pewnością mój zarządca byłby bardziej niż rad, gdyby mógł cię poślubić.

Nie kocha mnie, pomyślała Ambra. *Ale ja kocham jego. I pragnę go tak bardzo, jak on mnie.* To powinno wystarczyć na teraz. Popatrzyła Richardowi prosto w oczy.

– Nie jestem taka jak kobieta, której chcesz. Najpewniej nigdy taka nie będę. Weźmiesz mnie taką, jaka jestem?

Prześliznął się wzrokiem po jej kobiecych krągłościach widocznych nawet pod luźną lnianą tuniką, którą miała na sobie.

– Tak, wezmę.

– W takim razie wyjdę za ciebie.

Ral uśmiechnął się.

– Niechaj się stanie. Pomówię z ojcem Burtonem. Przygotujcie się. Im prędzej ślub się odbędzie, tym bezpieczniejsza będzie twoja dama.

Nie wspomniał słowem o wściekłości, z którą będą musieli się zmierzyć, kiedy Beltar dowie się, że dziewczynę sprzątnięto mu sprzed nosa. Nie sądził jednak, że z tego powodu Beltar mógłby użyć przeciwko nim swojej siły.

Modlił się, żeby nie użył. Już bez tego na zamek Braxton spadło dość klęsk, z którymi musiał sobie radzić.

Ksiądz czekał już przed małą kaplicą. Słoneczne światło późnego popołudnia wpadało przez witraże, oświetlając obrazy przedstawiające sceny z życia Dzieciątka Jezus i przekazania Dobrej Nowiny.

Ambra przyjrzała im się z chłodną rezygnacją. Gdyby tylko Dobra Nowina mogła podnieść ją na duchu! Spojrzała na mężczyznę, który za chwilę miał stać się jej mężem, i dostrzegła zmarszczki na jego czole. Jego twarz przybrała surowy, nieodgadniony wyraz.

Powtarzanie słów przysięgi wymagało od niej zebrania całej odwagi i tylko groźba przybycia Beltara zmusiła ją do tego.

Za parę minut byli już po ślubie, a zamazane obrazy, których Ambra nie mogła zapamiętać, pogrążyły się w mroku. Przygotowano specjalny posiłek, a w sali rozbrzmiewały toasty. Rycerze i służba składali życzenia nowo poślubionej parze.

W innych okolicznościach Ambra bawiłaby się. Tymczasem ilekroć jej wzrok spoczął na mężu, widziała jego zamyślenie i serce ściskało jej się w piersi.

– Robi się późno – powiedział wreszcie Richard, jak zwykle opanowany. – Lord Ral kazał nam przygotować sypialnię na górze.

Ambra zwilżyła swoje nagle wysuszone usta.

– Tak, jak mówisz, zrobiło się późno. – Świadomość rychłego przyjazdu Beltara kazała skrócić uroczystości i oszczędziła im zwyczajowych pokładzin. Jednak kiedy opuszczali salę, nerwy miała napięte jak postronki.

W milczeniu weszli po schodach i nawet gdy znaleźli się w sypialni, żadne z nich nie przerwało ciszy. Ambra oceniała siłę szerokich ramion męża. Mówił, że jej pragnie, a tymczasem żaden błysk emocji nie pojawił się na jego twarzy. Mówił, że jej pożąda, lecz posiąść ciało i doznać rozkoszy, nawet jeśli i ona dozna jej także, nagle wydało się daleko niewystarczające.

– Nie mogę tego zrobić – rzuciła w ciszę, opierając się o kolumnę łoża. – Nie zrobię.

– O czym ty mówisz? – Szerokie ramiona Richarda zesztywniały. – Wszak jesteś moją żoną. Za późno teraz, by żałować.

– Możemy unieważnić przysięgę. Małżeństwo nie zostało jeszcze skonsumowane. Nie możemy...

– Małżeństwo będzie skonsumowane i to zaraz. Możesz na to liczyć.

– Nie.

– Na Boga, Ambro, musisz to uczynić. Tylko w ten sposób będziesz bezpieczna.

W jej oczach zalśniły łzy, lecz je otarła.

– Nie mogę. Gdyby nie zależało mi tak na tobie, może przeszłabym przez to gładko. Jednak za każdym razem, kiedy widzę w twoich oczach, że już żałujesz, pęka mi serce. Nie, Richardzie. Nie pozwolę, żeby to się stało.

Richard popatrzył na nią z osłupieniem.

– Wyjdziesz za Beltara, ponieważ wydaje ci się, że ja żałuję, iż cię poślubiłem?

– Wszystko, co posiadam, to siebie; taką, jaka jestem. Jeśli mężczyzna, którego kocham, nie ceni tego...

Richard złapał ją za ramię.

– Co powiedziałaś?

– Proszę, Richardzie. Lord Ral przychyli się do twojej prośby, wiem, że to uczyni. Powiedz mu, że się rozmyśliłeś i pragniesz ożenić się z inną.

Dotknął jej podbródka końcami palców. Po raz pierwszy zmarszczki zniknęły z jego twarzy.

– Dlaczego miałbym to uczynić, skoro byłoby to kłamstwo?

Patrzyła na jego miłą twarz, próbując zrozumieć znaczenie wypowiedzianych przez niego słów.

– To prawda, że się różnimy – rzekł. – Owszem, to mnie nieco martwi. Jednak od chwili naszego pierwszego spotkania coś we mnie obudziłaś. Tego dnia, kiedy odkryłem, że jesteś kobietą, rozpaliłaś ogień w moich żyłach. – Wziął ją w ramiona. – Jeśli to prawda, że czujesz do mnie miłość, nie tylko przyjaźń, nie mam już wątpliwości. – Otarł jej policzek z łez. – Ułoży nam się, zobaczysz. Znajdziemy własną drogę do szczęścia.

Pocałunek pozbawił ją nie tylko oddechu, ale i obawy z serca.

– Mówisz poważnie, Richardzie?

– Tak, to obietnica, której zamierzam dotrzymać. – Złożył na jej ustach pocałunek, pocałunek pełen pożądania i ogromnej czułości.

– Boisz się tego, co się stanie dziś w nocy? – zapytał cicho.

– Nigdy się ciebie nie bałam.

– Obiecuję, że będę delikatny.

Ambra potrząsnęła głową.

– Nie chcę, żebyś był delikatny. Kiedy mnie całujesz, moje wnętrze ogarniają płomienie. Chcę od ciebie namiętności, Richardzie. Pocałunków bez końca i gorączki do utraty zmysłów.

Richard uśmiechnął się tak szeroko, że w jego policzkach pojawiły się dołeczki. Ujął w dłonie jej twarz.

– Jesteś wspanialszą kobietą, niż mógłbym sobie wymarzyć. Myślałaś, że żałuję tego małżeństwa? Gdybym cię nie poślubił, nie darowałbym sobie tego do końca życia.

Nie przerywając namiętnych pocałunków, Richard zaniósł Ambrę do łoża i zaczął ściągać z niej ubranie. Świeże łzy pojawiły się w jej oczach, lecz nie były to łzy żalu. Już czuła się szczęśliwa, a noc dopiero się rozpoczęła. Z Bożą pomocą będzie tak przez resztę ich wspólnego życia.

* * *

Karyna rzuciła się na posłaniu, dręczona przez dziwaczny sen. Ral leżał przy posągowo pięknej ciemnowłosej kobiecie. To była Eliana. Był nagi i spocony. Dopiero co się kochali, a ręka Rala przesuwała się po piersi kobiety, pieszcząc ją, prowokując do odpowiedzi.

Chcąc odegnać ten obraz, Karyna otworzyła oczy. Otrząsnęła się ze snu w pierwszych promieniach wstającego słońca. Ral leżał przytulony do niej, obejmował ją ramionami, palcami przytrzymując jej pierś. Przez sen gładził brodawkę, wywołując przyjemne podniecające ciepło. To jego dotyk spowodował ten dziwny sen, zrozumiała i poczuła przy pośladkach jego twardą męskość. Była nabrzmiała i ciężka. Znała dobrze rozkosz, której dostarczała.

Niemniej mroczny sen został w jej świadomości, wywołując przyspieszone bicie serca.

To tylko sen, a sny nie mają znaczenia, powiedziała do siebie stanowczo. To jej pragnął Ral, a nie pięknej Eliany. To ona mogła go przyjąć do środka, to ona umiała ukoić jego namiętność.

Musnął ustami jej kark, odsunął na bok ciężkie fale włosów i lekko skubał jej skórę, po czym polizał ją językiem.

– Rozchyl nogi, *chèrie* – wyszeptał, a ochrypła nuta jego głosu wywołała gorący dreszcz. Spełniła jego prośbę, a sen zbladł zastąpiony przez płomienie ogarniające jej ciało. Dotykał jej lekko palcami, próbując, igrając, sprawiając, że stała się wilgotna i pulsująca. Poddała się namiętności, którą wyzwalał, czując dotyk warg na szyi, a grę mięśni jego masywnej piersi na plecach.

Gdy dostatecznie ją sobie przygotował, zanurzył się w niej, wielki i twardy, a Karyna uniosła biodra, żeby go przyjąć. Był sztywny, pulsujący, gorący, gruby i pożądający. Wysunął się i zanurzył ponownie, aż ogarnął ją żar. Powitała jękiem oblewające ją gorąco i wszechogarniające uczucie słodyczy.

Trzymał jej biodra rękami, wsuwając się głębiej i mocniej, docierając w głąb jej łona. Każde pchnięcie podnosiło ją wyżej i przybliżało do krawędzi. Wsuwał się i wysuwał, wsuwał i wysuwał miarowym, hipnotycznym rytmem. Dotknięcia jego twardego jak skała członka ocierającego się o śliską wilgotną skórę rozgrzewało jej krew do białości.

Po chwili osiągnęła szczyt, rozpryskując się na krople rozkoszy, a potem odpływała, spływała, kołysała się na ciepłym morzu płynnego miodu. Poczuła napięcie Rala, kiedy osiągnął swój szczyt, po czym zaczęła powracać do brzegu. Jakiś czas leżeli w milczeniu ze splecionymi ramionami i nogami, oboje spełnieni i rozluźnieni.

Poczuła palec przesuwający się po jej ramieniu. Jego cicho wypowiedziane słowa poruszyły pukiel włosów przy policzku.

– Ciekawe, czy noc Richarda była choć w połowie tak przyjemna jak moja.

– Mam nadzieję, że są szczęśliwi. – Karyna umościła się przy nim wygodniej, starając się nie myśleć ani o śnie, ani o swojej niepewnej przyszłości. W tej chwili zmartwienia ją opuściły. Teraz nie mogą powrócić. – Nie chcę nawet myśleć, że się wtrąciliśmy, a oni nie znajdą szczęścia w małżeństwie.

– Wierzę, że Richard szczerze pragnął tego małżeństwa – zapewnił Ral. – Tyle tylko, że gdyby to sobie uświadomił bez pomocy, byłoby już za późno.

Karyna uśmiechnęła się lekko, ciesząc się z tego, że ma go przy sobie tak blisko, nie zważając na konsekwencje, które pewnego dnia na nią spadną.

– Zadziwiasz mnie swoją mądrością, panie.

Ral się żachnął.

– Dopiero gdy przybędzie Beltar, okaże się, czy to postanowienie było mądre.

Uniosła głowę z muskularnego ramienia, usiadła i odwróciła się przodem.

– Jak powinniśmy się zachować, Ralu? Jak będzie najroztropniej?

Ral usiadł i odgarnął z czoła gęste, czarne włosy.

– Długo o tym myślałem. Postanowiłem, że podejmiemy go jak gościa. Przygotujemy ucztę, chociaż dość skromną, po czym, jeśli gładko pójdzie, zaplanujemy łowy. Powiadają, że ten człowiek uwielbia polowanie na dzika. Może krwawa pogoń za dzikiem załagodzi stratę dziewiczej krwi jego narzeczonej.

– Pozostaje nadzieja, że masz słuszność – odparła Karyna.

Ral pokiwał głową.

– Moi zwiadowcy przyjadą wcześniej. Będziemy wiedzieć, przeciwko ilu mężom przyjdzie nam stanąć na wypadek gdyby moja mądrość się nie sprawdziła.

Rozdział 19

Jak przewidział Ral, wiadomość o Beltarze Zapalczywym dotarła w ciągu najbliższych trzech godzin. Ku Braxton podążała mała armia rycerzy i zbrojnych. Ral wysłał posła, żeby ich przywitał i powiadomił, że na jego cześć zostanie wydana uczta.

Tymczasem po cichu przygotowywano się do obrony. Jeżeli siły Beltara pozostaną poza murami, Ral i jego rycerze powinni utrzymać zamek. Niestety, gdyby rozpętała się wojna, będą potrzebować posiłków.

Mając to na względzie, Ral wysłał posłańców do baronów, na których wsparcie mógł liczyć, jak również do swoich wasali z rozkazem, by pozostawali w gotowości. Jednak nadal się niepokoił.

Beltar przybył przed zmierzchem. Był to zwalisty, grubokościsty mężczyzna z krzaczastymi brwiami, tłustymi czarnymi włosami i kilkudniowym zarostem. Oddziały jego rycerzy i wojów wznieciły tumany kurzu na drodze. Zatrzymały się na polu przed mostem zwodzonym.

Otoczony przez uzbrojonych i gotowych do walki rycerzy Ral zaprosił Beltara i jego najbliższą świtę za mury i przywitał na dziedzińcu. Na wieży stali łucznicy, mierząc przez wąskie okienka i balkony, gotowi w razie potrzeby posłać grad strzał.

– Bądź pozdrowiony, lordzie Beltarze – zakrzyknął Ral i rozciągnął twarz w szerokim uśmiechu, a jego nogi wykonały dworski ukłon. – Witaj na zamku Braxton. – Ral starał się być wzorem grzeczności, nie tracąc nic ze swej czujności.

– Jestem zaskoczony tak dobrym przyjęciem. – Beltar nie uczynił najmniejszego ruchu, by zejść z konia. Wierzchowiec szlachetnej krwi nerwowo poruszał nozdrzami, jakby sprawdzał, skąd wieje wiatr. – Wiesz, po co przybywam?

– Otrzymałem twoją wiadomość. Rzecz jasna, niezupełnie zgadza się ona z prawdą.

– Jak to? – spytał Beltar. – Nie ma tu dziewki?

– Chciałbym cię zaprosić do środka, żebyśmy mogli o tym porozmawiać. Mamy wino i piwo, a moja służba krząta się, by przygotować ucztę.

– Pytam, czy jest tu dziewka.

– Lady Ambra mieszka w Braxton, lecz to nie ja ją tutaj sprowadziłem. Przyjechała sama. Nie było wiadomo, kim jest, dopóki nie przybył twój posłaniec. Zjawił się jednak za późno.

Beltar zesztywniał w siodle. Wiatr rozwiał poły jego krótkiej, czarnej tuniki i ostatnie promienie słońca odbiły się czerwonym blaskiem od jego zbroi.

– Za późno? Czy to znaczy, że uciekła?

– Poślubiła innego, niestety. Ślubu udzielił tutejszy ksiądz, na zamku. Lady Ambra wyszła za mojego zarządcę Richarda z Pembroke. Nic już nie można zrobić.

– Nie wierzę ci. – Nakazał wielkiemu zwierzęciu, by podeszło tak blisko, że niemal dotykało nogą piersi Rala. – Zabrałeś dziewkę do swojego łoża i chcesz ją przy sobie zatrzymać.

Ral nie poruszył się, tylko oparł się ciężarem swojego mocarnego ciała o konia, zmuszając go, by się cofnął o krok. Miał udzielić odpowiedzi, gdy z tyłu rozległo się szemranie i w wejściu do wielkiej sali ukazał się Richard. Stanął na szczycie schodów prowadzących na dziedziniec.

– Lord Ral mówi prawdę, lordzie Beltarze. Dziewczyna jest moją żoną, żoną Richarda z Pembroke. Prawdą jest też, że nigdy nie była nałożnicą lorda Rala, ponieważ była dziewicą, kiedy ją wziąłem po raz pierwszy. Od tego czasu brałem ją często. Może już teraz nosić w łonie moje dziecko.

Beltar uniósł pięść w skórzanej rękawicy i potrząsnął nią w powietrzu.

– Wszyscy wiedzieli, że jej szukam – powiedział Ralowi. – Dlaczego zezwoliłeś na ten ślub?

– Nie było wiadomo, kim naprawdę jest, ponieważ przywędrowała tu z trubadurami. Była dojrzała i chętna, a mój sługa jej zapragnął. Nie wydawało się wtedy, że to małżeństwo może wyrządzić komuś krzywdę.

– Dojrzała była, a jakże – mruknął i pochylił się, by splunąć na ziemię. – Rzadki owoc, który miałem zamiar sam zerwać. – Podniósł wzrok w stronę drzwi dworu, gdzie Ral wypatrzył błysk ciemnokasztanowych włosów.

Karyna stała w głębi, przy Ambrze. Na Chrystusa, kazał jej zostać w środku, z dala od niebezpieczeństwa. Poruszyła się nieco i ukazała się cała jej sylwetka. Boże, alez to była piękna, choć nieduża kobieta. Nic dziwnego, że nigdy nie miał jej dosyć.

Popatrzył na Beltara, który wlepił w nią wzrok z takim lubieżnym uśmiechem, że miał ochotę zdzielić go pięścią w zarośniętą gębę.

– A kim jest ta dziewka z ognistymi włosami?

– To moja żona – odparł spokojnie Ral, lecz w jego duszy zagościł niepokój. Nie podobał mu się wyraz twarzy Beltara, gdy oceniał jej kobiece krągłości, ani też kiedy przeniósł wzrok ku łucznikom, jakby badał obronę Braxton.

Beltar przeniósł wzrok na niego.

– Chciałbym zobaczyć dziewczynę i księdza. Chcę wiedzieć na pewno, czy mówisz prawdę.

Na szczycie schodów Ambra podeszła do Richarda, który zdrętwiał na jej widok, po czym pozwolił jej przejść. Ksiądz także wystąpił z cienia.

– Tych dwoje zostało sobie poślubionych przed Bogiem naprawdę. – Oznajmił ojciec Burton. – Skoro to osoba tak skłonna do oszustwa, powinieneś się radować, że nie pojąłeś jej za żonę.

Złość Beltara skierowała się teraz na jasnowłosą kobietę, która stanęła przed nim.

– Okazuje się, że oszukałaś nas wszystkich. Może, jak rzekł ksiądz, mam szczęście, że poślubiłaś innego. – Utkwił surowe spojrzenie w Richardzie. – Radzę ci często używać kija. Porządne bicie to jedyna rzecz, która przemawia do rozsądku takim jak ona.

Richardowi spadła z ramion część ciężaru.

– Zapamiętam twoje słowa, panie. Przyjmij moje pokorne przeprosiny za wszelkie kłopoty, których stała się przyczyną. Obiecuję, że dziewczyna nie opuści komnaty w czasie twojej obecności. – Lekki uśmiech błąkał się po jego wargach. – Ambro, zaczekaj na mnie na górze.

Kiedy Ambra pospieszyła wypełnić polecenie męża, Ral poczuł w głębi duszy rozbawienie. Richard zapomniał powiedzieć, że pozostanie w tej komnacie razem z nią. Wyglądało na to, że rola męża nie była dla niego tak trudna, jak mu się zdawało.

Ral patrzył w ślad za sługą znikającym w wejściu. Richard dobrze zagrał swoją rolę i chociaż Beltar ciągle wyglądał na obrażonego, odpowiedzialność za jego stratę nie spoczywała już na lordzie zamku Braxton.

– Mam nadzieję, że masz chętną dziewkę, która zajmie jej miejsce – rzekł Beltar, gdy zsiadł z konia. – Każdej nocy przez długie sześć miesięcy wyobrażałem sobie, że wchodzę między jej słodkie uda. Gdy tylko pomyślę, jak rozkłada nogi dla twojego sługi, robię się twardy jak kamień.

– Znajdziemy dla ciebie chętną dziewczynę albo może i dwie – rzekł Ral. – Słyszały o twoich miłosnych wyczynach i nie mogą się doczekać, by cię zabawić. – Przewidział taki obrót sprawy i zawczasu się przygotował. – Jedną wyślę, by pomogła ci się wykąpać. Naciesz się dziewką i winem, a potem zapraszam na ucztę.

Beltar wymamrotał coś w odpowiedzi.

Na razie zdawali się bezpieczni. Ral spojrzał tam, gdzie stała Karyna. Kazał jej pozostać w środku i można powiedzieć, że go posłuchała – z dokładnością do paru cali. Słodki Jezu, ta kobieta to utrapienie.

Coraz bardziej niebezpieczne utrapienie przy tak upartej niezależności.

Zobaczył, jak oddala się od wejścia, kiedy spostrzegła, że zmierza w jej kierunku, i zanotował sobie w myśli, że ma się postarać, by gorzko zapłaciła za nieposłuszeństwo – wieczorem w łożu. Przynajmniej na tuzin różnych sposobów.

Uśmiechnął się, ale po chwili zachmurzył. Musi dopilnować, żeby jego potężny gość miał zajęcie i by nie spuszczano go z oka.

* * *

Kiedy jego była narzeczona zeszła mu z oczu, Beltar uspokoił się i napięcie panujące na zamku nieco zelżało. Wypił całą beczkę wina i jak szalony zamawiał do łoża jedną dziewkę po drugiej. Szczęśliwie liczba chętnych, by go zabawić, zdawała się nieskończona, ponieważ wypełniał ich mieszki monetą na tyle szczodrze, by osłodzić szorstki sposób, w jaki je traktował, i złagodzić brutalnie wściekłe pchnięcia między nogi, których im nie szczędził.

Niemniej jego wzrok zbyt często wędrował ku Karynie. To, że chciał ją mieć w łożu, rozpalało gniew Rala. Użył całej siły swojej stalowej woli, aby powstrzymać się przed złapaniem tego człowieka za gardło. Miał ochotę dusić go, dopóki nie zamknie lubieżnych oczu. Wreszcie po długiej nocy, którą spędził, nie mogąc nacieszyć się dziewkami, myśli Beltara powędrowały w innym kierunku.

– Na razie mam dość kobiet – rzekł po południu następnego dnia. – Teraz zapolowałbym na dzika. – Nawet ze świeżo umytymi i wyczesanymi włosami i gładko ogolony wyglądał złowrogo i odpychająco. – Umoczę w Braxton moją włócznię we krwi, w taki czy inny sposób.

Ral usiłował ukryć poryw złości. *Uważaj, Beltarze, bo to twoja krew może splamić ziemie Braxton.*

Następnego ranka o świcie wybrali się na łowy – Ral z dziesiątką ludzi i Beltar z dziesiątką swoich. Reszta pozostała na zamku.

Charty biegły przodem. Po kilku godzinach natrafili w górach na ślad nieszczęsnego zwierzęcia. Psy podjęły trop. Dały o tym znać, wyjąc do czystego o poranku błękitnego nieba, po czym z zapałem ruszyły naprzód, prowadząc myśliwych głębiej w las.

– Duża sztuka – zauważył Belter, przyglądając się śladom w błocie.

– Na to wygląda – przytaknął Ral.

– To będzie zabawa godna króla.

Ral nie odpowiedział. Spojrzał przed siebie, śledząc wzrokiem psy, które znikały w oddali. Na krawędzi dębowego zagajnika przystanęły, a ich wściekłe ujadanie nasiliło się, roznosząc się po całej okolicy.

– Osaczyły go! – rozległ się krzyk Beltara. – Bestia będzie walczyć!

– Tak... to się okaże.

Podjechali w tym kierunku, a ludzie podążyli za nimi, gotowi do pomocy, w razie gdyby strzały ich panów nie zdołały powstrzymać dzikiego odyńca.

– Zwierzę jest większe, niż sobie wyobrażałem. – Beltar spostrzegł sylwetkę odyńca na tle gęstych drzew.

– Oto i on. Wygląda na niebezpiecznego. Zabił już trzy najlepsze psy myśliwskie.

– Tak – odparł Beltar. – Ale upuściły mu krwi. To go zagrzeje do walki – mówiąc to, wyciągnął strzałę z kołczanu, napiął łuk, wycelował starannie i wypuścił strzałę. Trafiła odyńca w biodro. Trysnęła krew, a strzała została w ciele i sterczała groźnie. Rozległ się okropny ryk. Zwierzę dalej stało w miejscu, znajdowało się jednak pod osłoną zwalonego pnia drzewa za stertą połamanych gałęzi.

– Musimy zsiąść z koni, żeby go dostać – rzekł Ral, lecz Beltar już zeskoczył z konia. Ral uczynił to samo i gestem dał znak Lambertowi i Geoffreyowi, by do nich dołączyli.

Zostawili konie i zbliżyli się do rannego odyńca. Był wielki i rozjuszony, nastroszył się i tupał racicami, groźnie szczerząc kły, które lśniły w słońcu. Gotował się do ostatecznej walki.

Odór zwierzęcia sprawił, że Ral się skrzywił. Była to mieszanina strachu, krwi i śmierci. Ten dobrze znany zapach towarzyszył rycerzom także w czasie bitwy.

– Zwierzę jest moje – oświadczył Beltar, przykładając następną strzałę do cięciwy. Zuchwały myśliwy kroczył pewnie, zbliżając się do swojej ofiary, podczas gdy wielki, rozdrażniony odyniec majestatycznie postąpił krok ku niemu. Ral założył strzałę, podobnie uczynił Geoffrey i Hugh oraz dwóch ludzi Beltara, którzy okrążali zwierzę.

Strzała Beltara zaśpiewała swoją śmiertelną pieśń, zmierzając prosto i szybko w stronę boku wielkiego odyńca, lecz zamiast wbić się między żebra i zagłębić w sercu, zgodnie z zamiarem Beltara, ześlizgnęła się po kości i odskoczyła. Odyniec zaryczał dziko i ruszył do natarcia.

Beltar przyszykował i wypuścił następną strzałę, godząc zwierzę prosto w pierś. Odyniec potknął się i zachwiał, lecz nie padł. Zamiast tego skręcił nieco w lewo i runął do ataku, powalając na ziemię Geoffreya w tej samej chwili, w której strzała Rala zatopiła się w jego szyi.

– Jezu Chryste! – zakrzyknął Ral, odrzucając łuk i sięgając do rękojeści miecza. Wyskoczył w stronę

Geoffreya, zataczając mieczem szeroki łuk i tnąc odyńca tak, że niemal odrąbał mu głowę.

Zanim ciało zwierzęcia znieruchomiało, rycerze Beltara podbiegli, by odciągnąć go od leżącego na ziemi bez przytomności człowieka z głęboką ciętą raną głowy i zalanym krwią ramieniem.

– Zawinąć ranę, by powstrzymać krwawienie – zakomenderował Ral. – Musimy go zabrać na zamek.

– Cóż za wspaniały okaz. – Beltar trącił odyńca nogą. – Szkoda, że twój człowiek został ranny, ale właśnie niebezpieczeństwo sprawia, że łowy to wielka uciecha.

Ral nic na to nie powiedział. Pomógł Lambertowi i Hugh usadowić Geoffreya na koniu. Przywiązali go do siodła, a Hugh poprowadził konia za wodze. Ruszyli w drogę powrotną.

Na krew Chrystusa, pomyślał Ral. *Gdybyż tylko Hassan był jeszcze we dworze.* Arabski medyk wyjechał jednak na dwór królewski kilka dni po przyjęciu porodu we wsi. Na zamku był jedynie ksiądz, lecz jego umiejętności lecznicze były prymitywne i mogły się okazać niewystarczające.

Była jednak jeszcze Karyna.

Żona dużo się nauczyła od arabskiego medyka, a czego się raz nauczyła, na pewno pamiętała. Była największą nadzieją na ocalenie młodego rycerza, to Ral wiedział aż nadto dobrze. Chociaż księdzu pewnie się to nie spodoba, Ral zamierzał oddać go pod jej opiekę.

To Karyna będzie pielęgnować Geoffreya, Karyna stwierdzi, czy będzie żył, czy umrze. To ręce Karyny będą łagodzić ból smukłego twardego ciała urodziwego rycerza.

Na samą myśl o tym Ral poczuł ucisk w piersi.

* * *

– Dobry Boże… Geoffrey! – Karyna pędem wybiegła na spotkanie mężczyzn, którzy wnosili młodzieńca na zamek. – Co się stało? On nie jest chyba... nie jest chyba martwy?

– Nie – uspokoił Ral. – Żyje jeszcze, chociaż otrzymał śmiertelną ranę.

Przełknęła z wysiłkiem na widok krwi Geoffreya i z trudem opanowywała oszalałe bicie serca.

– Wnieście go tutaj. – Ręce jej drżały, kiedy badała jego bladą twarz i ciało bez oznak życia. Mężczyźni wnieśli swój ciężar do pomieszczenia, które służyło za infirmerię. Po wyjeździe Hassana używał go ojciec Burton oraz w razie potrzeby także Karyna.

– Uważajcie na jego ramię. – Pod jej kierownictwem miejsce to było utrzymane w porządku i czystości. Buteleczki i słoiki, które przygotowali razem z Arabem, stały w równych rzędach na drewnianym stole pod ścianą. – Przynieście mi dzban wody.

Położyli rannego na wyszorowanym drewnianym stole i pospieszyli wykonać polecenie, podczas gdy ona zajęła się zakrwawionym opatrunkiem.

– Matko Boska...

– Tak, pani – przytaknął Lambert. – Będzie potrzebne boskie miłosierdzie, żeby go uratować.

Stojący przy nich Hugh nerwowo miął kapelusz.

– To był najgroźniejszy dzik, jakiego w życiu widziałem, pani.

– Tak, zapewne. – Karyna zmoczyła czysty ręcznik i niepewnymi rękami jęła oczyszczać ranę. – Przy tak głębokim zranieniu na pewno wda się zakażenie. – Potrząsnęła głową. – Jest blady jak śmierć. Stracił za dużo krwi.

– Cud, że jeszcze żyje – odezwał się Ral i stanął przy niej. – Droga do domu była ciężka i długa.

– Ciężka i długa będzie też droga do wyzdrowienia. Modlę się, żeby przeżył.

Ral nie odpowiedział, za to omiótł ją znaczącym, niezbyt przyjemnym spojrzeniem. Chciałaby odgadnąć jego myśli.

– Nie chodzi o to, żebyś się modliła, tylko o to, żebyś zrobiła to, czego się nauczyłaś – odezwał się po długim milczeniu. – Tylko tego od ciebie oczekujemy.

Po tych słowach odwrócił się i wyszedł.

* * *

Karyna spędziła przy łóżku Geoffreya siedem długich dni. Leczyła ranę na głowie okładami z naparu z głowianki, aby zatamować krwotok. Owijała ją i często zmieniała opatrunki. Z czasem nabrała pewności, że rana na głowie się zagoi. Natomiast rana na ramieniu to była zupełnie inna historia.

Kły dzika rozorały tu ciało i zostawiły ślady głębokiej purpury i ognistej czerwieni. Pozwoliła na to, żeby rana krwawiła dłużej, mając nadzieję uniknąć dzięki temu jątrzenia się, lecz z drugiej strony bała się dopuścić do znacznej utraty krwi.

Karyna często przemywała ranę, używając roztworu korzenia mandragory zmieszanego z lubczykiem, niemniej nie dostrzegała oznak poprawy. Nawet kompresy zrobione ze specjalnie przyrządzonych przez Hassana grzybków nie wyciągnęły jadu.

Jak się obawiała, gorączka przejęła władzę nad rannym. To trząsł się z zimna, chociaż ciało miał rozpalone, to ściągał z siebie przykrycie, kiedy czuł, że mu gorąco. Chociaż ksiądz tego zabraniał, Karyna kazała rozebrać Geoffreya i wykąpała go sama, aby ostudzić go, na ile się dało. Niepokoiła się, że Ral może ją powstrzymać, lecz on w czasie wykonywania tej intymnej czynności stał niemo, sztywno, z twarzą niewyrażającą żadnych uczuć.

Chociaż Beltar opuścił Braxton następnego dnia po polowaniu i wrócił do swojego zamku na północy, za każdym razem, kiedy Ral wchodził do infirmerii, wydawał się coraz bardziej zafrasowany. Znużenie wyżłobiło w jego twarzy nowe bruzdy i jasne się stało, że nic nie jadł. Jego zmartwienie rosło z każdym dniem i dotyczyło zarówno Geoffreya, jak i jej samej.

– Pora, żebyś odpoczęła – rzekł któregoś wieczoru. – Przyślę Brettę, żeby się nim zajęła.

Karyna potrząsnęła głową.

– Z każdą godziną słabnie. Nie mogę go zostawić. Muszę tutaj być.

Ral potarł zmęczone oczy. Jego urodziwą twarz szpeciły te same ciemne sińce, które szpeciły też jej własną.

– A ksiądz? Na pewno wie dosyć, żeby zająć się chłopakiem.

– Geoffrey jest moim przyjacielem. Nie narażę jego życia na niebezpieczeństwo dla kilku godzin snu.

Ral popatrzył na młodego, jasnowłosego rycerza, którego twarz była biała niczym alabaster. Geoffrey oddychał krótko, nierówno, boleśnie. Ral westchnął, poddając się.

– Dopilnuję, żeby przygotowano ci tu posłanie. – I kolejny raz pozostawił ich samych.

W nocy Geoffrey obudził ją, początkowo mówiąc coś bez składu, potem przemawiając, a następnie krzycząc w porywie narastającego gniewu. Zwracał się do ojca, spierając się, że on nie zmarnuje sobie życia, tak jak uczynił to ojciec.

– Będę bogaty – wyszeptał, przewracając się z boku na bok. – Zaopiekuję się matką tak, jak tobie nigdy się nie udało.

– Dobrze, Geoffreyu – uspokajała Karyna chorego i położyła mokry ręcznik na jego czole. – To już przeszłość. Jesteś chory. Musisz zasnąć.

– Matko? Przyszłaś po mnie, matko?

Karyna wahała się tylko przez jedną krótką chwilę.

– Tak, Geoffreyu, twoja matka jest przy tobie.

– Ja... wiedziałem, że przyjdziesz. Ty zawsze... przychodziłaś, kiedy cię potrzebowałem.

Karyna osuszyła krople potu z jego czoła.

– Już wkrótce poczujesz się lepiej.

– Dobrze cię widzieć, matko. Ja... tak bardzo... za tobą tęskniłem.

– Ja też za tobą tęskniłam. – Nim przebrzmiały jej słowa, Geoffrey zapadł znów w nieświadomość. Później w nocy pogorszyło mu się.

– Jest rozpalony gorączką – wyjaśniła Ralowi Karyna, pochylając się nad rannym, by zetrzeć mu z twarzy pot. – Obawiam się, że to zakażenie. Wyczerpie do cna resztkę jego sił.

– Zrobiłaś wszystko, co potrafisz. Nie możesz uczynić już nic więcej.

Karyna spojrzała na młodą, umęczoną twarz Geoffreya. Bała się tego, co musiała uczynić, wiedziała jednak, że musi spróbować.

– Jest jeszcze jeden sposób... Jest jeszcze jedna rzecz, którą można zrobić. – Zwróciła się do Rala i w tej chwili nie pragnęła niczego bardziej niż tego, by objęły ją jego ramiona. Bała się także, że jeśli do tego dojdzie, okaże się, że nie będzie w stanie tego uczynić. – Przyprowadź Lamberta i Hugh. Będziecie potrzebni wszyscy trzej, żeby go trzymać.

Wyraz jego twarzy powiedział jej, że Ral zrozumiał, co zamierza uczynić. Zostawił ją na chwilę i szybko wrócił z ludźmi, którzy niechętnie wkroczyli do komnaty. Zobaczyli płonący ogień i rozgrzewający się w nim mały ostry nóż.

Karyna stała obok Rala z mocno bijącym sercem i ciężarem, który przygniótł jej pierś.

– Może powinnam pozwolić ciąć ojcu Burtonowi. Ma dużo większe doświadczenie w pracy z nożem, podczas gdy ja spróbowałam dopiero parę razy i przyglądałam się, jak Arab to robi.

Ral dotknął jej policzka końcami palców.

– Musisz coś postanowić, Karyno. Musisz zrobić wszystko, co uważasz za najlepsze, by Geoffrey przeżył.

Popatrzyła na zmęczoną twarz męża.

– Zatem zrobię to sama. Będę delikatniejsza niż ksiądz, poza tym daleko bardziej chcę widzieć go żywym.

Podczas gdy Ral i rycerze trzymali mocno pacjenta, Karyna wykonała cięcie, by usunąć zaropiałe części rany. Następnie przypaliła oczyszczoną ranę przy akompaniamencie krzyku Geoffreya. Gdy skończyli, cała drżała.

– Gotowe – rzekła głosem niewiele głośniejszym od szeptu. Była tak zmęczona, że chwiała się na nogach. – Reszta w rękach Boga. – Starając się wziąć w garść, zabandażowała ranę, usiadła przy Geoffreyu i czekała.

Po trzech dniach Geoffrey de Clare, rycerz w służbie lorda Braxton, powrócił do świata żywych.

– Jak się czujesz? – spytała go Karyna. Był blady i wychudzony, lecz nadal niewątpliwie urodziwy.

– Tylko nieco lepiej niż dzik.

Karyna uśmiechnęła się, rada widzieć blask, który powrócił do jego oczu.

– Jestem niewypowiedzianie wdzięczny za wszystko, co zrobiłaś – rzekł Geoffrey, sięgając po jej rękę. Jak na takie osłabienie był w znakomitym nastroju i Karyna nabrała pewności, że przy sprzyjającej mu młodości i wigorze wkrótce będzie zupełnie zdrów. – Zawdzięczam ci życie, lady Karyno.

– Bardziej jeszcze Arabowi i Bogu – odrzekła. – Dobrze, że do nas wróciłeś, Geoffreyu.

– Dobrze być tu znowu, lady Karyno.

Niemniej ranny nadal jeszcze potrzebował nieustannej opieki. Karyna pochylała się nad jego łożem i wycierała mu czoło, kiedy wszedł do komnaty Ral. Zauważył od razu, że przykrycie nieskromnie zsunęło się z ciała młodego rycerza, odsłaniając go aż do bioder. Ral zesztywniał, kiedy jego żona delikatnie obmyła twarz Geoffreya, a potem jego pierś i ramiona. Pacjent zdawał się drzemać, póki nie otworzył oczu i się nie uśmiechnął.

– Jesteś moim aniołem miłosierdzia, lady Karyno.

Odsunęła się od niego i rumieniec pokrył jej policzki. Sięgnęła po prześcieradła, żeby podsunąć je wyżej, po czym zarumieniła się jeszcze bardziej, kiedy dotarło do niej, że Geoffrey nie potrzebował już aż takiej opieki.

– To pewne, że czujesz się lepiej – rzekła cierpko, lecz w jej głosie zabrzmiała serdeczna nuta.

Ral odsunął się od ściany, przy której stał, aż oboje podskoczyli.

– To pewne, że tak. – Jego uwagę zaprzątnęła zarumieniona twarz żony i lekki uśmiech na twarzy Geoffreya. – Odtąd Bretta będzie go doglądać. Masz jeszcze inne obowiązki prócz rozpieszczania tego młodego ogiera.

Karyna nie spierała się.

– Tak, panie. – Opuszczając komnatę, rzuciła jeszcze Geoffreyowi ostatnie spojrzenie. – Z każdym dniem będzie lepiej i już niedługo staniesz na nogi – powiedziała na odchodne.

A wtedy co?, zapytał w duchu Ral. *Jakie plany będziesz miał wówczas względem mojej żony?* Przypomniał mu się wyraz twarzy Geoffreya, kiedy nazwał Karynę swoim aniołem. Jakie jeszcze uczucia w nim dojrzewały? Jakie były jego zamiary? Ral badawczo przyjrzał się twarzy Karyny.

A ty, moja słodka małżonko? Czy te długie godziny spędzone z Geoffreyem nie zmieniły twoich uczuć do mnie? Prawdę mówiąc, nie był pewien, jakie te uczucia naprawdę były.

Kiedy opuszczał infirmerię, Ral zacisnął pięści, a w jego myślach panował chaos. Zamierzał wrócić na dziedziniec, żeby poćwiczyć z ludźmi jeszcze kilka godzin. Ale zamiast do nich dołączyć, zawrócił do wielkiej sali. Znalazł Karynę z Richardem pogrążonych w rozmowie o dostawach dla dworu i przygotowaniach do uczty na cześć zbliżającego się święta patrona.

– Potrzebuję cię, Karyno – powiedział. – Chodź ze mną na górę.

Pospieszyła za nim z zatroskaną twarzą.

– Co się stało, panie? Coś złego?

– Nic złego – odparł i pochwycił ją w ramiona na szczycie schodów. – Właśnie odkryłem, jak bardzo się za tobą stęskniłem przez ostatnich kilka dni. Bardzo cię pragnę i mam zamiar zaraz zaspokoić to pragnienie.

Karyna wstrzymała oddech, kiedy otworzył kopniakiem drzwi do ich komnaty, po czym zamknął je z trzaskiem.

– Jest środek dnia, panie. Jest tyle do zrobienia. Muszę...

– A czy potrzeby twojego męża nie są ważniejsze?

– Oczywiście, że tak, ale... – Uciszył ją mocny pocałunek. Czuła, jak napięte jest jego ciało, czuła mięśnie, które twardniały na jego piersi. Kochali się w nocy, a tymczasem jego pożądanie zdawało się nienasycone. Cóż, na Boga?

Pytanie to było nieistotne, kiedy zaniósł ją do łoża, usadowił i położył się obok. Całując ją namiętnie, wyciągnął jej grzebienie, po czym czesał palcami jej włosy, sprawiając, że zadrżała z podniecenia. Znalazł sznurówki od tuniki, rozwiązał, oswobodził jej ramiona i obnażył piersi.

– Jakie piękne – wyszeptał schrypniętym głosem, na którego dźwięk poczuła gorący dreszcz przenikający jej ciało. – Takie wysokie i pełne... i należą tylko do mnie. – Wziął jedną do ust i zaczął ssać delikatnie, rozgrzewając ją i zwilżając językiem. Po czym zatrzymał się i lekko ugryzł, by wywołać gorącą falę bólu wezbranego pożądaniem.

Karyna krzyknęła głośno, czując ugryzienie, wygięła się w łuk, a gorąco spłynęło w dół jej brzucha. Pod jego ustami jej piersi nabrzmiewały, łaskotały i pulsowały słodkim bólem z każdym uderzeniem serca.

– Pragnę cię, Karyno. – Wziął ustami jej usta, ręką zakasał jej tunikę, językiem wodząc wokół ust, po czym wślizgnął się do środka. Jego dotyk parzył ogniem, oddech przesycony był męskim zapachem, a pięknie umięśnione ciało było świadectwem doskonałego dzieła Stwórcy.

Słodka Mario, pomyślała, zastanawiając się, co doprowadziło go do takiego szału. Odpowiedziała z podobnym zapałem, kiedy jego palce sprawdzały miejsce między jej nogami. Była wilgotna i gotowa, podniecona, nabrzmiała i śliska. Głaskał ją, podczas gdy wargi nadal plądrowały jej usta, a jego twarda męskość nacierała na nią, gruba, pulsująca, obiecująca mnóstwo rozkoszy.

Wsunął w nią palec, po czym wysunął, wsunął i znowu wysunął. Następnie rozwiązał spodnie i rozchylił jej nogi jeszcze szerzej, ułożył się i wszedł w nią.

Przeniknęło ją uczucie niewypowiedzianej, dzikiej rozkoszy, kiedy jego gruba kopia wypełniła ją, wielka, twarda i gorąca. Po chwili wiła się pod nim i prężyła, aby odeprzeć swoim ciałem każde potężne pchnięcie. Mięśnie na jego piersi i ramionach nabrzmiały, wystąpiły mu ścięgna i żyły. Wchodził w nią tak zapamiętale jak nigdy dotąd, głęboko, mocno, egzekwując swoje do niej prawo w sposób, który wzniecał w niej pożar namiętności.

– Chodź ze mną, *chèrie* – wyszeptał ochryple, tonem bardziej rozkazującym niż proszącym. Ciało Karyny odpowiedziało, jakby nie miało wyboru, posłusznie wypełniając jego wolę spazmem rozkoszy, zaciskaniem, drżeniem, zwieraniem, fala po fali cudownego gorąca.

Przyciągnął ją do skraju łoża, założył jej nogi na swoje ramiona i wszedł jeszcze głębiej, wywołując kolejny spazm rozkoszy. Nadal poruszał się miarowo i zapamiętale.

Po paru sekundach poszybowała znowu na najwyższe szczyty rozkoszy. Wbiła palce w jego twarde mięśnie, po czym zaczęła miąć w dłoniach prześcieradła i miotać głową na boki. Wykrzyknęła jego imię.

– Na to właśnie miałem nadzieję – rzekł, chociaż szczęki miał zaciśnięte. – Zapamiętaj tę rozkosz, *ma chèrie.* Zapamiętaj tego, który sprawił, że ją przeżyłaś.

Wykonał cztery mocne i głębokie pchnięcia i osiągnął własny szczyt. Odrzucił do tyłu głowę, żyły nabrzmiały mu na szyi i ramionach, a bicepsy uwypukliły się, kiedy wypuszczał z siebie nasienie.

Czas się zatrzymał. Komnata zasnuła się mgłą i zniknęła. Karyna nie poczuła nawet, że ją puścił. Była aż nadto nasycona i obdarowana rozkoszą.

Ral pochylił się i pocałował ją w policzek.

– Potrzebujesz odpoczynku, a nie jazdy takiej jak ta. Jeszcze nie doszłaś do siebie. Nie powinienem być tak wymagający. – Gdy na jej twarzy ukazał się ciepły wyraz, uśmiechnął się łobuzersko. – Nie powiem jednak, że mi przykro.

Czując się zadowolony jak nigdy od wielu już dni, Ral zostawił małą żonę zwiniętą w pomiętej pościeli, zaspokojoną, leżącą z półprzymkniętymi oczami i z rozrzuconą w nieładzie burzą pięknych kasztanowych włosów.

O wiele bardziej pewny siebie, niż gdy opuszczał izbę chorych, wrócił do wielkiej sali. Do wieczerzy odzyskał animusz, a do końca dnia uporał się ze wszystkimi niemiłymi uczuciami.

Karyna żywiła do Geoffreya wyłącznie przyjaźń. Tylko jej małżonek i nikt inny posiadał władzę nad jej małym niewieścim ciałem. Nikt inny.

Ral zamierzał się postarać, by tak już pozostało.

* * *

Wiatr lekko szumiał na zamku Malvern. Słońce świeciło nad polami, a plony dojrzewały. Stephen de Montreale przyglądał się swoim posiadłościom przez otwarte okno wieży, czując rozpierającą go dumę.

Słudzy całymi dniami ciężko pracowali w jednej z najlepszych posiadłości, która nadana mu została jako jednemu z najwyżej postawionych ludzi w kraju. Zamek wzniesiono z najlepszego budulca w Yorkshire, mury obronne i wieże uchodziły za niezdobyte. Zdobiły go najbogatsze kobierce, gobeliny oraz najdroższe, sprowadzone zza morza sprzęty. Zastawa stołowa składała się wyłącznie ze sreber, a nie naczyń cynowych czy drewnianych. Wszystkie jego szaty były tak bogate, jak ta wspaniała tunika z królewskiego jedwabiu, którą miał na sobie, modne w każdym szczególe i barwie. Obramowane były srebrnym lub złotym haftem. Wszystkie płaszcze i peleryny podbite były gronostajami.

Jednak Stephenowi to nie wystarczyło.

Przeszedł się po komnacie i zasiadł po drugiej stronie mahoniowego stołu naprzeciwko siostry. Ubrana w pomarańczową tunikę ozdobioną złotą nicią i z połyskliwymi czarnymi włosami zaczesanymi do tyłu Eliana pochyliła się do przodu i uścisnęła jego rękę.

– Dostałeś wiadomość? – zapytała. – Zatem wiesz, kiedy będzie przejeżdżał tędy królewski poborca?

Stephen uśmiechnął się z satysfakcją.
– Tak, wiem doskonale, kiedy przybędzie Balmain, i którędy będzie jechał.
– A Ferret?
– Zebrał ludzi i czeka na moje rozkazy.
– Pewien jesteś, że można mu zaufać?
– Nie ufam żadnemu człowiekowi, a zwłaszcza takiemu. Tyle że mogę mu dostarczyć wiadomości, której potrzebuje, podczas gdy on – tu wygiął usta w złośliwym uśmieszku – może mi dostarczyć połowę swojego łupu. Układ, jak dotąd, opłaca się nam obu.
– Dotąd rabował daleko na północy. Kiedy napadnie na ludzi króla, Braxton dowie się o jego powrocie i wyprawi się, by go schwytać.
Stephen przybrał surowy wyraz twarzy.
– Tego bym sobie życzył. Dostanę pieniądze króla, a niedługo potem głowę Braxtona. Mam przy nim takich, którym on ufa, a którzy go zdradzą. Wina za napad na królewskiego poborcę spadnie na niego. Wtedy się z nim rozprawię i dostanę wszystko, co ma cennego.
Eliana podniosła delikatną czarną brew.
– Łącznie z dziewką, którą pojął za żonę?
– Zwłaszcza z nią. – Uniósł do ust dłoń ze smukłymi palcami. – Podzielimy się łupem, ty i ja. A jeśli idzie o lady Karynę... Byłaś zawsze kobietą o nieposkromionej wyobraźni. Na pewno wymyślisz sposób, by dostarczyła przyjemności nam obojgu.
Eliana oblizała swoje delikatne rubinowe usta.
– Jest ładna i kształtna, pełen życia młody kwiatuszek, który jeszcze nigdy nie nagiął się do woli mężczyzny, nawet do woli swojego męża. To będzie ciekawe, spróbować jej nektaru, zanim jej płatki zmiażdży obcas twojego buta.
Stephen uśmiechnął się szeroko.

– Dobrze, że przyjechałaś, Eliano. Twoja obecność osłodzi mi dodatkowo przyjemność z klęski Braxtona.

– Cieszę się, że tu jestem, skarbie. Wiedziałam, że nadejdzie dzień, kiedy zmusisz lorda Raolfe, by zapłacił za zniewagę, którą mi uczynił.

– Zniewagę, którą uczynił nam obojgu – poprawił Stephen. Obraz siostry w łożu z wielkim, śniadym Normanem obudził się gdzieś w podświadomości i wypłynął na powierzchnię.

Uwiodła go umyślnie, tak rzekła, aby uwikłać go w małżeństwo. Młodym rycerzem łatwo było manipulować, mogli więc żyć jak dotąd, bez obawy, że zostaną zdemaskowani. Była zdecydowana chronić brata bez względu na koszty, jakie sama musiałaby ponieść.

Tak samo postąpiła tamtego dnia w klasztorze, kiedy miał dziewięć lat. Przyjechał, by pobierać nauki, lecz nauka okazała się zaprawiona goryczą ostrego jak brzytwa noża. Kiedy Eliana przyjechała z macochą, by go odwiedzić, powiedział jej, co się stało, choć nie ujawniłby tego nikomu innemu. Ze łzami w oczach wyznał jej, co robił z nim przeor, opowiedział o wszystkich wstrętnych, brudnych postępkach, a Eliana tuliła go, kiedy zalewał się łzami.

Uparła się, że go nie zostawi w klasztorze, chociaż nalegała na to nowa żona ojca. Pomogła mu wydostać się oknem i uciekli razem. Do domu dotarli dopiero po czterech dniach. Głodni, brudni, w poszarpanej odzieży i tak zmęczeni, że ledwie trzymali się na nogach.

To Eliana spierała się z ojcem, Eliana go przekonała i ocaliła Stephena przed losem gorszym niż śmierć. Chroniła go przez te wszystkie lata i opiekowała się nim w sposób, jakiego nie znała żadna inna kobieta.

Kiedy został mężczyzną, kolej rzeczy uległa zmianie i teraz to on chronił ją i strzegł ich tajemnicy.

To on ją kochał.

A Ral de Gere splamił jej nazwisko i ośmieszył przed światem.

Czarny Rycerz zerwał zaręczyny, upokorzył ją przed ojcem i okrył hańbą, pomimo że niejeden raz zakosztował jej wdzięków. Stephen pomógł jej pozbyć się niechcianego dziecka, Stephen siedział przy jej łożu, bojąc się, że straciła za dużo krwi, przerażony, że może umrzeć, i przekonany, że to wina Rala de Gere, a nie jego samego. Poprzysiągł wtedy zemstę.

– Nie obawiaj się, moja słodka. – Obrócił jej dłoń grzbietem na dół i pocałował wnętrze dłoni. – Braxton wkrótce zapłaci, i to słono, za wszystko, co nam uczynił.

Rozdział 20

– Mamy kłopoty, Ralu. – Karyna podążała ku niemu biegiem. – Idą tu wieśniacy. Są już na moście zwodzonym.

Karyna poprowadziła go do wielkich dębowych drzwi i razem zeszli po schodach na dziedziniec. Wieśniacy uzbrojeni w drągi, grabie i łopaty prowadzili wielkiego jasnowłosego, brodatego człowieka skutego łańcuchami.

Jego ubranie wisiało w strzępach. Krótka brązowa tunika była ubrudzona zaschniętym błotem, rozerwana tak, że obnażała spalone słońcem muskularne ramię. Nadgarstki i kostki nóg krwawiły tam, gdzie wrzynało się żelazo. Twarz była pokryta sińcami i zadrapaniami, na głowie widniało cięcie, a włosy miał zlepione ciemną zaschniętą krwią.

– Co tutaj się dzieje? – spytał Ral, zbliżając się do wieśniaków. – Cóż uczynił ten człowiek, że zasłużył sobie na takie traktowanie?

– Zabił, panie – rzekł Tosig, mąż kobiety, której niedawno urodziło się dziecko. – Zabił podróżnego na drodze.

Więzień podniósł głowę i zadzwonił łańcuchem, którym połączone były jego nadgarstki.

– Nikogo nie zabiłem.

– Kim jesteś? – Ral podszedł do więźnia i stanął twarzą w twarz z człowiekiem, jednym z niewielu, który mógł się równać z nim wzrostem.

– Nazywam się Gareth. Syn Wulfstana z Valcore.

– Znam tego człowieka. – Karyna podbiegła do Rala. – Jego ojciec był jednym z najzamożniejszych anglosaskich lordów. Powiadano, że jego syn to mężny wojownik.

– Gareth z Valcore. Słyszałem o tobie – rzekł Ral, kiedy nareszcie wydobył to imię z pamięci. – Walczyłeś pod Senlac. Byłeś ranny podobnie jak ja. Mówiono, że dzielnie walczyłeś.

Hugh wysunął się z grupy rycerzy i zbrojnych, którzy zaczęli gromadzić się wokół.

– Ja także o nim słyszałem, lordzie Ralu. Powiadano, że walczył w powstaniu w sześćdziesiątym dziewiątym. Krążyły pogłoski, że był przywódcą, nie było jednak na to żadnego dowodu. Słyszałem, że ten człowiek był ranny koło Yorku. Dostał pchnięcie włócznią między żebra. – Hugh zmierzył wzrokiem złotowłosego mężczyznę, który, gdy się wyprostował, był jeszcze wyższy niż on sam. – Nie sądziłem, że przeżyłeś.

Brodaty i jasnowłosy rycerz uśmiechnął się sardonicznie, rozrywając strup zaschniętej krwi w kąciku ust.

– Wywinąłem się śmierci tyle razy, że straciłem już rachubę. Walczyłem i odnosiłem rany. Zabiłem niezliczoną rzeszę wrogów w imię wojny, lecz nigdy nikogo nie zamordowałem.

Ral obejrzał go chłodno, oceniając nieugięte spojrzenie człowieka, wysoko podniesioną głowę, wyprostowane dumnie ramiona. Zwrócił się potem do wieśniaków, którzy przyprowadzili go skutego do zamku.

– Wygląda na to, że ten człowiek nie poddał się łatwo.

– Nie, panie – przemówił wieśniak imieniem Algar. – Walczył jak szaleniec. Trzeba było tuzina silnych ludzi, żeby go powalić na ziemię.

– Jaki macie dowód jego winy?

– Widziano go, panie, jak zdejmował buty zabitemu. Wytrząsnął mu też z mieszka monety.

– Nie przeczę, iż upadłem tak nisko, że rabuję umarłych – odparł wielkolud. – Nie ja jednak go zabiłem. Był martwy, kiedy go znalazłem.

– Uciekał przed nami, panie – rzekł Tosig. – Kiedy się do niego zbliżyliśmy, zaczął uciekać.

– Walczył jak demon – przemówił inny. – Niewinny człowiek nie dołożyłby tyle sił, żeby uciec.

– Nie uciekałem przed wieśniakami, a przed ich normańskim panem, do którego chcieli mnie doprowadzić. Aż nadto dobrze zakosztowałem normańskiego okrucieństwa, aby wiedzieć, jaki otrzymam wyrok. Słowo sprawiedliwość nieczęsto gości na normańskich językach.

– Arogancja tutaj ci nie pomoże – rzekł Ral i zwrócił się do Lamberta i Hugh. – Zamknąć go pod schodami. – Cele, piwnice i spichrze znajdowały się pod wielką salą. – Zdjąć mu łańcuchy i opatrzyć rany. I przypilnujcie, żeby go dobrze zamknięto.

– Tak, panie – odparł Hugh

– Dajcie mu też coś do jedzenia. Z napełnionym żołądkiem nie będzie miał ochoty uciekać.

Kiedy Hugh i Lambert wraz z szóstką zbrojnych odprowadzili więźnia, Karyna popatrzyła z ciekawością na Rala. Znając ją dobrze, otoczył jej kibić ramieniem i odprowadził w stronę wielkiej sali, gdzie pozwolił, żeby odciągnęła go na stronę.

– Chciałabym zamienić z tobą słowo, panie.

– Nie wątpiłem w to – odparł z lekkim rozbawieniem.

– Nie wierzę, że Gareth z Valcore jest winien. Pamiętam opowieści, które w czasie wojny o nim krążyły. Jego biegłość w wojennej sztuce była legendarna. Nazywano go Gryfem. Powiadano, że jest szybki jak orzeł i odważny jak lew. Był rycerzem honoru i męstwa. Wielu traktowało jak świętego.

– Ludzie zmieniają się, Karyno.

– Nie tacy jak on.

Ral był skłonny zgodzić się z tym. W zachowaniu Anglosasa wyczuwało się dumę i szlachetność, których nie zdołały zamaskować brud i łachmany. Niemniej wojna potrafiła zmienić najszlachetniejszych mężów. Ral widywał to na polu bitwy.

– Czy sąd odbędzie się w Braxton? – spytała Karyna.

– Nie. Będzie go sądził sąd królewski. Może nawet sam król Wilhelm.

Karyna dotknęła lekko jego ramienia.

– Czy nie możemy niczego zrobić, by mu pomóc?

Przez chwilę Ral nie odpowiadał, gdyż dziwnym zbiegiem okoliczności rozważał to samo.

– Dlaczego to takie dla ciebie ważne?

Karyna popatrzyła mu w oczy.

– Jeśli to Normanie przegraliby tę wojnę i znalazłbyś się w takim położeniu jak Gareth, pokładałabym nadzieję, że twoje chwalebne czyny będą przemawiały za tobą przed anglosaskim panem. Miałabym nadzieję, że on ci pomoże, gdyż zrozumie, jak dzielnym jesteś człowiekiem.

Kącik jego ust powędrował do góry.
– Zobaczę, co się da robić. Może uda nam się ustalić prawdę.

* * *

Wielkimi krokami Odo wspiął się na schody do dworu i wkroczył do wielkiej sali. Jego szary płaszcz powiewał za nim. Kilka ostatnich tygodni spędził w Normandii w odwiedzinach u swojego kuzyna. Oliver przysłał wiadomość o pannie na wydaniu.

Odo wrócił jednak bez żony.

– Gdzie jest lord Ral? – zapytał Richarda, który stał obok Ambry obok podestu. Oboje prowadzili ożywioną rozmowę na temat obowiązków, które miała zamiar podjąć, kiedy została jego żoną.

– Porozmawiamy w sypialni – zakończył Richard, a jego urodziwa żona żachnęła się. Odo szeroko otworzył oczy, kiedy zobaczył, że Richard pochylił się i pocałował czubek jej nosa. – Uśmiechał się, gdy się odwrócił. – Witaj w domu – przywitał Oda. – Dobrze, że już wróciłeś. – Richard uśmiechał się radośnie, odprężony jak nigdy dotąd.

– Dobrze być w domu – odpowiedział Odo. – Gdzie znajdę Rala?

– Nie widziałem go od rana. Kiedy cię nie było, na drodze do wsi został zamordowany podróżny. Złapano jednego człowieka i przyprowadzono do zamku. Został oskarżony o morderstwo, lecz lord Ral nie jest pewien jego winy. Szuka więcej dowodów, zanim przekaże człowieka pod sąd królewski.

– Kiedy wróci?

– Trudno powiedzieć. – Richard spoważniał. – Co się stało?

– Ferret się pojawił. Napadł François de Balmaina, królewskiego poborcę podatkowego.

– Balmain nie żyje?

– Jest śmiertelnie ranny. Tylko Bóg raczy wiedzieć, czy przeżyje. Większość jego ludzi padło zabitych albo rannych, no i pieniądze króla przepadły. To z całą pewnością robota Ferreta.

– Na rany Chrystusa, ten człowiek to wcielony diabeł!

– Tak, ale tym razem lord Ral go dopadnie. Dni Ferreta są policzone.

Hałas przy wejściu odwrócił ich uwagę. Ral wszedł do sali pewnym krokiem, aż tunika podskakiwała mu przy każdym stąpnięciu.

– Dobrze cię widzieć, panie.

– Odo! – Ral na chwilę zapomniał o kłopotach, uśmiechnął się szeroko do Oda i klepnął go mocno w kark. – Dobrze, że wróciłeś. – Rozejrzał się po sali. – Gdzie nowo poślubiona żona? Chciałbym ją poznać. Powiem Karynie, że wróciłeś i dziś wieczór urządzimy...

– Nie ma żadnej poślubionej żony, *mon ami*. Wróciłem w tym samym bezżennym stanie, w którym wyjechałem.

– Dziewczyna nie była dość ładna?

– Ależ nie, była i ładna, i miła, i wspaniale przyuczona do obowiązków żony.

– Cóż się więc stało? Miała za mały posag?

– Ależ skąd, posag był więcej niż przyzwoity.

– Szukałeś przecież żony przez całe miesiące…

Twarz Oda zapłonęła czerwienią tak samo jaskrawą jak jego włosy.

– Tyle tylko... Że nie poruszyła mnie w ogóle.

– Nie poruszyła? Nie rozumiem.

Odo przełknął z trudem, wyglądając przy tym nieco niepewnie.

– Patrzyłem na nią i niczego nie czułem.

– Nie czułeś pożądania?

– No, niezupełnie. Na pewno poszedłbym z nią do łoża, gdybym mógł. Potem jednak... – Westchnął ciężko i rozejrzał się ukradkiem. – To trudno wyjaśnić, ale... Przed twoim ślubem... Przez tych kilka tygodni przyglądałem się tobie i twojej pani. Widziałem, jakim wzrokiem na nią patrzyłeś. Widziałem też, jak ona patrzyła na ciebie. Tak samo i ja chciałbym patrzeć na kobietę.

Ral złączył zmarszczone brwi. Na wspomnienie uczuć do Karyny poczuł ucisk w okolicy serca.

– Tym razem to ty robisz z siebie głupca.

– Czyżby zmieniły się twoje uczucia do niej, od kiedy wyjechałem?

– Nie, ale to daleko za wcześnie, żebyś osądzał, jak sprawy się potoczą. – Na drugim końcu wielkiej sali mignęły kasztanowe włosy Karyny. Rozmawiała z Ambrą, śmiejąc się z czegoś, co powiedziała smukła dziewczyna. Już sam dźwięk jej głosu wywoływał w nim pożądanie i ucisk w dole brzucha.

Otrząsnął się i nachmurzył jeszcze bardziej. Nie podobały mu się uczucia, które wzbudzała w nim Karyna. Nie lubił wrażenia posiadania, które odczuwał względem niej, ani też potężnej, niszczącej zazdrości. Nie podobały mu się chwile, kiedy czuł się stropiony albo kiedy tracił nad sobą kontrolę.

Jego wzrok spoczął na przyjacielu.

– Najlepiej pozostać praktycznym, tak przecież sam mówiłeś. Pobrać się tylko dla potomstwa, a uczucia trzymać na wodzy. – Kiedyś miał nadzieję, że tak uczyni. Teraz jednak było na to za późno.

Odo spojrzał dziwnie. Rozwiązał płaszcz, który wciąż miał na sobie, i zdjął go z ramion.

– Rozejrzę się jeszcze. W końcu mi się nie spieszy. Jest jednak sprawa, o której musimy pomówić, niecierpiąca zwłoki.

Ral zwrócił się do przechodzącej obok służącej.

– Przynieś nam wina, chleba i sera do mojej komnaty. – Po czym zwrócił się do Oda. – Chodźmy. Pomówimy na osobności.

Kiedy podchodzili do schodów, podeszła do nich Karyna. Kosmyki ognistych włosów wymykały się z jej grubego warkocza, twarz miała zarumienioną od pracy, którą właśnie wykonywała, a krągłe piersi wyraźnie rysowały się pod prostą brązową tuniką. Na ten widok Ral poczuł, jak nabrzmiewa jego męskość.

– Odo – rzekła. – Nie wiedziałam, że wróciłeś.

– Witaj, pani.

– Jak twoja oblubienica? – Karyna rozejrzała się po sali. – Nie mogę się doczekać, by ją poznać.

– Odo nadal jest kawalerem – odparł za przyjaciela Ral. – To długa historia, Karyno. Opowie ci ją później.

Karyna kiwnęła głową.

– Jak poszły poszukiwania we wsi? – spytała Rala. – Znasz już prawdę o morderstwie?

Ral westchnął ciężko.

– Nie, wygląda na to, że Tosig ma rację. Gareth okradał zabitego i zrobił wszystko, by uciec.

– To nie czyni go winnym morderstwa.

– Właśnie. Teraz, kiedy chłopi wiedzą, że to człowiek zwany Gryfem, są mniej pewni jego winy. Wielu z nich jest mi wdzięcznych, że chcę dociec prawdy. Kilku zaoferowało nawet swoją pomoc.

Karyna się uśmiechnęła.

– Wiem, że ustalisz, jak było naprawdę. O to tylko chodzi.

Odo spochmurniał.

– To morderstwo, o którym mówisz... Całkiem możliwe, że winowajca to któryś z ludzi Ferreta. To właśnie chciałem ci powiedzieć, Ralu. Ten psi syn powrócił.

Ral zaklął szpetnie pod nosem. – Bóg mi świadkiem, że to mnie wcale nie dziwi. Potrzebował tylko czasu, żeby zebrać bandę. Tak, skoro wrócił, najbardziej prawdopodobne, że to robota któregoś z jego rzezimieszków. – Zaprosił Oda na górę. – Chodź, przyjacielu. Opowiesz mi o swojej podróży i o wszystkim, czego dowiedziałeś się o Ferrecie.

Weszli na górę do komnaty Rala i zasiedli wygodnie w drewnianych, rzeźbionych fotelach. Służąca wniosła chleb, wino i ser, podczas gdy Odo opowiadał o napadzie na królewskiego poborcę, o śmiertelnej ranie de Balmaina oraz utracie zebranych dla króla Wilhelma podatków.

– Balmain zbierał podatki od wielu tygodni – rzekł Ral. – Musiał zatem wieźć niemałą sumkę.

– Jak sądzisz, w jaki sposób dowiedzieli się, którędy i kiedy będzie jechał? To przecież pilnie strzeżona tajemnica.

Ral zacisnął pięść na poręczy fotela.

– Za sowitą zapłatę każdą tajemnicę da się wydobyć.

– Pewnie masz słuszność.

– Tak, i możesz być pewien, że to zadziała tak samo na naszą korzyść, jak zadziałało na korzyść Ferreta.

Odo zmarszczył brwi.

– Nie rozumiem, co chcesz przez to powiedzieć.

– Chcę powiedzieć, że za odpowiednią zapłatę ktoś powie nam to, co chcemy wiedzieć. Wkrótce dowiemy się, gdzie łajdak ma swoją kryjówkę, a kiedy się dowiemy, wkrótce będzie martwy.

Odo uśmiechnął się z ponurą satysfakcją.

– Cieszę się, że wróciłem. Nie chciałbym stracić powrotu rozbójników i możliwości rozprawienia się z nimi.

– Już niedługo, mój przyjacielu, niedługo będzie po wszystkim.

* * *

Karyna pracowała z Ambrą w wielkiej sali. Żona Richarda wygrała z nim pierwszą bitwę, a co za tym idzie, miała w swej pieczy magazyny na dziedzińcu, spichrze, staw rybny i gołębniki; miała pilnować prac w ogrodzie, nadzorować zbieranie i suszenie owoców, a także suszenie mięsa. Richard usługiwał Ralowi, doglądał zwierząt, stajni, żniw; zajmował się pracą sądu i wszelkimi sprawami dotyczącymi wieśniaków.

Wszyscy byli bardzo zajęci, chociaż kiedy Karyna przejęła część obowiązków, zarządzając kuchnią i zaopatrzeniem wielkiej sali, pilnując prowadzenia dworu, podejmowania gości i nadzorując służbę, Richard i Ambra mieli trochę czasu dla siebie.

Karyna uśmiechnęła się na myśl, jak bardzo wszystko się zmieniło. Od dnia ataku odyńca na Geoffreya i jego szczęśliwego wyzdrowienia zajmowała się leczeniem chorych. W razie wypadku czy choroby, kiedy Izolda nie umiała nic poradzić, proszono o pomoc Karynę.

Po raz pierwszy w życiu czuła się potrzebna. Po raz pierwszy od dzieciństwa, od dnia śmierci matki czuła, że do kogoś należy.

Karyna poprawiła niewielki kolorowy gobelin wiszący na jednej ze ścian sali. Czuła dumę z tego, czego dokonali razem z Richardem, Martą i Brettą na zamku Braxton. Praca, którą się teraz zajęła, już nie wydawała jej się tak niemiła jak przedtem. Nader często przynosiła jej zadowolenie. Nagrodą był sam jej wynik.

– Lady Karyna! – Odwróciła się na dźwięk swojego imienia, by ujrzeć drobną sylwetkę Leofryka biegnącego w jej stronę. – Przynoszę wieści, pani. Bardzo ważne!

Za Leofrykiem biegł ciemnowłosy chłopiec o imieniu Byrthnoth, którego pamiętała z wioski. Był mniejszy od Leo i o kilka lat młodszy. Wszyscy wołali na niego Briny.

– Co się stało, Leo? – spytała. – Dzień dobry, Briny. – Wyciągnęła rękę po szorstką dłoń chłopca i uścisnęła ją na powitanie.

– Briny widział morderstwo, pani! Widział, jak zamordowali tego podróżnego na drodze! Briny widział, jak to się stało.

– Co takiego? – Karyna utkwiła wzrok w twarzy chłopca o oliwkowej cerze. Był nieślubnym synem normańskiego rycerza, owocem gwałtu na jego matce. Kobieta ostatecznie wyszła za mąż, lecz jej mąż niewiele miał pociechy z pasierba, który nie pasował do reszty wiejskich dzieci. – Widziałeś go, Briny? Widziałeś człowieka, który zabił podróżnego?

– Widział ich – odpowiedział za niego Leo. – Briny mówi, że było ich trzech.

– Czy Briny widział wielkiego jasnowłosego rycerza, którego przyprowadzili wieśniacy?

– Tak, pani. Wszyscy go widzieli.

Pochyliła się nad chłopcem, tak żeby widzieć dobrze jego brudną buzię.

– Czy ten jasnowłosy mężczyzna to ten sam, który zabił podróżnego, Briny?

Chłopiec potrząsnął głową.

– Na pewno?

– On przyszedł później – odezwał się wreszcie chłopiec, spuszczając oczy i patrząc na swoje ubłocone bose stopy. – On ich wystraszył, gdy się pokazał na drodze. Ci ludzie zabrali podróżnemu konia i odjechali.

– Dlaczego nikomu nic nie powiedziałeś? – zapytała delikatnie Karyna.

– Bał się – wtrącił Leo. – Briny stroni od ludzi.

Karyna pochyliła się i uścisnęła malca.

– W porządku, Briny. Nie musisz się bać. – Spojrzała na drzwi, zadając sobie pytanie, kiedy wróci Ral. Pojechał do Oldham, pobliskiej wioski w poszukiwaniu wieści o morderstwie lub czegokolwiek, co mogłoby naprowadzić na trop Ferreta i jego ludzi. Na pewno wkrótce wróci.

Karyna uśmiechnęła się do chłopców.

– Chodźcie ze mną. – Wzięła młodszego za rękę i zaprowadziła do kuchni. – Dziś rano kucharz zrobił pyszną konfiturę z jabłek.

Oczy małego chłopca otworzyły się szeroko, a na buzi pojawił się nieśmiały uśmiech.

– Bardzo dobrze zrobiłeś, że powiedziałeś prawdę – powiedziała mu Karyna. – Lord Ral będzie z was zadowolony.

Był zadowolony. Poszedł do chłopców, gdy tylko usłyszał ich historię, wysłuchał z uwagą, zadawał pytania, po czym uśmiechnął się z ulgą, że sprawiedliwości stanie się zadość.

– Znakomicie, że tu przyszedłeś, Briny. Może tak jak Leofrykowi znajdziemy ci miejsce tutaj na zamku.

Briny popatrzył w górę wielkimi ciemnymi oczami w twarzyczce ożywionej zachwytem. Kiedy kiwnął głową, Ral zmierzwił mu włosy.

Odszedł od chłopców, a Karyna za nim.

– Uwolnić Garetha z więzów – zawołał na Lamberta, którego barczystą sylwetkę dostrzegł przy schodach. – Człowiek jest niewinny.

– Tak, panie.

– Każ Bretcie przygotować mu kąpiel i jakieś przyzwoite ubrania. Taki rycerz jak on nie może opuścić zamku Braxton w łachmanach. – Gdy Lambert poszedł wykonać rozkazy Rala, w wielkiej sali pojawił się Odo.

– Odkryłeś zatem prawdę o morderstwie?

– Tak. Nie był to jeden człowiek, a trzech. Przyszedł chłopiec ze wsi. Bał się, ale w końcu przemówił. Sprawa wydaje się oczywista. Nie może być pomyłki. Podróżny jechał konno, nie szedł pieszo, jak sądzili wieśniacy. Rozbójnikom chodziło o konia. Nieoczekiwane pojawienie się Garetha sprawiło, że uciekli, zanim dokończyli dzieła.

– Pozostaje jeszcze mieszek podróżnego – przypomniał Odo.

– Rozważałem to. Kiedy schwytano Garetha, pieniądze zabrano i odesłano rodzinie ofiary.

– Nie umniejsza to jego winy.

– Mamy ciężkie czasy, przyjacielu. Zwłaszcza dla pokonanych. W moim odczuciu człowiek o takiej odwadze zasługuje na drugą szansę.

Stojąca przy boku męża Karyna uśmiechnęła się. Ral był dobrym człowiekiem. Silnym, dzielnym i wrażliwym. Czarny Rycerz wzbudzał trwogę w walce, był jednak szlachetny, wierzył w sprawiedliwość i był honorowy. Już na sam widok jego wysokiej, dumnej sylwetki jej serce miękło i zaczynało bić mocniej.

Jasny uśmiech Karyny zbladł już przy następnej myśli. Poza tym, co czuła, nie miała żadnego potwierdzenia. Nigdy nie powiedział, że ją kocha, nie obiecał, że będzie jej wierny, nie powiedział też ani jednego słowa, które mogłoby zapewnić im szczęśliwą przyszłość. Gdyby obiecał, uwierzyłaby mu bez zastrzeżeń.

Nigdy jednak nie złożył żadnego przyrzeczenia i obawiała się, że nigdy tego nie uczyni.

Karyna popatrzyła na niego i na jej ustach pojawił się smutny uśmiech. Nie wątpiła, że jej pożądał, żądza rzadko kiedy znikała z jego oczu. Czy jednak kiedykolwiek ją pokocha? Wątpiła w to. Ral wierzył, że człowiek, który pokocha kobietę, jest głupcem. Kiedyś kochał Elianę, a ona zdradziła go z własnym bratem. Ral był świadkiem tego, co stało się ze Stephenem, widział władzę, jaką może mieć kobieta nad mężczyzną. Postanowił, że nie dopuści, aby jego spotkało to samo.

Z drugiej strony nie mogła dłużej wypierać się uczuć, które do niego żywiła. Modliła się, żeby on czuł do niej to samo. Uczepiła się nadziei i prosiła Boga, żeby pewnego dnia tak się stało.

Ral opuścił ją i skierował się na drugą stronę wielkiej sali. Złotowłosy mężczyzna właśnie wstał i zmierzał w kierunku jej męża. Dopiero po chwili Karyna poznała, że ten olbrzym to schwytany Anglosas. Otworzyła szeroko oczy ze zdziwienia.

Święta Błogosławiona Dziewico! Nigdy by nie przypuszczała, że człowiek o regularnych rysach twarzy, doskonale zarysowanych brwiach i pięknie wykrojonych ustach był obdartym, brodatym człowiekiem, którego zamknięto w magazynie.

Stanął przed Ralem wyprostowany, z poważnym wyrazem twarzy.

– Jesteś wolnym człowiekiem, Anglosasie – powiedział Ral i uśmiechnął się. – Co teraz sądzisz o normańskiej sprawiedliwości?

Wielki rycerz poruszył się niezgrabnie. Było jasne, że wdzięczność nie jest uczuciem, którego wyrażanie przychodziło mu łatwo, szczególnie wdzięczność dla Normana. Podniósł głowę i spojrzał Ralowi prosto w oczy.

– Ocaliłeś mi życie. To, co uczyniłeś, to więcej niż sprawiedliwość. Zadałeś sobie trud, by odkryć prawdę. Niewielu jest anglosaskich panów, którzy tyle by uczynili dla człowieka, który jest ich wrogiem.

– Jesteś moim wrogiem, Garecie? Nadejdzie dzień, kiedy będę musiał bronić swoich ziem przed twoimi powstańcami?

– Nie, panie. Tamte dni to przeszłość. Zwycięstwo Wilhelma już się dokonało. Tylko głupiec powstałby teraz przeciwko niemu, a ja nie jestem głupcem.

Ral pokiwał głową, wyraźnie zadowolony z odpowiedzi Garetha.

– Co teraz uczynisz? – spytała Karyna, dołączywszy do męża.

– Nie jestem jeszcze pewien.

– Rad będę cię widzieć w Braxton – rzekł Ral. – Gdybyś zechciał, możesz złożyć przysięgę na wierność i dołączyć do mojego wojska. Rycerz o twoich zaletach będzie tu zawsze mile widziany.

– Dziękuję ci, lordzie Ralu, ale nie mogę zostać. Szukam brata... Poza tym jest kobieta. Cokolwiek się będzie działo, muszę iść swoją drogą. Muszę odnaleźć swoje przeznaczenie.

– Jedź zatem z Bogiem – rzekł Ral.

– Z Bogiem, Garecie – zawtórowała Karyna.

– Nie zapomnę tego, co dla mnie zrobiłeś. – Gareth uśmiechnął się, a z uśmiechem wydawał się jeszcze przystojniejszy. – Może któregoś dnia znów się spotkamy.

– Może – zgodził się Ral.

Skłonił się na pożegnanie Karynie i odszedł.

– Ciekawe, co się z nim stanie? – Karyna patrzyła za nim, póki nie znikł za drzwiami.

– Trudno powiedzieć. Kiedyś był zamożny. A teraz... – Ral wzruszył ramionami. – Kto to może wiedzieć. Może któregoś dnia uśmiechnie się do niego szczęście.

Karyna pomyślała o obdartym mężczyźnie, którego przywiedziono do zamku Braxton w łachmanach i kajdanach, o ciężkich dniach, które dane mu było przecierpieć. Przywiodło jej to na myśl trudną przyszłość, która ich czekała, Ferreta, ziemię, której rozpaczliwie potrzebowali, bydło, które padło, i zimę, której musieli stawić czoło w najbliższych miesiącach.

Myślała o Ralu i swojej niepewnej przyszłości. O jej miłości do niego, która uparcie się rozwijała, o jego miłości do niej, której tak rozpaczliwie potrzebowała. Nie tylko Garethowi potrzebny był uśmiech losu.

Rozdział 21

Z łomotem podkutych kopyt gniadego rumaka Ral przejechał przez zwodzony most po ciężkich drewnianych balach, minął strażnika, który usunął mu się z drogi. Gdzieś na horyzoncie rozległ się grzmot i czarne chmury rozświetliła błyskawica.

Ral, pogrążony w myślach, nie zwrócił na to uwagi. Rozważał wieści, które właśnie zdobył. Wracał ze wsi ze spotkania, które zorganizował Tosig z człowiekiem z sąsiedniej osady, dobrze opłaconym, by znalazł kryjówkę Ferreta.

Ral uśmiechnął się ponuro, nawet trochę cynicznie. *Wystarczy sypnąć szczodrze monetą i człowieka własna matka gotowa zdradzić.* Przynajmniej tak to wyglądało. W tym wypadku uczyniła to dziewka z gospody w Caamden, ładna bestyjka, która nie cofnęłaby się przed poderżnięciem komuś gardła, byle tylko w jej sakiewce zabrzęczała moneta.

Ferret zabrał ją do obozu i powierzył swój sekret, a teraz gorzko za to zapłaci. Rozbójnik może i będzie zaskoczony zdradą dziewki, jednak Rala to nie dziwiło. Widział takie rzeczy już wiele razy.

Podjechał prosto na podwórze przed stajniami, wołając Aubreya, swojego giermka, by zajął się koniem, który rżał cicho i machał długim ogonem. Młodzieniec wyszedł ze stodoły, a zza sterty siana wyłoniła się także Karyna, a za nią mały nakrapiany jelonek.

– Cieszę się, że wróciłeś, panie. Zaczynałam się już martwić. – Była trochę potargana, ciężki warkocz przetykany był źdźbłami słomy, a kosmyki kasztanowych włosów wiły się przy policzkach.

Pomimo ostatnich rozważań nad naturą kobiecą Ral spostrzegł, że się uśmiecha, kiedy zsuwał się z siodła i podchodził do niej. To nie była dziewka z gospody. Ta kobieta była jego żoną, a jego serce żywiej biło na jej widok.

– Miło mi, że się o mnie martwiłaś – rzekł. – Nic mi nie jest.

– A spotkanie... udało się?

– Tak, i to bardziej, niż mogłem przypuszczać.

Rozległy się kroki i podszedł do nich Odo. Na jego twarzy malowała się ciekawość i nadzieja.

– Usłyszałem, że wróciłeś. Jakieś nowiny o Ferrecie?

Ral zerknął na Karynę, przez chwilę walcząc ze sobą. Słodki Jezu, obiecała mu przecież lojalność, tak samo jak Odo. Troszczyła się o niego, może nawet go kochała. Przyrzekł, że będzie jej ufał – na przekór instynktowi i swoim gorzkim doświadczeniom – a teraz mógł udowodnić, że tak jest.

– Tak. Rozbił obóz w górach niedaleko skrzyżowania w Tevonshire. Jest tam około czterdziestu ludzi. Dziś wieczorem się przygotujemy. Wyruszymy o świcie.

Piegowata twarz Oda rozciągnęła się w uśmiechu.

– Nareszcie dostaniemy tego bękarta! Ty będziesz miał swoją ziemię, a Ferret zapłaci głową za swoje zbrodnie.

– Już najwyższy czas. – Ral objął Karynę w pasie i poczuł, że zadrżała. – Zimno ci. Nie powinnaś wychodzić bez płaszcza.

– Nie jest mi zimno. Boję się. Ferret to żądny krwi morderca. Martwię się o ciebie, mężu.

Ral uśmiechnął się i przeniknęło go miłe ciepło.

– Tak mało masz wiary w moje rycerskie umiejętności?

– Wiesz dobrze, że nie o to chodzi. W całej Anglii nie ma lepszego i dzielniejszego rycerza.

Ral uniósł brew, bardziej rad z jej pochwały, niżby należało.

– Musisz zatem wierzyć, że rozprawię się z Ferretem i wrócę bezpiecznie do domu.

Nadal wyglądała na nieprzekonaną. Ściągnęła brwi.

– Spróbuję, panie.

Ral uniósł palcami jej podbródek, pochylił się i złożył na jej ustach pocałunek. Jej usta były niewiarygodnie miękkie, a oddech słodki i kobiecy. Pachniała mydłem zmieszanym ze świeżą wonią siana. Słysząc kroki oddalającego się Oda, pocałował ją jeszcze głębiej i namiętniej. Jęknął, kiedy poczuł gorącą krew tętniącą żywiej w jego lędźwiach. Miał ochotę rzucić swoją żonę na siano, zakasać jej spódnicę i wejść w nią.

Tymczasem odsunął ją od siebie.

– Rad jestem, że się o mnie troszczysz, moja miła. – Uśmiechnął się, a głos lekko mu ochrypł. – Następnych kilka godzin będę zajęty, ale potem może pokażesz mi jak bardzo.

Rumieniec na policzkach Karyny nabrał intensywniejszej barwy.

– Tak, panie, z największą przyjemnością. – Pocałowała go gorąco i żarliwie, po czym odeszła i skierowała się do dworu.

Z pomocą Lamberta, Hugh i Oda Ral szykował ludzi i sprzęt do walki. Czekał na tę chwilę od tygodni, zbierając to, co niezbędne do drogi, sprawdzając i czyszcząc broń. Niemniej przygotowania przeciągnęły się do późna w nocy.

Chciał dopaść Ferreta i musiał uczynić wszystko, żeby mu się udało.

Tym razem musiał dołożyć wszelkich starań, by wszystko poszło gładko.

* * *

Karyna siedziała w fotelu przed paleniskiem. Długą szkarłatną nicią haftowała płótno leżące na jej kolanach. Spędziła wieczór z Richardem, pomagając mu sprawdzić zapasy jedzenia na wyprawę męża. Skończyli dawno temu, a w sali panowała cisza. Kręciło się tylko paru służących. Karyna była jednak zbyt zaniepokojona i zmartwiona, żeby zasnąć.

Ręka jej zadrżała, igła się wyślizgnęła i ukłuła ją w palec. Słodki Boże, ileż by dała za to, żeby Ral nie musiał jechać.

– Proszę, lepiej weź to. – Geoffrey podał jej chusteczkę. – Zaplamisz swój haft. – Była tak głęboko pogrążona w myślach, że nie zauważyła jego obecności.

– Dziękuję. – Przycisnęła chusteczkę do zakrwawionego palca. – Martwię się bardzo.

Przysunął drugą rękę i zobaczyła, że trzyma w niej puchar wina.

– Zauważyłem. Może odrobina tego pomoże.

Przyjęła wino, chociaż właściwie nie miała ochoty pić. – Dziękuję, Geoffreyu.

Usiadł na ławie naprzeciwko, czekając w milczeniu, aż wypije ciemny, bogaty płyn. Może miał słuszność. Nic dobrego nie przyjdzie jej z tego, że będzie siedziała tu po nocy i zamartwiała się. Pociągnęła spory łyk, spoglądając na zatroskaną twarz Geoffreya, potem następny i jeszcze jeden.

– Pomogło? – zapytał.

Poczuła się lepiej, w środku zamiast pustki i chłodu zagościło miłe ciepło, które rozprzestrzeniło się na wszystkie członki, sprawiając, że się rozluźniła i poczęła pokładać większą wiarę w umiejętności męża, tak jak prosił.

– Nie możesz się bać, pani. Cokolwiek zamierza lord Ral, z pewnością zwycięży.

Wydała z siebie głębokie westchnienie, serce w jej piersi uspokoiło się, zwolniło. Razem ze zmartwieniem opuściło ją wszystko, co było dokoła, aż znalazła się w miejscu spokoju i radości.

– Zwycięży? – powtórzyła, nie mogąc skupić się na tym, co mówił Geoffrey.

– Twój mąż szuka Ferreta, prawda? Z pewnością odkrył obozowisko rozbójnika i dlatego się szykuje.

Dlaczego Geoffrey zapytał o Ferreta? Czy Ral nic nie powiedział ludziom? Przecież nie musiał. Na pewno nie chciał ryzykować, że Ferret znowu się wymknie. Próbowała skupić się na twarzy Geoffreya, lecz rozmywała się w migoczących płomieniach ognia. Skóra wyglądała na pomarańczową, a w oczach odbijała się czerwień ogniska.

– Napij się jeszcze wina – namawiał, wciskając jej do ręki puchar. Podniósł go wysoko do jej ust i przechylił, żeby przełknęła. – Teraz... Co takiego mówiłaś o Ferrecie?

– Ja... ja mówiłam coś o Ferrecie?

– Tak, opowiadałaś mi o wyprawie lorda Rala. – Głos Geoffreya był zniekształcony, brzmiał nierówno i dochodził dziwnie z daleka.

– Czyżby?

– Tak. Na pewno wszystko ci o niej opowiedział?

– Oni... muszą go pojmać.

– Uczynimy to, pani. Kiedy tylko go wytropimy.

Chciała pokiwać głową, ale nie mogła utrzymać głowy. Coś ostrzegało ją, żeby nie mówić niczego więcej, że Ral może nie być zadowolony, po czym ostrzeżenie osłabło i także zaczęło blaknąć.

– Gdzie on jest? – Geoffrey zapytał tak cicho, że ledwo go usłyszała, gdyż coś dziwnie szumiało jej w uszach.

– Ma kryjówkę koło skrzyżowania.

– Jakiego skrzyżowania?

– Niedaleko Tevonshire.

Usta Geoffreya wygięły się w uśmiechu. Zęby błysnęły, a oczy zalśniły wszystkimi kolorami tęczy. A potem jego wizerunek zaczął się oddalać i prawie go już nie słyszała.

– Dlaczego nie dokończysz wina? – zachęcał. – Może będziesz mogła po nim zasnąć.

Pokiwała głową, uniosła puchar do ust niepewnymi rękami i pociągnęła ostatni łyk.

Odstawiła puchar na stoliku obok fotela, oparła się wygodnie i zamknęła oczy. Zdawało jej się, że Geoffrey odszedł.

* * *

Ral wszedł do wielkiej sali, a odgłos jego kroków głuszyło chrapanie służby. Zaczął wchodzić po schodach, kiedy dostrzegł Karynę śpiącą przy dawno wygasłym palenisku. Uśmiechnął się na ten słodki widok i podszedł do niej, zastanawiając się, czy na niego czekała.

Podniósł ją jak piórko, częściowo mając nadzieję, że się obudzi, a częściowo, że nie. Ułożył jej głowę na ramieniu. Długi warkocz połaskotał go w policzek, pobudzając dolną część jego ciała. Karyna nie obudziła się jednak.

Na górze wyszła z cienia Marta, wyłaniając się znikąd niczym kłąb dymu albo duch, którym czasem się zdawała.

– Zasnęła przy palenisku – powiedziała. – Była niespokojna i brakowało jej snu. Nie chciałam jej przeszkadzać. Wiedziałam, że wkrótce po nią przyjdziesz, panie.

– Idź już spać. Ja się nią zajmę.

Marta skłoniła się. Poszła za nimi, zauważyła bladość na twarzy Karyny i zmarszczyła się. Żylastą, wyschniętą ręką dotknęła jej czoła. Na chwilę się zatrzymała, po czym bez słowa przeszła obok i powoli zeszła ze schodów.

Ral otworzył drzwi do komnaty i wniósł żonę do środka. Nawet kiedy położył ją na pościeli i zaczął ściągać z niej ubranie, nie poruszyła się. Westchnął ciężko na wspomnienie jęków rozkoszy, które zamierzał wywołać.

Dotknął jej policzka i odsunął przykrycie. Jeśli wszystko pójdzie po jego myśli, wróci po tygodniu. Zakończy się walka z Ferretem, a ziemia, której tak potrzebował, będzie należała do niego. Będą nowe pola do zaorania i groźba głodu na zawsze zostanie oddalona.

Ral uśmiechnął się. Kiedy ludziom w Braxton przestanie zagrażać niebezpieczeństwo, całą swoją uwagę skieruje na kobietę, która dzieli z nim łoże. Ostatnio w końcu przyznał się sam przed sobą do tego, że jego uczucia są głębokie, i pogodził się z tym. Teraz chciał uczynić Karynę całkowicie swoją, przywiązać ją do siebie jeszcze mocniej i upewnić się, że i ona żywi do niego takie same gorące i niepokojące uczucia, jakie on żywił wobec niej.

Ral odsunął na bok bieliznę śpiącej żony, rozebrał się i nagi położył obok niej. Czuł ból za każdym razem, kiedy spoglądał na jej drobne, słodko zaokrąglone ciało. Nie dotknął jej jednak. Długo nie mógł zasnąć i spał krótko, dopóki słońce nie pojawiło się nad horyzontem.

Znużony spuścił nogi na podłogę i wstał, mając nadzieję, że odgłos jego kroków ją zbudzi i że choć jeden jedyny raz zanurzy się w niej przed odjazdem. Kiedy ani drgnęła, zaklął cicho pod nosem, postanowił jednak nie budzić jej, skoro była aż tak wyczerpana.

Wciągnął na siebie ubranie, włożył buty i wziął miecz. Nawet ciężkie stąpanie nie zdołało jej wyrwać ze snu. Podszedł do niej i pocałował mocno w usta, po czym odwrócił się i wyszedł, by dołączyć do swoich ludzi.

* * *

– Nie wierzę, Marto. Ral już wyjechał?

– Słońce świeci już wysoko, dziecinko. Twój mąż wyjechał przed świtem.

– Dlaczego mnie nie obudził? Nie mogę uwierzyć, że go nie słyszałam. Czekałam przy ogniu i wtedy...

– Co wtedy?

Karyna, stropiona, utkwiła wzrok w podłodze.

– Nie wiem. Przypuszczam, że zasnęłam. Nic nie pamiętam.

– Jak się czujesz? – Marta położyła jej dłoń na czole.

– Dziwne, ale czuję się zmęczona. Głowa mi pęka. Myślisz, że jestem chora?

– Całkiem możliwe, dziecinko. Poczekamy, zobaczymy.

Po południu Karyna poczuła się lepiej. Ból głowy i uczucie zmęczenia minęły. Nawiedzały ją pojedyncze obrazy z poprzedniego wieczoru – Geoffrey podający jej chusteczkę i zachęcający ją, by napiła się wina, żeby szybciej zasnąć.

Przez cały dzień wracała do wydarzeń poprzedniego wieczoru. Zanim zapadła noc, pojawiły się inne, dziwne wspomnienia – uczucie wszechogarniającego bezwładu i twarz Geoffreya płonąca niepokojąco w pomarańczowoczerwonym blasku ognia.

Geoffrey zadawał pytania.

Stojąc przy wąskim okienku sypialni i wypatrując gwiazd na zachmurzonym niebie, Karyna oparła drżącą rękę o zimną, kamienną ścianę. Dlaczego Geoffrey zadawał pytania o Ferreta? Jeśli chciał się czegoś dowiedzieć, dlaczego nie poszedł do Rala?

Jakie dokładnie pytania zadawał?

I co najbardziej ją przerażało – co ona, na Boga, mu powiedziała?

* * *

Siedząc na grzbiecie swojego czarnego rumaka w kolczudze, która chrzęściła lekko przy każdym poruszeniu, Ral przeczesywał las w dolinie, która rozpościerała się u jego stóp. Powietrze przesycone było zapachem tlącego się torfu. Cienkie strużki białego dymu zdradzały płonące w obozie ogniska.

– Tym razem mamy psiego syna – rzekł Ral do Oda, który uśmiechnął się z wyraźnym zadowoleniem.

– Nadszedł czas, że nasze wysiłki okazały się skuteczne.

– Tak, chociaż lepiej się poczuję, gdy wrócą nasi zwiadowcy.

Wrócili wkrótce. Wyjechali na polanę bez zbroi i oręża, aby przemieszczać się niepostrzeżenie i lekko, nie czyniąc hałasu. Byli w małej kotlinie w kształcie serca i wrócili z wieścią, że obozowisko bandy leży dokładnie tam, gdzie im powiedziano.

– Ilu ludzi? – spytał Ral Girarta, który prowadził tę niewielką wyprawę.

– Mniej, niż ci mówiono. Nie więcej niż dwudziestu, najwyżej trzydziestu.

– A Ferret, jest wśród nich?

– Jest tam czarnowłosy, mały człowiek z lisią gębą. Nie ma wątpliwości, że to przywódca. Najpewniej Ferret.

– Wypatrzyliście ich straże?

– Tak, panie. Już się z nimi uporaliśmy.

Lekki uśmieszek złowróżbnego zdecydowania zaigrał w kąciku ust Rala.

– Dobrze się spisałeś, Girart. – Wysoki rycerz skłonił się i dołączył do oddziału, podczas gdy Ral zwrócił się do Oda.

– Otoczymy obozowisko, tak jak planowaliśmy. Kiedy będziemy już na pozycjach, wezwę ich, by się poddali. Nie chcę niepotrzebnego rozlewu krwi – i po co narażać naszych na niebezpieczeństwo.

– A Ferret? – zapytał Odo.

– Jeśli się uda, wołałbym go mieć żywego. Jeżeli nie wyjdzie – musi wystarczyć jego głowa. – Mocniej ścisnął wodze Szatana, a rumak nerwowo zatańczył pod nim. – Ty otoczysz go z prawej, ja z lewej. Kiedy zajmiesz pozycję, ruszamy.

Odo kiwnął głową i zakręcił koniem. Ral popędził Szatana do przodu i poprowadził kolumnę ludzi. Poruszali się szybko, ale bez pośpiechu. W równych odstępach okrążali Ferreta brzegiem doliny szeroką obręczą, powoli ją zacieśniając. Po chwili całkowicie okrążyli obozowisko rozbójników.

Ral miał już rozkazać ludziom, by nacierali, lecz coś go powstrzymało. Wprawdzie prowadził osiemdziesięciu mężów na mniej niż trzydziestu, lecz jego instynkt wyostrzony przez wiele lat walki, zaczął wysyłać ostrzegawcze sygnały. Czekał ukryty w leśnej gęstwinie, obserwując uważnie rozbójników poruszających się w świetle ognisk. Zauważył, że są świetnie uzbrojeni... A także i to, że pilnie obserwują las.

Ostrożność leżała w naturze Ferreta, niemniej jednak...

Nie było innego wyjścia, jak tylko zaatakować, tak jak zamierzali. Chciał w końcu schwytać Ferreta. Tak czy inaczej, należy położyć kres rabunkom i zbrodniom.

– Podaj dalej, że to może być zasadzka – rzekł do Lamberta. – Niechaj będą czujni. – Kiedy szczupły rycerz zniknął w gęstwinie, Ral kiwnął głową – był to sygnał dla Hugh, by zaczynał.

– Hej, wy tam, na polanie! – zawołał grubym głosem Hugh. – Przybył do was Czarny Rycerz! Jesteście otoczeni przez wielkie siły. Nic wam nie przyjdzie z ucieczki ani próby walki. Rzućcie broń i poddajcie się!

Rozbójnicy jednak już rozpoczęli walkę, napinając łuki i dobywając mieczy, kryjąc się za skrzyniami i pniami, które nagle okazały się bardzo korzystnie rozmieszczone. Wojsko Rala wydało z siebie wojenne zawołanie i ruszyło w dół na polanę, jedni z wysuniętymi przed siebie włóczniami, inni zasłonięci tarczami i z mieczami w dłoniach osłoniętych skórzanymi rękawicami.

Ral jechał między nimi, ściskając mocno szeroki miecz. Jego rumak posłusznie słuchał rozkazów wydawanych kolanami, uwalniając ręce do walki. Już dojeżdżali na polanę, kiedy za nimi rozległy się wściekłe okrzyki ludzi i łomot tysiąca podkutych kopyt i charakterystyczny brzęk zbroi.

Zasadzka! Ral wdzięczny był, że ostrzegł go szósty zmysł, modlił się tylko, żeby przewaga liczebna przeciwnika nie okazała się zbyt wielka.

– Słodki Jezu! – krzyknął Hugh, jadąc z nim strzemię w strzemię. – To rycerze i wojsko, a nie banda obdartych rozbójników.

W policzku Rala zadrgał mięsień.

– Ludzie Malverna. Znowu zostaliśmy zdradzeni de Montreale'owi.

Ral zamachnął się mieczem na pierwszego rycerza, który pojawił się między drzewami. Ich miecze się spotkały, zadzwoniły, naparły na siebie, po czym znowu zadzwoniły. Ral ciął mieczem w dół, odrąbując ramię przeciwnika, i strącił go z konia na ziemię. Jaskrawozielone barwy Malverna pokryły się krwią i błotem. Ruszyło na niego dwóch rycerzy, jeden ze śmiercionośną maczugą, a drugi z ostrym bojowym toporem.

W zapale bitewnym siła Rala była tak wielka, że przeciwnicy nie przedstawiali dla niego większego niebezpieczeństwa, chociaż obaj byli dobrze uzbrojeni i doświadczeni w boju. Rozprawił się z nimi łatwo, jednego przebijając, a drugiemu ścinając głowę. Strugi krwi splamiły mu kolczugę purpurą, ale wściekłość zasnuła oczy jaskrawszym odcieniem czerwieni.

Kto mógł uczynić coś takiego? Tylko Odo i Karyna znali miejsce i porę natarcia. Czy dziewka z Caamden mogła wrócić, by ostrzec kochanka? Jeżeli nawet, to w jaki sposób przekazała wieść Malvernowi?

Ciął mieczem, by zablokować cios jednego z rozbójników. Pojawili się konno, razem z Malvernem, w oczywisty sposób będąc w zmowie z diabłem, który dręczył go tak długo.

Gdzie jest Stephen? Zaczął przeszukiwać las zdecydowany go znaleźć i zmusić, by zapłacił za zdradę. Cały czas rozmyślał o osobie lub osobach, które go zdradziły.

Ujrzał między drzewami Oda z zapałem walczącego z dwoma ludźmi Malverna. Tak jak się spodziewał, zdrajcy tutaj nie było.

Kiedy starł się z jednym z włóczników Malverna, stanął mu przed oczami obraz Karyny. Karyna i Stephen? Wnętrzności ścisnęły mu się na samą myśl. Nie, darzyła tego człowieka nienawiścią równie mocną jak on. Zatem dlaczego to zrobiła? Co miała zamiar zyskać?

Ral przedarł się, ciągle walcząc, do małej grupy broniących się rozbójników. Jego ludzie trzymali się dzielnie, chociaż Malvern miał przewagę liczebną. Wiedział, że to wierność pozwala im walczyć z takim poświęceniem, podczas gdy ludzie Malverna nie znali jej wcale. Powodowała nimi tylko obietnica nagrody.

Jego drużyna była też znacznie lepiej wyszkolona. Godziny ćwiczeń, długie i mozolne, sprawiły, że w wojennej sztuce rycerze z Braxton należeli do najlepszych w kraju.

– Malvern! – Hugh gorączkowo wskazał północ, wiedząc, kogo Ral szuka, by potraktować ostrzem swojego miecza.

Ral szybko ruszył we wskazanym kierunku. Jego rumak przedzierał się między drzewami, roztrącając walczących. Był zwinniejszy, niż można się było po nim spodziewać. Ral dostrzegł Stephena przejeżdżającego z prawej strony i skierował ku niemu Szatana. Był już bardzo blisko, kiedy dwóch konnych w pełnych zbrojach dzierżących zakrwawione miecze wyskoczyło zza drzew.

Ral zaklął wściekle, widząc, że Malvern oddala się bezpiecznie. Zalała go nowa fala gniewu. Pierwszy rycerz otrzymał cios w ramię, lecz nie przestawał walczyć. Skupił na sobie uwagę Rala na tak długo, by miecz drugiego przeciwnika ugodził Rala w udo. Krzyknął z bólu, Szatan zarżał, stanął dęba, zamachał kopytami i zwalił z nóg pieszego rycerza, który pędził ku walczącym po błotnistej ziemi. Dwa następne cięcia pozbawiły życia pierwszego rycerza. Ral spiął czarnego rumaka, by uniknąć ciosu wymierzonego przez drugiego, poczuł, że zwierzę się potknęło i pada na ziemię, przechylił się na bok i zeskoczył z siodła w tej samej chwili, gdy Szatan runął na ziemię.

Koń natychmiast stanął na nogi i otrząsnął się dziarsko. Znać było, że nie ucierpiał w upadku. Ral wstał i jął wywijać mieczem. Ugodził przeciwnika i usłyszał jego ryk. Odwrócił się i dostrzegł następnych dwóch wrogów zmierzających ku niemu. Odgłos kroków za plecami ostrzegł go, że zbliża się jeszcze kolejny. Ral chciał się odwrócić i przybrać dogodną pozycję do walki ze wszystkimi trzema, ale z wolna zaczęły opuszczać go siły, a z nogi płynął coraz szerszy strumień krwi.

Już niemal czuł ostrze wbijające się w jego plecy, gdy kątem oka zauważył czerwone i czarne barwy Braxton. Ujrzał wysoką smukłą sylwetkę Geoffreya. Zobaczył, jak jasnowłosy rycerz zamachnął się mieczem na człowieka, który nacierał na Rala z tyłu, usłyszał, jak żelazo trafia w żelazo i jak przeciwnik stęka z bólu. Ral wymierzył kilka ciosów w dwóch przeciwników, przebił jednego i ciął drugiego. Odwrócił się do Geoffreya, by zobaczyć, że pchnięcie miecza trafia młodzieńca wysoko między żebra.

Rana była śmiertelna. Ral zmartwiał, widząc niepotrzebną śmierć swojego człowieka, i to tak młodego.

Wokół niego wciąż wrzała bitwa. Rozprawił się z rycerzem, który zranił Geoffreya, rozejrzał się, czy ktoś jeszcze na niego naciera, lecz nikogo nie zobaczył. Omiótł wzrokiem obozowisko, las wokół i ujrzał, że drużyna Malverna się wycofuje, a niektórzy z jego ludzi rzucili się w pościg. Reszta rozprawiała się resztkami bandy Ferreta.

Wiedząc, że Malvern jest już daleko, całą swoją uwagę skierował na Geoffreya. Ujrzał zbliżającego się Oda. Obaj znaleźli się przy leżącym w rozlewającej się coraz szerzej kałuży krwi rycerzu.

Ral ukląkł przy nim.

– Odpocznij, chłopcze. Bitwa wygrana.

– Malvern... nie żyje?

Ral zacisnął szczęki.

– Obawiam się, że uciekł. Ten człowiek nie umie przyjąć klęski.

– A... co... z Ferretem?

Ral popatrzył na Oda, pewny, że przyjaciel nie wypuścił rozbójnika z ręki.

– Schwytany – potwierdził rudowłosy rycerz. – Opowie królowi o układzie z Malvernem.

– Ilu... ludzi... straciliśmy?

– Jak dotąd dwudziestu – odparł Odo i popatrzył na krew wsiąkającą w tunikę Rala. – I około dwudziestu rannych. Mamy szczęście, że nie więcej.

Cichy szloch wydarł się z gardła Geoffreya, przechodząc w atak kaszlu. Oczy wezbrały mu łzami, które spłynęły po policzkach.

– To moja wina – rzekł, ciężko dysząc i walcząc o każdy oddech. – Myślałem... Lord Stephen chciał tylko schwytać Ferreta. Chciał... zyskać łaski króla, tak mówił.

Ralowi zabrakło tchu. Jego umysł znalazł już jedyne logiczne wyjaśnienie, lecz walczył jeszcze z bolesną prawdą, przecząc jej każdym uderzeniem serca.

– Obiecał... że mi da ziemię – mówił Geoffrey. – Nie potrzebował jej, a ja tak.

– Skąd? – spytał Ral, chociaż każda cząsteczka jego ciała błagała go, by nie dociekać dalej. – Skąd wiedziałeś, dokąd zmierzamy?

Geoffrey zakaszlał mocniej, całe jego ciało drżało, kiedy wypluwał krew z płuc.

– Nie, nie możesz jej za to winić. To... moja wina, nie jej. – Kaszel przeszedł w głębokie rzężenie. – To moja wina... – zdołał powtórzyć, po czym skonał.

Ral patrzył na niego, a w jego żyłach poczęła dziko pulsować zimna, nieludzka wściekłość. Tak mocno zacisnął pięść, że gruba skóra rękawicy wbiła mu się we wnętrze dłoni.

Nie jej wina, a twoja, Geoffreyu. Dlatego, że byłeś taki młody i piękny i że ją uwiodłeś, tak jak ja chciałem, lecz mnie się nie udało. Za to, że ją przekonałeś, by użyła swojej namiętności, by dostać to, czego chciała, by udawała uczucia...

Że przekonałeś ją, by mnie zdradziła.

Świeża fala furii przejęła nad nim władzę. Na krew Chrystusa, ależ był głupcem! Wściekłość rosła, aż nie widział niczego dokoła, aż oślepł na wszystko prócz świadomości, że to, w co wierzył, wszystkie jego marzenia o przyszłości właśnie zwiędły i odleciały z wiatrem.

Zacisnął szczęki mocno, powstrzymując szaloną chęć, żeby zawyć ze złości, tak jak psy wyją do księżyca. Głos drżał mu z gniewu. Najpierw próbował nad sobą panować, lecz nagle przestało mu na tym zależeć.

– Znajdź Lamberta – powiedział do Hugh. – Wybierzcie dwudziestu ludzi i doprowadźcie Ferreta i niedobitki jego bandy do króla Wilhelma. Opowiedz mu, co się stało. Do niego należy decyzja, co należy uczynić z Malvernem.

– Tak, panie. Ruszamy co koń wyskoczy.

– I strzeż się Stephena, chociaż najpewniej nadal salwuje się ucieczką. Jego siły poniosły sromotną klęskę. Nie sądzę, żeby zaatakował znowu.

Hugh skinął głową.

– Pozostali wracają do Braxton? – zapytał Odo.

– Tak. Musimy opatrzyć rannych. – Zacisnął szczęki tak mocno, że ledwo mógł mówić. – I trzeba rozprawić się ze zdrajcą.

– Nie myślisz chyba o lady Karynie?

– Wszak to o niej mówił Geoffrey.

– Nie ma pewności. Nie wspomniał jej imienia.

– Poza nami tylko ona wiedziała, gdzie jest kryjówka Ferreta. Wiesz, że to nie mógł być nikt inny.

Niemniej słowa Oda dawały cień nadziei. Uczepił się jej i przez długie godziny powrotu do domu modlił się, żeby był to ktoś inny.

W głębi serca wiedział jednak dobrze, że nikogo takiego nie ma.

Rozdział 22

Bretta wbiegła co tchu na schody i wpadła do wielkiej sali.

– Lady Karyno! Straże na murach dają znaki. Wraca, pani! Twój pan małżonek z wojskiem wraca do domu!

Ogarnęła ją fala ulgi.

– Widać ich już? To pewne, że jest wśród nich lord Ral?

– Widać proporzec: czarny smok na czerwonym polu. To nie może być nikt inny.

Karyna rzuciła spojrzenie za drzwi nagle stropiona. Co będzie, jeśli coś się stało? Jeśli lord Ral jest ranny? A jeżeli nie ma ręki albo nogi, albo nawet...? Nie! Nie może myśleć o tym, co jest nie do pomyślenia. Jest bezpieczny i ma się dobrze. Geoffrey pytał z czystej ciekawości, a pytania, na które odpowiedziała... dobry Boże, nadużyła zaufania... wynikały tylko z tego, że młody rycerz rwał się do walki.

Ludzie wrócili i nic niedobrego się nie stało. Porozmawia z Geoffreyem i dowie się prawdy o tym, co zdarzyło się tamtego wieczoru.

Ledwo słyszała gorączkowe ponaglenia Bretty.

– Musisz się pospieszyć, pani. On tu zaraz będzie. Musisz wyglądać dla niego jak najpiękniej. – Pracowały razem w spiżarniach, żeby odpędzić złe myśli o Ralu i czyhających na niego niebezpieczeństwach w walce z Ferretem i jego bandą.

– Spiesz się, pani!

Karyna przyjrzała się swojej tunice. Była stara i wypłowiała, a jej włosy – Matko Boska, wygląda jak jakiś oberwaniec! Uniosła suknie i okręciła się w miejscu, po czym ruszyła biegiem do komnaty. Wróciła po paru chwilach ubrana w swoją ulubioną tunikę o kolorze leśnej zieleni i kremową koszulę, ze starannie wyszczotkowanymi włosami upiętymi z tyłu grzebieniami, tak jak lubił Ral.

W drodze na dziedziniec wzięła kilka głębokich oddechów dla uspokojenia. Gdy zeszła na dół, zauważyła, że służba nie zdradza już oznak radosnego oczekiwania. Na twarzach pojawiła się powaga, a kilka kobiet było bliskich płaczu.

– Na litość boską, co się stało?

– Przybiegł wieśniak przed nimi – ktoś powiedział. – Wróciła tylko połowa. Wielu jest rannych. Lękamy się, że resztą zginęła.

Karyna zachwiała się, jakby otrzymała uderzenie pięścią.

– A lord Ral?

– Podobno posiekali się na kawałki. Wieśniak tak powiedział zarządcy.

Błędnym wzrokiem Karyna jęła szukać Richarda. Stał w grupie chłopów, z Ambrą przy boku. Wszyscy patrzyli na bramę wjazdową. Podeszła do nich sztywna jak drewno.

– Chcę wiedzieć, Richardzie, co... co to za wiadomość przyniósł wieśniak.

Odwrócił się do niej.

– O, lady Karyna. Właśnie chciałem cię szukać. – Przybrał poważny wyraz twarzy i powtórzył mniej więcej słowa wieśniaka, dodając: – Ferret został schwytany. Powiadają, że oddział rycerzy z Braxton z Hugh i Lambertem eskortuje go do króla Wilhelma. Będą żądać obiecanej nagrody.

– A lord Ral?

– Niestety jest ranny, choć rana nie jest groźna.

Karyna zachwiała się na nogach, a Richard przytrzymał ją ramieniem. – Nie lękaj się, pani.

– Wybacz, Richardzie. – Zmusiła się, by stać prosto, i modliła się całym sercem, żeby się okazało, iż Ralowi rzeczywiście nic nie jest, i żeby rozmowa z Geoffreyem nie miała nic wspólnego ze śmiercią jego ludzi.

Richard zamilkł, ona także. Stali ze wzrokiem utkwionym w zwodzony most i bramę wjazdową, widząc proporzec, który ukazywał się od czasu do czasu, dając znak, że wraca ich pan i to, co zostało z jego oddziału.

Dziedziniec wypełniony był po brzegi służbą czekającą i modlącą się za mężów i przyjaciół.

Karyna wstrzymała oddech, kiedy w bramie pojawił się Szatan. Ral siedział w siodle wyprostowany. Jego czarne włosy były potargane przez wiatr, a twarz nosiła ślady niewiarygodnego znużenia. Jechał z tarczą przymocowaną do siodła i z hełmem pod pachą.

Ral ściągnął wodze Szatana, a Karyna wyskoczyła na powitanie. Ral miał zakrwawioną zbroję i nogę przewiązaną wysoko na udzie. Opatrunek pociemniał od krwi.

Karyna wydała z siebie powitalny okrzyk i postąpiła krok ku mężowi, kiedy zsiadł z konia. Zatrzymała się jednak na widok jego twarzy. Matko Boska, była nieruchoma niczym wyrzeźbiona z kamienia. Szczęki miał zaciśnięte, mięśnie ściągnięte, a oczy tak blade i lodowate, jakich jeszcze u niego nigdy nie widziała. Z kilkudniowym zarostem zasługiwał w pełni na swój przydomek – Czarny Rycerz, Ral Bezlitosny.

Ścisnęło ją w środku, kiedy ruszył w jej kierunku ze śmiertelnie poważnym obliczem, bez cienia ciepła w oczach. Gorączkowo omiotła wzrokiem resztę rycerzy, szukając Geoffreya i modląc się, żeby prawda, która krystalizowała się w jej umyśle, okazała się pomyłką.

– Kochanek, którego szukasz, nie żyje – słowa te rozbrzmiały głuchym echem po dziedzińcu. – Zginął razem z dwudziestoma innymi dobrymi rycerzami.

Kochanek? Geoffrey nie był przecież jej kochankiem.

– Ja... ja nie rozumiem…

– Nie rozumiesz? Myślę, że doskonale rozumiesz. – Wręczył hełm giermkowi i stanął tuż przed nią, świdrując ją wzrokiem, jak jeszcze nigdy dotąd, krojąc ją na kawałki, oskarżając bez słów. – Myślę, że spiskowałaś z Geoffreyem, i że to, co mu powiedziałaś, zabiło i okaleczyło moich ludzi. Myślę, że znowu mnie zdradziłaś.

– Nie! – wypowiadając te słowa, Karyna wiedziała, że jest w nich ziarno prawdy. Oczy wezbrały jej łzami, przesłaniając widzenie.

– Zaprzeczysz, że zawiodłaś moje zaufanie? Że powiedziałaś Geoffreyowi o Ferrecie?

Jakże mogłaby temu zaprzeczyć? Ral jej ufał, a ona go zdradziła. Nie chciała tego! Dobry Boże, nigdy nie uczyniłaby niczego, co mogłoby wyrządzić mu krzywdę. Tymczasem dwudziestu dzielnych mężów zginęło w walce, a krew jej męża, nawet w tej chwili, kapała na ziemię.

– Chcę to usłyszeć – cięcie jego miecza nie mogłoby ugodzić jej bardziej niż gorycz w jego głosie. – Rozmawiałaś z Geoffreyem? Zdradziłaś mu moje plany względem Ferreta?

– Ja... ja nie chciałam...

– Powiedziałaś mu!

Zamrugała i łzy popłynęły jej po policzkach.

– Tak, to ja mu powiedziałam.

Uderzył ją tak mocno, że straciła równowagę i upadła na ziemię. Poczuła w ustach słony smak krwi, lecz przyjęła to jako słuszną karę. Chciała, by ją zbił, gdyż w głębi duszy wiedziała, że na to zasłużyła.

Podniosła się i zmusiła, by spojrzeć na niego, pewna, że uderzy ją znowu, a nawet mając nadzieję, że to uczyni. Tymczasem zobaczyła twarz, na której widniał ten sam ból, który ona czuła, i człowieka targanego przez sprzeczne uczucia rozdzierające go na pół. Chciała go przytulić, pocieszyć i ulżyć jego cierpieniu. Chciała paść na kolana i błagać o przebaczenie.

Tymczasem nie uczyniła nic. Jedno spojrzenie w jego zimne, pozbawione uczuć oczy wystarczyło, by wiedziała, że przebaczenia nie będzie.

Ral się przed nią uzbroił. Wyraz jego twarzy zawierał gniew, odarcie ze złudzeń i gorzką rozpacz.

– Czy jest coś, co chcesz mi powiedzieć? – spytał.

Tak wiele i tak niewiele. Nie mogła zdobyć się na więcej niż potrząśnięcie głową.

– Od dnia naszych zaręczyn prosiłaś mnie o wolność. Pragnęłaś jej nade wszystko. Od dzisiaj, Karyno z Ivesham, masz ją.

Karyna milczała. Gardło zacisnęło się, a łzy gorącą strużką płynęły po policzkach. W piersi pojawił się taki ból, że nie była w stanie oddychać, a zranione serce niemal pękło na pół.

Górujący nad nią Ral zacisnął usta w wąską, bezlitosną kreskę, budząc jeszcze większy lęk.

– Kilka miesięcy temu Lynette znalazła dom w Pontefact. Moi przyjaciele mogą wziąć do siebie także ciebie. Możesz dołączyć do szeregów moich nałożnic... albo wrócić do klasztoru. Wybór należy do ciebie. Jaki jest?

Nie było trudno wybrać. Wolność, dar, za który kiedyś oddałaby wszystko, nic dla niej już nie znaczyła. Nic bez Rala i domu, który pokochała.

– Wrócę raczej do sióstr. – Może odnajdzie tam spokój i wybaczy sobie winę za śmierć ludzi Rala.

Zmarszczył brwi, nieco zaskoczony jej wyborem.

– Pewna jesteś, że tego właśnie sobie życzysz?

– Tak, panie.

Przybrał surowy wyraz twarzy.

– Zatem niech tak będzie. Spakuj swoje rzeczy i naszykuj się do drogi. Girart odstawi cię bezpiecznie do klasztoru. – Odwrócił się od niej wyprostowany i nie zwracając uwagi na ranę i krwawienie z uda, poszedł do swoich ludzi.

Patrzyła na jego wysoką sylwetkę oddalającą się od niej. Trzymał się prosto i dumnie, choć znać było po nim śmiertelne zmęczenie. Czuła do niego miłość silniejszą niż kiedykolwiek.

– Ral... – Zatrzymał się i wyprostował jeszcze bardziej, lecz nie odwrócił się. – Twoja noga... Ja... proszę... Ktoś musi się nią zająć. Może Izolda... – Jednak Ral ruszył dalej, jego długie, znużone kroki oddalały go od niej jeszcze bardziej.

Nie wiedziała, jak długo tak stała. Minuty ciągnęły się jak wieczność.

– Chodź, gołąbeczko. Musisz się przygotować. – Kościste ręce Marty wbiły się w jej ramiona i zmusiły do ruchu, do stawiania jednej nogi przed drugą. Karyna nic nie powiedziała, jedynie pozwoliła starej kobiecie zaprowadzić się na górę, a tam stanęła w oknie i patrzyła, gdy Marta pakowała jej rzeczy. W klasztorze niewiele jej będzie potrzebne.

To, czego potrzebowała najbardziej na świecie, właśnie utraciła.

* * *

W towarzystwie Girarta i dwóch wojów Rala Karyna jechała do klasztoru. Niewiele do niej docierało podczas podróży, bowiem krajobraz widziała zniekształcony i zamglony przez warstwę łez. Serce pękało jej na coraz mniejsze kawałki.

Marta próbowała ją pocieszyć i zapewnić, że rzeczy mogą jeszcze przybrać lepszy obrót. Karyna popatrzyła tylko na nią i odpowiedziała, że z pewnością nie dla niej. Nic się już nie zmieni na korzyść.

Przez nią zginęli ludzie. Jej mąż został ranny. Ufał jej tak bardzo, że zaryzykował swoje życie i załogi, a ona ich wszystkich zawiodła.

Tak samo jak zawiodła siebie.

– Będzie ci tu dobrze, pani? – Girart stał w klasztornej bramie, a dwóch zbrojnych za nim. Zawsze był dla niej miły i bardzo go lubiła. Teraz jednak była zaskoczona jego dobrocią.

– Będzie dobrze – zapewniła matka Teresa, przeorysza zakonu Świętego Krzyża z surową twarzą. – Ma tutaj siostrę i kilka przyjaciółek. To miejsce było kiedyś jej domem.

Domem?, Karyna pomyślała jak przez mgłę. Jedynym domem, jaki znała, był zamek Braxton. Jedyne miejsce, gdzie naprawdę była potrzebna... Jedyne miejsce, do którego naprawdę należała.

– Chodź, Karyno, musisz zmienić ubranie.

Nadal milczała. Nie zasługiwała na piękną, zieloną tunikę, którą wciąż miała na sobie. Raczej na szatę z worka, popiół na głowie i godziny spędzone na modlitwach. Nawet to nie było wystarczającą karą.

– Poczujesz się lepiej, kiedy się tutaj zadomowisz – mówiła przeorysza. – Bóg przebaczy ci na pewno, nawet jeśli twój mąż nie zdoła. – Szły przez mroczne korytarze, bardziej przygnębiające, niż to zapamiętała. Może dlatego, że tym razem wiedziała, iż już z nich nie ucieknie.

– W pewnym sensie twoje przybycie stało się błogosławieństwem. Za opiekę nad tobą lord Raolfe hojnie nas wynagrodził. Wydaje się, że to człowiek dobry i szlachetny. Wielka szkoda, że go tak zawiodłaś.

Nie zostało powiedziane, ale stało się jasne, że hojność była czymś, czego matka Teresa oczekiwała cały czas, również wcześniej. Karyna odstawała od innych sióstr w zakonie i dręczyła je wszystkie swoimi niefortunnymi przygodami. Była niesubordynowana i sprawiała kłopoty. Zasłużyła sobie na swój los.

Weszła za kościstą, wysoką przeoryszą do wąskiej celi, w której leżał tylko siennik. To miał być jej dom do końca życia.

Karyna poczuła ręce na swojej zielonej tunice, poczuła ręce wyjmujące jej z włosów grzebienie. Kilka sióstr, wśród których rozpoznała znienawidzoną siostrę Agnes, pomogło jej włożyć szorstką lnianą szatę, a na nią brązową, wełnianą tunikę. Potem zostawiono ją samą.

Usiadła na nierównym sienniku. Dotknęła wilgotnej, kamiennej ściany i przytuliła do niej policzek. Był mokra i zimna, dokładnie taka, jak jej serce. Spod rzęs popłynęły jej łzy. Skuliła się w kłębek i zamknęła oczy.

Ralu, kocham cię i bardzo mi przykro, że cię zawiodłam. Szlochała w obecności surowych, kamiennych murów i zadawała sobie pytanie, jak wszystko mogło w jednej chwili przybrać tak niefortunny obrót.

* * *

Ral uniósł głowę znad stołu. Wokół niego chrapało kilku rycerzy, podczas gdy rubaszny śmiech innych rozlegał się echem w kamiennych, zamkowych murach.

– Robi się późno, panie. – Richard dotknął jego ramienia. – Może już czas się położyć.

Ręka Rala wężowym ruchem powędrowała po stole, zmiatając tace z resztkami jedzenia, puste puchary wina i przewrócone rogi do picia. Sięgnął po jeden z ostatnich rogów, podniósł i wyciągnął do Richarda. – Każ nalać mi jeszcze wina.

Richard wahał się przez chwilę, po czym podszedł do na wpół drzemiącego pazia w kącie sali.

– Przynieś dzban wina. Lord Ral chce się jeszcze napić.

Leo pospieszył usłużyć panu, napełnił róg, po czym się wycofał. Ral wychylił zawartość i wyciągnął róg po więcej trunku. Leo napełnił go niechętnie.

– Od wyjazdu lady Karyny taki jest zawsze – szepnął Leo do Richarda.

– Tak – potwierdził Richard i skrzywił się. – Zaraz zaśnie głęboko jak inni i każę zanieść go na górę do łoża.

– Nie wierzę w to, co mówią o lady Karynie. Nie wierzę, że mogła zdradzić męża.

Nie wierzyli w to także Richard i Ambra i przynajmniej z pół tuzina innych, chociaż Karyna sama przyznała się do winy. Richard odwrócił się, by nie oglądać lorda Rala w opłakanym stanie, z głową w resztkach jedzenia na stole. Stojąca w cieniu kilka stóp od nich Marta przyglądała mu się i zmartwiona pokręciła głową.

Pił już sześć dni, nie panując nad sobą, poruszał się niepewnie, mówił bełkotliwie i wykrzykiwał nieskładne rozkazy.

Richard wiedział, że ból dręczący lorda Rala jest nie do zniesienia. Rana była zbyt głęboka i ciężka, by mogła zagoić się od razu. Rozumiał ten ból jak nikt inny. Gdyby kobietą tą była Ambra, gdyby to ona zwróciła się ku innemu, gdyby go zdradziła – nie byłby pewien, co by zrobił.

– Dopilnuję, żeby wniesiono go na górę – te słowa padły z ust Oda, który wyglądał na strapionego, tak jak wszyscy. Razem z Girartem i kilkoma innymi podnieśli wielkiego męża, który był ich panem, i zanieśli go na górę po kamiennych schodach.

Zadanie, które stało się ich codziennym obowiązkiem, nie było wcale łatwe.

Richard przyglądał się im, póki nie zniknęli mu z oczu w głębi korytarza, po czym znużonym krokiem udał się do swojej komnaty. Znajdzie ukojenie w słodkich ramionach czekającej na niego młodej żony. Lord Ral znajdzie tymczasem puste łoże i gnębiące go przez całą noc gorzkie wspomnienia.

Richard zastanawiał się, czy Karynie noce mijają też gdzieś daleko na podobnej męce.

* * *

Przez pierwszych parę dni siostry zostawiły Karynę w spokoju, jak rzekły, by miała czas na rozmyślania i modlitwę do Boga o przebaczenie. Spędzała ten czas w gorzkiej samotności, nie chcąc opuszczać celi, czując się chora i nie mogąc przełknąć ani kęsa niesmacznego klasztornego pożywienia.

Pewnego poranka jej męczący sen przerwało czyjeś wejście do celi. Zmęczona brakiem odpoczynku Karyna powoli otworzyła oczy. Serce zabiło jej mocniej.

Przy sienniku stała dziewczyna w tunice z takiej samej brązowej wełny jak jej własna. Karyna w mgnieniu oka rozpoznała siostrę. Usiadła, przecierając oczy i odpędzając od siebie resztki snu.

– Witaj, Gweneth – powiedziała cicho. Nawet w ciemnościach widziała, że siostra się uśmiecha. Czarnowłosa dziewczyna uklękła przy niej, a Karyna wzięła ją za rękę. – Nie powinnaś wstawać tak wcześnie. – W głosie jednak nie było przygany.

Umyślnie unikała dotąd siostry, nie będąc w stanie patrzeć w jej niezmącone niczym błękitne oczy i lękając się, co siostra ujrzy w jej własnych oczach.

Gweneth nie rozumiała, że Karyna to jej siostra, niemniej pojawił się na jej twarzy wyraz świadczący, że rozpoznała ją jako kogoś, kto jest jej przyjazny. Chociaż od dnia wypadku nie mówiła, czuła dla otaczających ją ludzi wielką empatię i dzieliła z nimi nastroje radości, bólu, szczęścia albo smutku. Zdawała się kwitnąć dobrocią tak wielką, że na nic innego nie było w jej duszy miejsca.

W mroku nad nimi zarys wąskiego okienka rozjaśniło wschodzące słońce. Do środka wpadł promień, rozgrzewając siennik, na którym siedziała Karyna.

– Słońce wstaje – powiedziała zupełnie niepotrzebnie, bowiem Gweneth już wcześniej pociągnęła ją za rękę ponaglając, by się podniosła. Włożyła na siebie wełnianą tunikę i pozwoliła siostrze poprowadzić się na dół do sali i na zewnątrz. Dziewczyna powiodła ją do ogrodu, gdzie hodowała kwiaty. Pokazała palcem słońce, a potem śliczne żółte nagietki.

– Tak, są niczym małe słoneczka – potwierdziła Karyna. Zerwała jeden kwiatek i włożyła Gweneth za ucho. Z tyłu za nimi zabrzmiał znajomy głos i Karyna odwróciła się, by zobaczyć przyjaciółkę, siostrę Beatrycze, uśmiechającą się i machającą na powitanie. Karyna i Gweneth odpowiedziały skinieniem ręki. Podnosząc spódnice, siostra podbiegła do przyjaciółki stojącej w drzwiach. Karyna została jednak w ogrodzie. Popatrzyła na pas jaskrawożółtych kwiatów. Cieszyła się, że nagietki wniosły słoneczny blask i radość w życie jej siostry. Z jej życia znikło jednak słońce z chwilą, kiedy utraciła Rala. Od tamtej chwili, chociaż ciepłe słoneczne promienie nie przestały ogrzewać ziemi, jej wnętrze pozostawało zimne i zdawało się jej, że żyje w wiecznym mroku.

Zastanawiała się, czy słońce kiedykolwiek jeszcze ją ogrzeje.

* * *

– Powiadam ci, że coś tu mi nie pasuje! – Odo wkroczył do komnaty, gdzie Ral siedział przy stole, wypełniając księgi rachunkowe.

– Co? Co takiego nie pasuje? Wszystko się zgadza, mimo że zaprzeczyła.

– Nie ma znaczenia, co takiego powiedziała, czy też nie powiedziała. Twierdzę nadal, że nie jest tak, jak się z pozoru wydaje.

– Zostaw to, Odo. Męczy mnie ta głupota. Nie zmuszaj mnie, żebym zapomniał o naszej przyjaźni. – Ral nareszcie otrząsnął się z trwającego tydzień pijackiego otępienia. Wino pomagało mu uśmierzyć ból, nie mogło jednak ukoić go na zawsze.

– Właśnie dlatego, że jesteśmy przyjaciółmi, tak do ciebie mówię. Proszę cię, żebyś dociekł prawdy.

Ral uderzył pięścią w stół.

– Chcesz prawdy? Gorzka prawda jest taka, że moja żona zakochała się w innym. Był zachłanny i ambitny. Wykorzystał ją, by dostać to, czego chciał, ale w zamian spotkała go śmierć. Oto, przyjacielu, cała prawda!

– Twoja żona zakochała się w tobie, nie w Geoffreyu. Jeśli powiedziała mu, jakie masz plany względem Ferreta, musiała mieć dobry powód.

– Nie mogę uwierzyć, że jej bronisz. Przecież nigdy jej nie lubiłeś.

– Tak było... na początku. Potem zobaczyłem, jak się o ciebie troszczy i jakim szczęśliwym cię uczyniła. Widziałem, jak na ciebie patrzyła, kiedy wchodziłeś do sali. Widziałem też, jak ty na nią patrzyłeś.

– Opowiadasz głupstwa. Ta kobieta kochała Geoffreya.

– Kocha ciebie!

Ral westchnął ciężko. Nie było w nim ani cząsteczki, która by w to nie wierzyła.

– Nawet jeśli to prawda, to mnie zdradziła. Nie mogę żyć pod jednym dachem z żoną, której nie mogę ufać.

– Nie wierzę, że zdradziła umyślnie. Znaczysz dla niej zbyt wiele.

– Dość tego! Dlaczego upierasz się, że jej na mnie zależy? Nie, że mnie kocha. Ani razu niczego takiego mi nie wyznała.

– A ty jej wyznałeś?

– Nie, ale...

– Raz mówiła o miłości, którą do ciebie czuje – powiedział cicho Odo. – Nigdy nie widziałem takiego wyrazu twarzy niewiasty. Niejeden oddałby królestwo za kobietę, która by tak na niego patrzyła.

Ral zagotował się w środku. Każda chwila wszystkich mijających dni upływała mu w poczuciu straty i bólu. Bez względu na to, jak bardzo starał się nie zwracać na to uwagi, ból i poczucie straty tkwiły w nim cały czas, sprawiając wręcz fizyczny ból. Teraz przyszedł Odo, by przysporzyć mu cierpienia, obudzić wspomnienia, wątpliwości, które nigdy go na dobre nie opuściły, i sprawić, by pragnął tego, co nie może się zdarzyć nigdy.

– Wynoś się – odezwał się wrogo. – Wynoś się i nie wracaj.

Odo zesztywniał.

– Przepraszam. Nie chciałem sprawiać ci bólu. – Zatrzymał się w drzwiach. – Lecz nawet to, że dodałem ci zmartwienia, nie sprawi, żebym żałował tego, co powiedziałem.

Ral zatrzasnął z hałasem księgę, kiedy Odo zamknął za sobą drzwi.

– Traci zdrowe zmysły – mruknął Odo do Marty, która stała tuż za drzwiami. Kobieta nie odezwała się, lecz bardziej się przygarbiła i poszła w stronę wielkiej sali.

* * *

Karyna siedziała na pagórku wśród miękkiej trawy i kwiatów. Przychodziła tu, gdy wlokące się w nieskończoność klasztorne zajęcia wreszcie dobiegły końca. Przychodziła po to, żeby posiedzieć i pomyśleć.

Początkowo próbowała odgrodzić się od przeszłości, zapomnieć o niej i sprawić, by zniknęła z jej życia. Potem jednak odkryła, że przeszłość daje jej pociechę i zapewnia ucieczkę od bólu.

Chociaż wszystkie jej dni były teraz wypełnione ciężką pracą, skąpymi posiłkami, dusznym odosobnieniem i rozpamiętywaniem win, czas spędzany na wspominaniu przeżytych z Ralem chwil przynosił jej ukojenie jak nic innego.

Wspomnienia były żywe. Oczami duszy widziała jego twarz, tak piękną jak wtedy, gdy pierwszy raz go zobaczyła na łące na grzbiecie wielkiego czarnego rumaka. Wyobrażała sobie zarys jego zmysłowych ust. Widziała żartobliwy błysk, który zamieniał jego oczy z szarych na błękitne, oraz głębszy, pociągający odcień błękitu, który był oznaką pożądania.

Pamiętała jego silne ręce i to, jak się czuła, kiedy jej dotykał, ich delikatność i siłę. Pamiętała ich zmysłowość, która ją podniecała, pamiętała, jak ją tuliły, gdy płakała, jak ją uspokajały i pomagały ulżyć bólowi.

Myślała o wilkach i o tym, jak narażał życie, by ją ocalić. Myślała o tym, jak pomógł małemu Leo, jak sprawiedliwie potraktował wielkiego jasnowłosego anglosaskiego rycerza. Myślała o Ralu i choć serce ją bolało, w ponownie przeżywanych chwilach znajdowała radość, której wtedy wcale nie czuła, i której nie poczuje już nigdy więcej.

Najczęściej myślała o tych chwilach, kiedy była przy nim, o dźwięku jego miłego dla ucha głosu; o tym, jak podnosiły się kąciki jego ust w uśmiechu, i o tym, jak razem się śmiali i dzielili troski. Kto teraz dzieli z nim troski? Do kogo się z nimi zwraca? Potrzebował jej, a ona go opuściła.

Karyna popatrzyła w górę i ku swojemu zaskoczeniu zobaczyła stojącą przy niej Gweneth, której cień padał na jej twarz. Gweneth patrzyła na Karynę w milczeniu, po czym przyklękła przy niej. Trzymała w ręku mały bukiecik stokrotek, który włożyła siostrze do ręki. Karyna przyjęła kwiatki drżącymi rękami. Ból we wnętrzu nasilił się, niemal rozdzierając ją na pół.

Wyciągnęła rękę do Gweneth i po raz pierwszy zobaczyła w błękitnych oczach siostry smutek i łzy, które powoli spływały jej po policzkach. W twarzy Gweneth odmalował się ból i przygnębienie tak głębokie jak jej własne. Serce jej się zacisnęło na widok płaczącej siostry, gdyż rzadko widywała ją ze łzami w oczach i tak nieszczęśliwą.

Zrozumiała, że łzy Gweneth były odbiciem jej własnych, że siostra czuje jej ból, że złamane serce i poczucie straty muszą być widoczne na jej twarzy. Widząc Karynę na pagórku, Gweneth wyczuła smutek i prawdziwą rozpacz.

Karyna podniosła kwiatki i powąchała je. Popatrzyła przy tym na Gweneth i zmusiła się do uśmiechu. Pochyliła się i otarła łzy z policzków siostry, po czym wytarła swoje własne.

– Nie trzeba płakać – powiedziała z udawaną żywością. – Jest tutaj tak pięknie, prawda? – Uśmiechała się długo, odpędzając myśli o domu, o Ralu, o miłości i o swojej samotności, aż nareszcie kąciki delikatnych czerwonych ust Gweneth zaczęły wędrować do góry.

Karyna pochyliła się nad małą kępą polnych dzwonków, zerwała jeden z nich i wręczyła siostrze.

– Zobacz, jaki śliczny! Jest w tym samym kolorze co twoje oczy. – Gweneth uśmiechnęła się, kiwając głową z zapałem, i zaczęła przeszukiwać trawę, by znaleźć więcej delikatnych błękitnych kwiatków. Spostrzegła kępę kawałek dalej i poszła w tamtym kierunku. Karyna patrzyła, jak odchodzi, wiedząc, że Gweneth już zapomniała o smutku i jej cierpienie uleciało jak motyl, którego zaczęła teraz gonić.

Cierpienie Karyny nie uleciało wcale i z niszczącą siłą wypalało jej serce. Po raz pierwszy w życiu nie umiała odnaleźć radości w otoczeniu, nie dostrzegała blasku słońca, błękitu nieba. Po raz pierwszy zazdrościła siostrze nieświadomości świata, w którym żyła.

Rozdział 23

Ral popatrzył na wielkie puste łoże i ból w sercu dał o sobie znać silnym ukłuciem. Ten ból nie opuszczał go od sporu z Odem. Wręcz przeciwnie, z każdym dniem stawał się bardziej dokuczliwy – od kiedy do serca wśliznęły się wątpliwości.

Od początku bolała go myśl o Karynie, tyle że teraz tego bólu nie tłumił ani oślepiający gniew, ani gwałtowne wybuchy emocji.

Czasami aż nienawidził Oda za to, że obudził w nim niepewność i tęsknotę. Od świtu do zmroku wątpliwości go nie opuszczały, dopadając go w najbardziej nieoczekiwanych chwilach. Przypominał sobie najdrobniejsze szczegóły, które jego żona robiła lub mówiła, drobiazgi, które świadczyły o tym, że jej na nim zależy... zachowania, które Odo uważał za oznaki miłości.

Wspominał każdą chwilę spędzoną razem z nią, drogę, jaką obrała na początku, by uciec od małżeństwa, i odwagę, z jaką przyjęła swój los. Przypominał sobie, jak potem ją tulił, a ona wypłakiwała się w jego pierś. Rozpamiętywał, jak przy nim stała, ryzykując życie, kiedy osaczyły ich wilki, postanawiając, że go nie opuści. Jak naraziła się na jego gniew, by własnym kosztem obronić wiejskiego chłopca. Postępując w ten sposób, zyskała jego podziw i szacunek.

Na ustach zaigrał mu uśmiech, kiedy sobie przypomniał, jak troszczyła się o dwór, a potem celowo zaniedbała swoją pracę. Jakiej wymagało od niej odwagi, aby mu się przeciwstawić, by w rezultacie zdobyć lojalność i przychylność służby i prawdziwą lojalność jego samego. Myślał o Lynette i o tym, jak bardzo Karyna poczuła się zraniona, gdy do niej poszedł. Dlaczego miałaby tak cierpieć, jeśliby jej na nim nie zależało?

A może jednak ból, jakiego był przyczyną, skłonił ją, by się od niego odwróciła.

Ral usiadł w fotelu, łokciami opierając się o stół. Przeczesał palcami włosy. Ileż razy już o niej myślał, wspominając bliskość jej delikatnego kobiecego ciała? Ileż razy marzył o jej uśmiechu, wyobrażał sobie jej serdeczny śmiech lub tylko dźwięk jej głosu?

Jakże mógł czuć taką rozpacz z powodu straty kobiety, która go zdradziła?

Westchnął w mroku spowijającym komnatę, gdzie paliła się tylko jedna migocząca świeca. Pomyślał o Elianie, próbując sobie przypomnieć ból, który czuł, kiedy odkrył nieczysty związek łączący ją z bratem. Wtedy także cierpiał katusze. Ból z powodu oszukania, wykorzystania i utraty czegoś, co było mu przeznaczone.

Nie było to jednak takie cierpienie, jakie czuł teraz, po stracie Karyny.

Ponieważ tym razem uczucia były odmienne, nie przestawały go dręczyć wątpliwości. Pytał sam siebie, czy mógłby czuć tak głęboki smutek z powodu kobiety zdolnej do czegoś takiego, kobiety tak niemoralnej, że wzięła sobie kochanka za jego plecami, oszukała go, zdradziła, po czym wykorzystała do własnych celów?

Czy byłby aż tak zraniony z powodu takiej kobiety? Czyżby jego instynkt został tak całkowicie zgłuszony przez namiętność, że tak daleko wyprowadził go na manowce?

Usłyszał ciche szuranie i podniósł głowę, by zobaczyć Martę, która stanęła przed nim z drugiej strony stołu.

– Dużo wycierpiałeś, mój panie, lecz ona także. Czy jesteś już gotów przyjąć prawdę?

Serce podskoczyło mu na te słowa, po czym zaczęło bić mocniej. Jednak nade wszystko czuł zmęczenie.

– Jaką prawdę?

– Prawdę o tym, co zdarzyło się tej nocy, kiedy twoja Karyna cię zdradziła.

– Ona już nie jest...

– Nie jest? Czemu więc jesteś pogrążony w takim smutku?

– Jeśli masz mi coś do powiedzenia, kobieto, mów albo zostaw mnie w spokoju.

Marta wyciągnęła pusty puchar z fałd szarej lnianej tuniki i postawiła go na stole.

– To ten sam puchar, z którego piła twoja żona w wieczór przed wyprawą na Ferreta.

– Jeśli chcesz powiedzieć, że się upiła, nie ma to znaczenia. To dowodzi tylko, że nie można jej ufać...

– Nie była pijana. Wypiła tylko ten jeden puchar. Chcę powiedzieć, że podano jej truciznę.

– Truciznę? – Chciał ukryć poryw nadziei, trudne do określenia bicie serca, które już od dawna tak nie biło. – Powiadasz, że Geoffrey podał jej coś w winie?

– To się nazywa szalej albo cykuta. To daleko więcej niż zioła na sen. Z soku tej rośliny wyrabia się małe brązowe ciasteczka, których używa się dla uśmierzenia bólu. Kiedy dawka jest większa, człowiek zaczyna widzieć dziwne rzeczy albo robić to, czego zwykle nie robi.

– Sądzisz, że uwierzę w taką bajkę? Jaki masz dowód i dlaczego nie powiedziałaś mi tego wcześniej?

– A czy miałbyś czas mnie wysłuchać?

Nie, wiedział, że nie. Jego gniew był zbyt silny, a ból zbyt dotkliwy.

– Powiedz zatem, co wiesz, i pokaż mi swój dowód. Jeśli niczego nie masz, ta rozmowa jest skończona.

W głębi duszy uradowała go nadzieja obudzona przez starą kobietę. Spostrzegł, że zaczął się modlić, by służąca nie odwróciła się i nie odeszła.

Stara Marta nie sprawiła mu zawodu. Zaczęła opowiadać, zaczynając od dziwnego koloru cery Karyny, który zauważyła tamtego wieczoru na schodach. Ponieważ jej się to nie spodobało, wróciła do sali i znalazła tam puchar, który pachniał jeszcze ziołami. Z sali poszła do izby chorych, gdzie odkryła, że słoik z suszonym specyfikiem Hassana był poruszony. Na dnie moździerza nadal były ślady proszku. Chociaż miała nadzieję, że te sprawy nie mają związku, na wszelki wypadek dyskretnie przepytała służbę.

Kiedy Ral nadal wydawał się nieprzekonany, Marta przerwała i poczłapała do drzwi. Otworzyła je i wpuściła jedną ze służących. Oczy sługi niespokojnie strzelały w stronę pana.

– Nie bój się – uspokoiła Marta. – Musisz powiedzieć lordowi Ralowi, co widziałaś tamtego wieczoru, kiedy przechodziłaś koło izby chorych.

Służąca miała na imię Elda i była niewiele starsza od Karyny. Przypomniała sobie wszystko.

– To był Geoffrey, panie. Byłam ciekawa, co on tam robi tak późno, ale to w końcu nie moja sprawa, dlatego nie zapytałam.

– A co on tam robił? – spytała Marta.

– Coś rozcierał w moździerzu. Spieszył się i po chwili wyszedł.

– W jaki sposób Geoffrey mógł się dowiedzieć, jak działa ten specyfik? – spytał Ral, lecz serce zaczęło mu bić mocniej, pojawiła się nadzieja, wypełniła pierś, uwalniając spod przygniatającego ją ciężaru.

– Zapomniałeś, że spędził w izbie chorych dużo czasu. Lady Karyna używała odrobiny szaleju, żeby mu ulżyć w bólu. To nie pomyłka, panie. Geoffrey de Clare dobrze wiedział, co robi.

– Mimo to możesz się mylić. Wiem, jakie uczucia żywisz do swojej pani. Może po prostu chcesz tylko...

– Przypomnij sobie dobrze tamten wieczór, panie. Czy pamiętasz, jak mocno spała twoja żona? Nie obudziła się nawet, by cię pobłogosławić na drogę. I była bardzo zawiedziona, kiedy wstała i zobaczyła, że już wyjechałeś.

Przypomniał sobie, jak ją niósł do sypialni. Nawet jego ciężkie kroki jej nie zbudziły. Spała tak, jakby zażyła coś na sen.

Zacisnął ręce w pięści.

– Jeśli było tak, jak mówisz, czemu nie próbowała się wytłumaczyć? Dlaczego nie powiedziała ani słowa na swoją obronę?

– Twoja Karyna poczuwa się do winy. Zginęło wielu dzielnych mężów, a błąd leży po jej stronie. Obdarzyłeś ją zaufaniem, a ona cię zawiodła. Będzie się za to obwiniać do końca swoich dni.

– Słodki Chryste, nie mogę w to uwierzyć! – Jednak uwierzył. W każde cudowne, przywracające mu życie słowo. Chciał krzyczeć ze szczytu dachu, chciał walić pięściami i zgrzytać zębami, że nie widział tego wcześniej.

„Coś tu się nie zgadza" – powiedział mu Odo, lecz on, pławiąc się w nieszczęściu, w swojej złości, niczego nie chciał widzieć.

– Muszę zaraz po nią jechać.

– Za późno, żeby ruszać w taką podróż. Jest już ciemno i drogę oświetla ledwo skrawek księżyca.

Uśmiechnął się i ogarnęła go radość, krew zaczęła żywiej krążyć w jego ciele, a duch powracał do życia.

– Jest więcej światła, niż przyświecało mi przez ostatnie tygodnie.

W kilku susach znalazł się za drzwiami. Zawołał Oda, obudził połowę służby i zaczął wydawać rozkazy.

Za jego plecami Marta uśmiechnęła się lekko i otarła łzę z policzka.

* * *

Ral wziął ze sobą dziesięciu ludzi i wyruszył do Zakonu Świętego Krzyża. Galopował prawie całą noc, spał zaledwie parę godzin, po czym ruszył dalej, jeszcze zanim na dobre wstało słońce. Od dawna nie zdarzyło mu się mieć tyle siły i energii. Bał się, że już nigdy nie będzie jej miał.

Jasno określił sobie swój cel, jednak w miarę jak się zbliżał do klasztoru, czuł się coraz bardziej niepewnie. Co jej powie? Co ona mu odpowie? Chociaż patrząc na to z innej strony, sam był tak samo winien zdrady jak Karyna. Gdyby miał do niej więcej zaufania, gdyby wierzył bardziej swojemu instynktowi niż złości, sam doszedłby prawdy.

Nawet Odo ją dostrzegał. Ale nie człowiek, który był jej mężem. Nie człowiek, któremu powierzyła swoją miłość.

Ścisnęło go w środku na wspomnienie, jak brutalnie ją uderzył w udręce, która go ogarnęła, chociaż zadany jej ból przeniknął jego ciało w równym stopniu co ją. Zastanawiał się, czy mu przebaczy. Nade wszystko zastanawiał się, czy czuje się w klasztorze szczęśliwa. Chciała się od niego uwolnić, żyć bez obowiązków i odpowiedzialności.

Martwił się, czy po tym wszystkim, co się stało, jego Karyna zechce wrócić do domu.

* * *

– Lord Raolfe! – Przeorysza cofnęła się, żeby go wpuścić. – Wybacz, panie... nie otrzymałam wiadomości o twoim przyjeździe.

Ledwo się zatrzymał, żeby się przywitać.

– Przyjechałem zobaczyć się z żoną. Gdzie ona jest?

Przeorysza uśmiechnęła się cierpko.

– Na zewnątrz, tak jak lubi. Chociaż dużo lepiej by jej zrobiło, gdyby spędzała więcej czasu na kolanach, modląc się za swoją duszę. – Wysoka, koścista kobieta podeszła do wewnętrznych drzwi i otworzyła je. – Jeśli pójdziesz ze mną do końca korytarza, siostra Beatrycze pokaże ci drogę.

Podczas gdy zbrojni czekali przed bramą, Ral szedł za przeoryszą ponurym, mrocznym korytarzem, który sprawiał bardzo przygnębiające wrażenie. Zacisnął zęby, próbując sobie wyobrazić Karynę mieszkającą w takim miejscu, i oblała go kolejna fala wyrzutów sumienia. W końcu korytarza przeorysza przekazała go smukłej młodej zakonnicy, która, jak pamiętał, była przyjaciółką Karyny.

– Jeśli będziesz czegoś potrzebował, siostra Beatrycze się tym zajmie. – Przeorysza odwróciła się i zostawiła ich samych.

– Przyjechałeś zobaczyć żonę, panie? – zapytała zakonnica.

– Tak. Jak ona się czuje?

– Nie za dobrze, panie. Całymi dniami chowa się po kątach. Patrzeć na nią to jakby patrzeć na piękny kwiat, który usycha i więdnie. To miejsce nie jest dla niej, panie.

Ral chrząknął, lecz głos nadal miał ochrypły:

– To oczywiste, że nie. Mam tylko nadzieję, że ona czuje to samo.

Beatrycze otworzyła ciężkie dębowe drzwi. Zardzewiałe zawiasy zaskrzypiały przeraźliwie. Znaleźli się na zewnątrz.

– Tędy, panie. – Wskazała lekkie wzniesienie na łące. – Przesiaduje na słońcu, jeśli tylko siostry jej na to zezwolą. Jednak wygląda na to, że słońce nigdy jej nie rozgrzewa.

– Tak. Zbyt dobrze znam to uczucie.

Beatrycze zostawiła go, a on stał przez chwilę, zbierając całą odwagę i modląc się, by potrafił znaleźć właściwe słowa. Po chwili ruszył na przełaj przez łąkę w stronę widniejącej w oddali drobnej sylwetki.

* * *

Karyna siedziała na szczycie pagórka i wpatrywała się w horyzont. W klasztorze było mnóstwo pracy, która zdawała się ciągnąć w nieskończoność. Jednak w ciągu ostatnich dni pozwalano jej tutaj przychodzić. Zastanawiała się, czy to dzięki pieniądzom, które zapłacił Ral za opiekę nad nią, czy też z powodu smutku, który sięgnął głębi duszy i wyzierał jej z oczu.

Patrzyła na łąki, nie widząc ich piękna i ledwo czując ciepło słonecznych promieni. Nie była pewna, jak długo tak siedziała, lecz jaskrawożółty krąg słońca przebył kawał drogi nad horyzontem. Dopiero cień, który padł na nią, i widok wysokich do kolan butów z miękkiej skóry kryjących parę męskich nóg przywołały ją do rzeczywistości i zmusiły, by spojrzała w górę. Zasłaniając oczy, zobaczyła wysokiego mężczyznę na tle jasnych promieni słońca.

– Ral... – powiedziała to najcichszym z szeptów, jednak usłyszał i się uśmiechnął. Nie sądziła, że kiedykolwiek jeszcze zobaczy ten uśmiech.

– Dobrze cię znowu widzieć, Karo.

Odpędziła ból, który poczuła na dźwięk tego, co kiedyś było czułym słowem, i pragnienie, które przeszyło jej ciało na sam dźwięk głosu. Wstała szybko i otrzepała z trawy brązową szorstką tunikę. Cały czas napawała się jego widokiem. Wyglądał wspaniale – wysoki, śniady, z piękną, męską twarzą. Zeszczuplał, jednak wyglądał jeszcze bardziej potężnie, choć taka rzecz pozornie nie była w ogóle możliwa.

– Dobrze się czujesz, panie? Noga się wygoiła? – *Dlaczego przyjechał?* Nie przychodził jej do głowy żaden powód.

– Rana nie była groźna. Czuję się dobrze. – Stał przed nią, ale zachowywał się dziwnie niespokojnie. – A ty, Karyno? Też się dobrze czujesz?

Wypowiadał te słowa miękko, prawie pieszczotliwie. Przez to zapiekły ją oczy i coś zaczęło dławić w gardle. Zmusiła się, by przywołać na twarz uśmiech i modliła się, żeby nie wydał się radosny.

– Tak, panie, siostry są dla mnie dobre. No i jest tu Gweneth. Sprawia mi przyjemność, gdy widzę, że jest tu szczęśliwa.

Ral rozejrzał się i na chwilę utkwił wzrok w horyzoncie, jakby wypatrując czegoś w oddali, tam, gdzie wcześniej ona patrzyła. Teraz zobaczyła mocny zarys szczęki i zmysłowy kształt ust. Miał tak szerokie ramiona, że zasłaniał całą tarczę słońca. Odwrócił się i popatrzył jej w oczy.

– Przyjemnie tutaj. Przejdziesz się ze mną?

– Jak sobie życzysz, panie. – Tak naprawdę wcale nie miała na to ochoty. Zbyt wielki ból wywołał swoim przybyciem. Udręka z powodu straty była nie do zniesienia. Z drugiej strony nie powinna się dziwić, że przyjechał. To było do niego podobne: sprawdzić, czy jest tu bezpieczna. W końcu nadal była jego żoną. A może to właśnie był powód jego wizyty.

Wnętrzności Karyny zacisnęły się w małą twardą kulkę. Zrozumiała, że Ral może zechcieć zakończyć to małżeństwo. Pozostawała kwestia dzieci, dziedziców Braxton i rozległych posiadłości. Mocno zacisnęła zęby, żeby powstrzymać łzy wzbierające w jej oczach.

– Jak się miewa Marta? – zapytała, kiedy oddalili się od klasztoru. Miękka trawa słała się pod jej stopami.

– Dobrze. Bardzo się o ciebie martwi. Podobnie Ambra.

– Powiedz im, że jest mi tu dobrze. Cieszę się, że wróciłam do miejsca, które kiedyś było moim domem.

Byłaby gotowa przysiąc, że się nastroszył. U podstawy pagórka stanął, a wiatr delikatnie rozwiał mu włosy.

– Przyjechałem tutaj dzisiaj w określonym celu – rzekł. – Muszę ci zadać parę pytań. Muszę coś wiedzieć.

– O co chcesz pytać, panie?

– O wieczór, kiedy rozmawiałaś z Geoffreyem.

Zachwiała się lekko, bowiem udręka była zbyt wielka, ale Ral wyciągnął rękę, żeby ją podtrzymać. Dotyk jego ręki przeniknął ją falą tęsknoty.

– Dobrze się czujesz?

– To dlatego... że wolałabym do tego nie wracać. To dla mnie zbyt bolesne. Ja...

– Ja też najchętniej bym do tego nie wracał. Muszę jednak wiedzieć, dlaczego powiedziałaś Geoffreyowi o Ferrecie. – Za gardło chwycił ją ból. Ral kazał jej wspominać to, o czym próbowała ze wszystkich sił zapomnieć. – Nie miałam w ogóle zamiaru. – Przełknęła ślinę, życząc sobie, żeby mówienie przychodziło jej łatwiej. – Przypuszczam, że to było wino. Sprawiło, że widziałam rzeczy, mówiłam rzeczy... Bardzo często zastanawiałam się, dlaczego to zrobiłam... i co on chciał przez to zyskać.

– Chciał ziemi. Malvern obiecał mu wyznaczoną przez króla nagrodę w zamian za tę wiadomość.

Karyna pokiwała głową. Powód nie wydawał się już ważny.

– Kiedy był chory, mówił o matce, o tym, że zatroszczy się o nią tak, jak nie udało się ojcu. Kiedyś powiedziałeś mi, że był ambitny. Zbyt późno przekonałam się, że to prawda.

– A zatem nie był twoim kochankiem.

Pokręciła głową i uśmiechnęła się smutno.

– Nie, panie. Zawsze byłam ci wierna.

Ral zacisnął szczęki.

– Mówisz, że nigdy go nie kochałaś?

– Geoffreya? Dopiero co przestał być chłopcem. Czułam do niego tylko przyjaźń.

Ral milczał dłuższą chwilę. Kiedy przemówił, jego głos brzmiał dziwnie.

– Powinienem był dać ci się wytłumaczyć. Bardzo tego żałuję.

– Wytłumaczyć się, panie? Tu nie ma czego tłumaczyć. Twoi ludzie zginęli przeze mnie. Powierzyłeś mi swój sekret, a ja przekazałam go dalej. Zdradziłam cię po raz kolejny. To ja powinnam się kajać.

Ral odwrócił się do niej i objął ją za ramiona, wbijając w nie swoje palce, zmuszając ją, by spojrzała mu w twarz.

– Ty mnie nie zdradziłaś. Pomyśl, czy gdyby Geoffrey wyciągnął w taki sam sposób tę informację od Oda, wyrzuciłbym przyjaciela z zamku? Wyrzuciłbym ze swojego życia? Z serca? Myślisz, że nie widziałbym, że wina leży całkowicie po stronie Geoffreya? Że tylko jego jedynego trzeba oskarżać?

– Ja... ja nie rozumiem.

– Wszyscy popełniamy błędy, Karyno. Popełniłaś błąd, ufając Geoffreyowi. Taką masz naturę, że pokładasz w innych wiarę i wcale nie chcę, żebyś się zmieniała. Nigdy bym cię nie ukarał za to, że mylnie oceniasz ludzi, gdyż sam popełniam błędy.

– Ty, panie?

– Tak. Popełniłem ogromny błąd, idąc wtedy do Lynette. Żałuję tego z całego mojego serca.

– Zginęli twoi ludzie, mój panie, i to przeze mnie. Nic już tego nie zmieni.

– Moi ludzie zginęli przez Geoffreya!

Karyna się nie odezwała, tylko utkwiła w nim wzrok, jakby zrozumienie tych słów sprawiało jej trudność. Ral przeczesał palcami włosy i patrzył na nią, niepewny, co jeszcze powinien powiedzieć, walcząc z potrzebą przytulenia jej, wiedząc, że jeśli to zrobi, zgniecie ją w miłosnym uścisku.

– Chcę cię prosić o przysługę, Karyno.

– Tak, panie. Najpierw jednak ja cię poproszę o przysługę.

Podniósł brwi ze zdziwieniem.

– Chcesz, bym ci coś obiecał?

– Tak.

– Co takiego?

– Proszę cię, żebyś więcej tutaj nie przychodził. Zobaczyłeś już, że jestem zdrowa i cała. Jeżeli chcesz unieważnić to małżeństwo, proszę, żeby kto inny przyniósł mi tę wieść.

Ral walczył ze ściskającym się sercem.

– Dlaczego?

Rzuciła mu smutny, lekki uśmiech i zobaczył, że w jej oczach zaszkliły się łzy.

– Nie chcę już cię oglądać, bo to za bardzo rani moje serce. – Bezwiednie powiodła ręką ku sercu i Ral poczuł, jak w jego własne serce wbija się ostrze.

– Błagam cię, *chèrie*, zabijasz mnie każdym swoim słowem. Nie mów nic więcej, póki nie usłyszysz, o co chcę cię prosić.

Skinęła lekko głową i wytarła łzy z policzków.

Ral wziął głęboki uspokajający oddech.

– Kiedy byłaś ze mną, zrozumiałem, jak wysoko cenisz sobie swoją wolność. Wiem, jak bardzo nienawidzisz uwiązania obowiązkami i odpowiedzialnością, lecz mimo to proszę, żebyś zechciała rozważyć... powrót do domu.

Zmarszczka nastroszyła jej brwi.

– Do domu, panie? Nie myślisz chyba, że powinnam wrócić na zamek?

– Bardzo jesteś tam potrzebna. Marta jest już stara i coraz słabsza, no i jest Leo, który wymaga opieki. Ambra i Richard potrzebują pomocy w domowych obowiązkach... ale nade wszystko... ja ciebie potrzebuję, Karyno.

Wpatrywała się w niego przez długą, pełną niepewności chwilę, po czym po policzkach zaczęły płynąć jej łzy.

– Przebaczysz mi?

– Powiedziałem już, *ma chèrie*, że to nie było nic innego, jak tylko pomyłka. To ja powinienem prosić cię o przebaczenie. Powinienem ci ufać, wierzyć w ciebie.

Wyciągnął do niej ramiona, objął ją i przyciągnął do siebie z najwyższą uwagą i troskliwością, trzymając przy sobie tak blisko, że czuła bicie jego serca. Pochylił głowę i pocałował ją czułym, namiętnym pocałunkiem, który przeszedł w pocałunek żarliwy i pełen żądzy, aż Karyna zadrżała.

– Kocham cię – wyszeptała, kiedy płomienny pocałunek się zakończył. – Wydaje mi się, że kocham cię od chwili, kiedy po raz pierwszy cię zobaczyłam.

Ral zgniótł ją w ramionach. Uśmiechnął się promiennie, jakby świat nieoczekiwanie na nowo dla niego rozkwitł.

– Jeśli to prawda, powiedz, że wrócisz do domu.

Uśmiech w odpowiedzi pochodził z głębi, był wschodem słońca po długiej nocy burzy i ciemności.

– Uraduje mnie to, jak nic innego na tej ziemi.

Pocałował ją ponownie, tuląc w ramionach, pożądając tak mocno, jak jeszcze nigdy przedtem, mówiąc bez słów, jak bardzo ją kocha. Lekko drżącymi rękami odgarnął jej włosy z twarzy.

– Ruszamy, jak tylko się przygotujesz. Chcę cię zobaczyć jeszcze raz nagą w swoim łożu. Będę cię trzymał w ramionach, całował i kochał się z tobą przez długie godziny, bez końca. Gdybyśmy nie stali teraz na poświęconej ziemi Zakonu Świętego Krzyża, wziąłbym cię tu i teraz.

Pocałował ją po raz ostatni, tak namiętnie, że kolana jej zmiękły. Potem porwał ją na ręce i zaniósł przez łąkę do drzwi klasztoru. Zatrzymał się w kamiennym korytarzu tylko po to, by powiedzieć przeoryszy, żeby przygotowano rzeczy żony i oddano jego ludziom przy bramie.

Przy drzwiach frontowych postawił ją na ziemi.

– Pożegnasz się z siostrą?

– Tak, panie.

– Pożegnaj się możliwie jak najszybciej, bo nie mogę się już doczekać, żeby cię stąd wreszcie zabrać.

Kiedy kończył mówić te słowa, biegła ku nim już siostra Beatrycze, ciągnąc za rękę Gweneth.

– Zawsze byłaś wspaniałą przyjaciółką. – Karyna pochyliła się i uścisnęła zakonnicę, po czym uścisnęła siostrę. Musiała być cała rozpromieniona, ponieważ Gweneth odpowiedziała uśmiechem mogącym rozświetlić wszystkie mroczne kąty klasztoru.

– Wkrótce przyjadę z wizytą – obiecała Karyna. Siostry uścisnęły sobie dłonie, a Gweneth pochyliła się i pocałowała ją w policzek. Karyna uścisnęła ją po raz ostatni, po czym odwróciła się i wyszła, by dołączyć do Rala i jego ludzi.

– Bądź szczęśliwa! – zawołała siostra Beatrycze. Nie musiała się jednak o to martwić.

Karyna znalazła Rala za ciężką dębową furtą. Jego oczy miały najintensywniejszy kolor błękitu, a uśmiech był tak ciepły, że jej serce zmiękło.

– Jedziemy do domu? – zapytała.

– Tak, ukochana, jedziemy do domu.

Do domu. Jakież cenne słowo. Uśmiechnęła się, kiedy Ral podniósł ją i posadził obok siebie na siodle. Otoczył ją w pasie ramieniem, a ona oparła głowę o jego twardą pierś.

Jechali szybko, bowiem Ralowi spieszno było do zamku Braxton, jej zresztą też. Tej nocy Karyna leżała blisko niego i czuła twardy jak skała dowód jego pożądania, który najwyraźniej był dla niego powodem niewygody. Nie wziął jej jednak. Wiedziała, że w ten sposób okazuje czułość, troskę i swoją skruchę z powodu tego, co się wydarzyło.

Następnego dnia jechała na własnym siwku, którego Ral zabrał dla niej. Ale cały czas był w pobliżu i uśmiechał się do niej ciepło i często. Nastroje poprawiły im się znacznie, kiedy minęli ostatnie rozwidlenie dróg i do zamku było już tak blisko, że Ral poniechał zwykłej czujności. Aż do chwili, kiedy usłyszeli tętent końskich kopyt i zobaczyli wojów ruszających do natarcia. Napastnicy z obnażonymi mieczami złowrogo błyszczącymi w słońcu runęli na garstkę ludzi lorda.

– To Malvern! – krzyknął Ral, usiłując osłonić Karynę swoim gniadym rumakiem, podczas gdy jego ludzie dzielnie walczyli z wojami lorda Stephena. Niestety, przewaga liczebna napastników była przytłaczająca. Szyk obronny Braxtona został niebawem złamany, a drużyna lorda Stephena rozdzieliła Karynę i jej wściekle broniącego się męża.

– Ral! – zakrzyknęła Karyna, kiedy jeden z rycerzy Malverna natarł na niego z lewej, a ostrze zawisło mu nad głową. Ral zdołał jednak zasłonić się tarczą, osłabiając cios. Zaraz jednak dwóch następnych przeciwników natarło na niego od tyłu.

– Uciekaj do zamku! – zawołał Ral i wtedy po raz pierwszy dotarło do Karyny, że ludziom Stephena chodzi o nią.

Okręciła konia i uderzyła go w boki piętami, lecz było już za późno. Odwracała gorączkowo siwka to w jedną, to w drugą stronę, lecz wysoki rycerz pochylił się i zdjął ją z konia. Chociaż opierała się i walczyła, przerzucił ją sobie przez siodło, zawrócił i ruszył galopem. Reszta ludzi nie ustawała w boju, raniąc kilku ludzi Rala i skutecznie powstrzymując jego załogę przed pościgiem, dopóki Karyny nie wywieziono głęboko w las.

Ral ciął mieczem na prawo i lewo, zalany falą wściekłości na widok żony, którą przerzucono przez koński grzbiet jak worek. Walczył, dopóki włócznia wroga nie powaliła jego gniadego wierzchowca na kolana. Walczył, dopóki tylko on i jego czterej towarzysze byli w stanie nadal władać mieczem. Ku zaskoczeniu Rala w pewnej chwili na dźwięk przeraźliwego gwizdu nacierający na nich rycerze Malverna schowali miecze, zrobili odwrót i pogalopowali w ślad za ludźmi, którzy uprowadzili Karynę.

– Dlaczego zostawili nas przy życiu? – Girart patrzył w osłupieniu na wzniecony tuman kurzu. – Zupełnie nie rozumiem.

Palce Rala zacisnęły się na rękojeści zakrwawionego miecza.

– Żyjemy, bo tak chciał Stephen. Taki był jego plan.

– Ale dlaczego, panie?

– Będzie chciał okupu – Ral przeżuł w ustach siarczyste przekleństwo. – Chce mnie zniszczyć.

– Ral rozejrzał się dokoła, po czym zagłębił się w leśną gęstwinę i uwolnił konia miotającego się między drzewami. Długonogi kasztan należał do jednego z poległych ludzi Malverna.

– Co z resztą? – spytał Ral.

– Dwóch nie żyje. Czterech rannych.

– Ranni mogą jechać konno?

– Tak, już zbierają konie.

– Dobrze, zatem ruszajmy! – Im prędzej dojadą do zamku, tym prędzej zbierze to, co zostało z jego wojska i wyśle wiadomość do swoich wasali, że potrzebuje więcej ludzi. Ral bał się myśleć, co się stanie z Karyną i jaki odwet Malvern może wziąć na niej tylko dlatego, że została jego żoną.

Jedno wiedział na pewno: tym razem jej nie zawiedzie.

Rozdział 24

Karyna syknęła, kiedy koń wszedł w koleinę i poczuła, jak jego twardy kłąb wbił się jej w żołądek. Była podrapana i posiniaczona od szalonej galopady przez las i od brutalności, z jaką potraktował ją wysoki rycerz, który ją pojmał. Chciało jej się pić, padała ze zmęczenia i dręczył ją niepokój.

Co stało się z Ralem? Może jest ranny albo nawet zginął? Martwiła się z każdą chwilą bardziej, wierzyła jednak całym sercem, że Ral żyje. Instynkt jej podpowiadał, że przeczułaby, gdyby coś mu się stało.

To, co ukazało się jej oczom, oznaczało, że znaleźli się w nie lada opałach. Kiedy odwróciła głowę, zobaczyła zielone i białe barwy Malverna, a potem okazały namiot na leśnej polanie. Wysoki rycerz ściągnął wodze i poczuła, jak wielkie dłonie zdejmują ją z konia. Kiedy tylko dotknęła stopami ziemi, inny rycerz pociągnął ją do namiotu. Wepchnął ją do środka przez podniesioną zasłonę.

Na dźwięk ochrypłego śmiechu Karyna odwróciła się, lecz nie zobaczyła lorda Stephena, lecz Beltara Zapalczywego, jego tłuste, czarne włosy i nastroszoną, owłosioną twarz równie nieprzyjemną jak ta, która zapisała się w jej pamięci.

Malvern siedział obok.

– Witaj, pani – rzekł takim tonem, jakby po prostu przyjechała z wizytą. – Dziękujemy, że zechciałaś nas zaszczycić swoją obecnością.

– Uprzejmość? Tak nazywasz oczywiste porwanie? – Chociaż zwracała się do Malverna, jej uwagę przykuło wnętrze namiotu, jego przepych: wspaniałe jedwabie, ciężkie kobierce i egzotyczne futra. Jej oczy rozszerzyły się, kiedy zwróciła wzrok ku Beltarowi, gdyż dopiero teraz spostrzegła smukłą jasnowłosą kobietę, zakneblowaną i związaną, leżącą na dywanie u stóp Beltara. – Ambra!

Beltar zaśmiał się nieprzyjemnie, a Karyna stężała.

– Co ona tutaj robi? Dlaczego tak ją traktujesz?

– Obawiam się, że twoja przyjaciółka nie jest tak rozsądna jak ty, pani. Może zechcesz ją przekonać, żeby dla własnego dobra nie sprawiała nam więcej kłopotów. Jeśli nie zmądrzeje, będzie leżała tak dalej.

Karyna pospieszyła do przyjaciółki. Ambra miała posiniaczone policzki, a w kącikach ust zaschłą krew.

– Jak się tutaj znalazła?

Beltar roześmiał się znowu.

– To bardzo proste. Wystarczyło posłać wiadomość, że potrzebują jej w wiosce. Moim jedynym błędem było wysłanie tylko dwóch wojów, by ją pojmali. Są tak samo poturbowani jak ona.

Karyna uśmiechnęła się z zadowoleniem. Uścisnęła rękę Ambry, by dodać jej otuchy.

– Zgodzisz się nie sprawiać więcej kłopotów?

Ambra kiwnęła głową.

– Uczyni, jak sobie życzysz.

Beltar skinął ręką i więzy na rękach i nogach zostały rozcięte. Karyna zdjęła Ambrze knebel.

– Nic ci się nie stało?

– Nic mi nie jest – Ambra roztarła spuchnięte nadgarstki, podczas gdy Karyna obrzuciła Stephena surowym spojrzeniem.

– Czego od nas chcesz?

– Nie chodzi o to, czego chcę od ciebie, lady Karyno... chociaż później, kiedy przybędzie moja siostra, przekonasz się, że zażądam od ciebie niemało. Jednak w tej chwili wszystko, czego pragnę, to okup, który zapłaci za ciebie twój małżonek.

– A Ambra? Też została porwana dla okupu?

– Nie – wtrącił się Beltar z chytrym uśmieszkiem. – Ta dziewka należy do mnie.

Ambra otworzyła usta, żeby zaoponować, lecz Karyna mocno ścisnęła ją za ramię.

– Jestem głodna – rzekła Karyna. – Chce mi się też pić i spać. Pewne, że lady Ambra czuje to samo. Skoro nie zamierzasz nas poddać kolejnym okrucieństwom, proszę, żebyś pozwolił nam się odświeżyć i nabrać sił.

Beltar miał już zaprotestować, lecz Stephen uciszył go podniesieniem ręki.

– Weźcie je do mniejszego namiotu. Dopilnujcie, żeby coś zjadły i doprowadziły się do porządku. Potem związać je i trzymać pod strażą, dopóki ich nie wezwę.

Beltar opadł na fotel z wysokim oparciem.

– Możesz być pewna, że zostaniesz wezwana – rzekł do Ambry. – Zamierzam nacieszyć się twoimi wdziękami, zanim skończy się ta noc. Plan jest taki, że dziś wieczorem zapewnisz mi rozrywkę.

Ambra najeżyła się, lecz Karyna popchnęła ją do przodu.

– Nie bądź głupia – ostrzegła. – Jesteśmy tylko kobietami. Nic nie możemy poradzić.

– Tylko kobietami? – żachnęła się Ambra, lecz człowiek za jej plecami wypchnął je obie za namiot. Karyna usłyszała rechot Beltara, kiedy szły przez obóz w stronę mniejszego namiotu na obrzeżu.

– Jak mogłaś im pozwolić...

– Nie marnuj sił, kiedy mają tak znaczną przewagę. Niech myślą, że nie będziesz z nimi walczyć. Tymczasem rozglądaj się bacznie dokoła i zapamiętaj, co widzisz. Może się to później przydać.

Ambra uśmiechnęła się, teraz rozumiejąc, lecz uśmiech ten zbladł, kiedy dotarły do drugiego namiotu.

– Mają tyle wojska, że mogliby wygrać wojnę – szepnęła. – Znacznie więcej, niż gdyby okup był ich jedynym celem.

– A jakże – odparła Karyna, czując jak opuszcza ją odwaga. – Mają zamiar wypowiedzieć wojnę. To oczywiste, że chcą wziąć zamek i obawiam się, że są do tego dobrze przygotowani.

Obie umilkły. Nawet jeżeli Ral uszedł cało i zdrowo, nic nie poradzi wobec tak wielkiej siły, jaką zebrali Stephen i Beltar.

– Musimy wymyślić sposób, żeby ich ostrzec – wyszeptała Karyna, kiedy zbrojni wepchnęli je do namiotu i zasłonili wejście. Jeden z nich stanął na straży przed wejściem, a drugi, co wywnioskowały z odgłosu kroków – stanął za namiotem.

– Jak ich ostrzec? To pewne, że będą nas dobrze pilnować. Beltar... ma plany względem mnie, a Malvern nie zdradził się słowem, co zamierza wobec ciebie.

Karyna zadrżała. Widziała okrucieństwo lorda Stephena tej nocy, kiedy porwał nowicjuszki z klasztoru. Teraz będzie chciał, żeby słono zapłaciła za to, że mu się wtedy wymknęła... i za to, że teraz należy do lorda Rala.

– Jeśli będziemy czujne, może znajdziemy sposób. Nie trać ducha. – Mówiąc to czuła, jak wali jej serce. Słodka, błogosławiona Dziewico, jak mają stąd uciec?

* * *

Ral zobaczył mury obronne Braxton i uzbrojonych ludzi na murach. Zrozumiał, że gdy go nie było, Odo odkrył już obecność Malverna. Zawołał straże przy bramie, by opuszczono most zwodzony, i skinął na ludzi, żeby pospieszyli do środka.

Droga do zamku nie zabrała im dużo czasu. Kiedy Stephen napadł na nich, byli już niedaleko, a to oznaczało, że wojska Malverna były stanowczo za blisko. Odo wyszedł na spotkanie Ralowi na dziedziniec, Richard stał przy nim, twarze obu były wyciągnięte ze zmartwienia.

– Baliśmy się o ciebie, panie – rzekł mu Odo. – Dobrze, że wróciłeś. – Jego uwagę przykuło czterech rannych, którym służba pomagała zsiąść z koni. – Malvern?

– Tak. Napadli nas na rozstajach. Dwóch ludzi nie żyje, a Karyna została porwana.

– Słodki Jezu!

– Ambrę także porwali – rzekł Richard. – Szukając jej, natknęliśmy się na rycerzy Malverna. Było ich zbyt wielu, żeby z nimi walczyć, byliśmy zmuszeni do odwrotu.

– Miałem nadzieję, że go prędko nie zobaczymy – rzekł kwaśno Ral. – Gdyby nie bliska zażyłość jego ojca z królem Wilhelmem, zakosztowałby siły mojego miecza.

– To nie wszystko, *mon ami* – rzekł Odo. – Lord Stephen nie jest sam. Połączył siły z Beltarem. Mamy do czynienia z silną armią.

– I mają nasze kobiety – dodał Richard.

Ral zacisnął zęby. – Wstyd, ale mają. – Odwrócił się i ruszył w kierunku stajni. – Zaczną od żądania okupu, ale naprawdę chodzi im o zamek Braxton.

– I ja tak myślę – potwierdził Odo.

– Musimy wysłać wiadomość do Wilhelma. Jego wsparcie będzie tu istotne, chociaż wobec tak wielkiej siły, jaką zebrał Malvern, jego pomoc może nadejść za późno. – Ral zwrócił się do giermka, który podążał za nim krok w krok. – Przygotuj mi Szatana. Wkrótce się ściemni. Muszę na własne oczy zobaczyć, co nam grozi.

– Tak, panie. – Kiedy młodzieniec oddalił się wypełnić rozkaz, do Rala podszedł Richard.

– Tym razem pojadę z tobą, panie.

Ral chciał mu zabronić i powiedzieć, że przyda się bardziej, jeśli zostanie na zamku. Znał jednak skręcającą wnętrzności obawę, którą sam czuł, wiedząc, że Karyna jest w rękach jego wroga. Dopóki nie zostanie zakuty w kajdany, nic go nie powstrzyma, by pójść za nią.

Skinął głową. – Przygotuj się. Ruszymy pod osłoną nocy z garstką zbrojnych. Odo zostanie tutaj i przygotuje zamek do obrony.

– Mam zamiar wrócić z żoną – rzekł stanowczo Richard, patrząc twardo Ralowi w twarz. – Od początku chciałem ją wyrwać z ich rąk.

Ral uśmiechnął się złowrogo. – Możesz być pewien, że i ja mam taki zamiar.

* * *

– Nie wmuszę w siebie ani kęsa – rzekła z żalem Ambra, kiedy stanęły przy stole w małym namiocie. Na grubym perskim dywanie leżały szkarłatne jedwabne poduszki. W kącie stał parawan inkrustowany macicą perłową, a za nim ułożone były bogate posłania.

– Musimy jeść – stwierdziła Karyna. – Musimy utrzymać się przy siłach. – Wniesiono właśnie tacę z pieczonymi dzikimi kaczkami i dzban wina.

– Masz słuszność, ale jestem za bardzo zmęczona, żeby jeść. Poza tym kaczka jest twarda i żylasta i...

– Tak – zgodziła się Karyna i podniosła głowę. W oczach odmalował się błysk pierwszego, nieśmiałego pomysłu ucieczki. – Tak zrobimy. – Pochyliła się do Ambry. – Czy dasz radę udawać, że się dławisz? Kiedy wejdzie tu strażnik, uderzę go w głowę dzbanem wina i uciekniemy.

Ambra uśmiechnęła się i wcisnęła kacze udko Karynie do ręki.

– Jestem wyższa od ciebie. To ty udawaj, że się dławisz, a ja zdzielę strażnika w głowę.

– Spędziłaś wiele miesięcy z trubadurami i dużo lepiej potrafisz grać. Ty...

– Mówię ci, że jestem większa!

Karyna westchnęła, kiedy Ambra podniosła dzban z winem i umieściła w dogodnym miejscu na stole.

– Gotowe – rzekła. – Udawaj, że się udławiłaś.

Wystarczyło ugryźć tłuste kacze udko i wcale nietrudno było pozorować. Kiedy Karyna zaczęła rzęzić, Ambra zdzieliła ją w plecy i zaczęła głośno wołać o pomoc. Cały czas Karyna zanosiła się głośnym kaszlem.

– Pomocy! Niech ktoś pomoże! – Ambra podbiegła do wejścia namiotu i podniosła zasłonę. – Dławi się! Lady Karyna zadławi się na śmierć kością! Na pomoc!

Na nieszczęście do namiotu wpadli obaj mężczyźni. Kiedy Karyna przewracała oczami i dłońmi trzymała się za gardło, rzęziła, kasłała i słaniała się na nogach, strażnicy przyglądali się w osłupieniu. Zaczerpnęła powietrza ostatni raz i opadła na ziemię.

– Pójdę po pomoc – powiedział jeden z nich i odwrócił się tyłem. Ambra w tym momencie złapała dzban wina i rozbiła mu na głowie. Kiedy drugi strażnik rzucił się ku niemu, Karyna poderwała się z ziemi, złapała cynową tacę z pieczoną kaczką i grzmotnęła nią mężczyznę prosto w twarz.

– Suka. – Zachwiał się na nogach, ale nie upadł, tylko zaczął złowrogo zbliżać się do nich.

– Co teraz zrobimy? – spytała Ambra.

– Nie jestem pewna. – Strażnik blokował wejście i nawet gdyby udało im się przemknąć obok, zdążyłby zaalarmować innych.

– Parę dodatkowych zasłużonych sińców nie sprawi różnicy lordowi Stephenowi – powiedział strażnik ze złośliwym uśmieszkiem i zacisnął dłonie w pięści.

Pomimo ogłuszającego bicia swojego serca Karyna usłyszała za sobą cichy trzask i odwróciła się, by zobaczyć ostrze przecinające ścianę namiotu. Strażnik zobaczył to także, lecz zanim zdążył ugodzić w cel, w rozdarciu ukazała się wielka barczysta postać. Potężna ręka złapała strażnika za gardło. Zacisnęła się i skręciła szyję. Strażnik opadł martwy na ziemię namiotu.

– To Gareth – powiedziała podniecona Karyna.

– Anglosas, którego wieśniacy przyprowadzili

do zamku. – Zwróciła się do wielkiego złotowłosego rycerza z uśmiechem. – Jestem bardziej niż rada z naszego spotkania, lordzie Gareth. Skąd wiedziałeś, że tu jesteśmy?

Gareth spochmurniał.

– Obserwowałem z ukrycia przyjazd Malverna. Myślisz, że nie wiem, kim on jest? W promieniu trzystu mil nie ma Anglosasa, który by nie znał okrucieństwa Malverna i nie pałał do niego prawdziwą nienawiścią. – Ruszył w stronę dziury w namiocie. – Nie mamy teraz czasu. Porozmawiamy o tym później.

Z dziko bijącym sercem Karyna ruszyła za nim, a Ambra za nią. Po chwili znaleźli się już w ukryciu drzew i zarośli otaczających obóz, lecz ciągle szli w pośpiechu. W ciemnościach nie było widać, gdzie bezpiecznie postawić stopę. Karyna syczała raz po raz, kiedy ostra gałązka wbijała się jej w ciało albo gdy stopa wpadała w zagłębienie.

– Nie możemy się zatrzymywać – szepnął Gareth. – Zaraz się zorientują, że zniknęłyście.

Karyna przytaknęła. Nie zwracając uwagi na otarcia i zadrapania, podążali w stronę zamku Braxton. Kiedy byli w pobliżu polany, zatrzymali się. Sylwetka Garetha zdradzała wzmożoną nagle czujność.

– Zostańcie tutaj – szepnął i pokazał im miejsce w gęstwinie. Sam ruszył dalej w las. Karyna ukucnęła obok Ambry i mocno złapała przyjaciółkę za rękę. Kiedy obok trzasnęła gałązka, niemal wyskoczyła ze skóry.

– Wygląda na to, że martwiliśmy się niepotrzebnie, prawda, Richardzie?

– Ral! – Karyna porwała się na nogi, a on złapał ją za ramiona. – Jak nas znalazłeś? – zapytała. – Skąd wiedziałeś, że tu jesteśmy?

Objął ją mocniej.

– To Gareth. Wyśledził nas, kiedy jechaliśmy przez las.

– Gareth pomógł nam w ucieczce – rzekła Karyna.

Richard uśmiechnął się, a Ambra rzuciła mu się w ramiona.

– Gareth powiedział, że same sobie pomogłyście. Powiedział, że uratowała was wasza odwaga. – Dotknął policzka Ambry, zobaczył purpurowy siniec i wściekłość odmalowała się na jego twarzy. – Inne kobiety zachowałyby się jak wystraszone jagnięta idące na rzeź. Jeśli myślałem kiedyś, że chcę takiej kobiety, bardzo się myliłem. – Pocałował żonę w policzek. – Jestem z was dumny.

Karyna popatrzyła na Rala.

– Malvern chce zdobyć zamek. Zebrał wielką armię.

– Tak, Gareth nam pokazał.

– Gdzie on jest?

– Gdzieś w lesie. Pomoże nam, jeśli zdoła.

– A Malvern?

– Naszą jedyną nadzieją jest utrzymać zamek, dopóki nie nadejdą posiłki.

Karyna skinęła głową i zadrżała w duchu na myśl o zniszczeniach i śmierci, jakie przyniesie ta wojna. Zadała sobie pytanie, co się stanie z nimi wszystkimi, jeśli pomoc nie nadejdzie na czas.

Rozdział 25

Ral spędził kolejne dwa dni na umacnianiu warowni. Przy niewielkich zapasach żywności, odcięty od wsi przez wojska Malverna, nie był pewien, jak długo będzie w stanie utrzymać zamek. Niemniej jednak miał zamiar trzymać się, dopóki wystarczy sił.

Nie mówił tego Karynie, ale wiedział, że jeżeli pomoc nie nadejdzie na czas, Stephen nie da im więcej niż trzy miesiące. Potem czekała go niechybna śmierć, a Karynę – los jeszcze gorszy.

Na trzeci dzień po ich powrocie straże zasygnalizowały, że za murami dostrzeżono jakiś ruch. Ral wspiął się po kamiennych schodach na blanki i przyglądał się ponuro, jak wojsko Malverna zalewa pola za fosą i mostem zwodzonym. Powiewały jego białe i zielone proporce, a szeregi zbrojnych lśniły w słońcu. Za Malvernem siły Beltara zajęły pozycję, okrążając zamek.

Ręce Rala mimowolnie zacisnęły się w pięści. Walka rozpocznie się za wcześnie. Ciarki przeszły mu po plecach na myśl o czekających ich niewygodach i nieszczęściach, które będą musieli przetrwać, o głodzie i cierpieniu, o śmierci, która dosięgnie nie tylko członków załogi zamku, ale również mieszkańców okolicznych wsi.

Miał świeżo w pamięci bitwy z niedalekiej przeszłości, ludzi depczących ciała poległych towarzyszy ułożone na stos w fosie, by uformować most. Pamiętał wrzący olej wylewany na głowy oblegających, poparzonych mężów wyjących z bólu, umierających w mękach stokroć gorszych niźli piekielne.

Tamte wspomnienia były wciąż żywe, a tymczasem nie mógł zrobić nic, by nie dopuścić do podobnych zdarzeń.

Mógł ich ocalić jedynie czas. Czas, który potrzebny był rycerzom, których wezwał. Czas, by nadeszła pomoc od króla.

Z małego balkonu na wieży Ral obserwował armię formującą się do szturmu. Łucznicy Braxtona czekali za osłoną murów z napiętymi łukami, rycerze z tarczami czekali w pełnej gotowości na pierwsze natarcie. Usłyszał z tyłu ruch i odwrócił się, by zobaczyć Karynę, otwierającą drzwi balkonu, by do niego dołączyć.

Zmartwienie wyostrzyło jej rysy, a niepewność zamgliła wzrok. Podeszła blisko, a on przytulił ją do piersi.

– Cieszę się, że przyszłaś – rzekł cicho.

Spojrzała na pole pełne wojska. – Czułam się samotnie. Tęskniłam do ciebie, poza tym nie mogę znieść niepewności. Czasem przychodziło mi do głowy, że czekanie jest najgorsze ze wszystkiego.

– Nie, *chèrie*, tak tylko się wydaje, dopóki nie rozpocznie się prawdziwa walka.

– Damy radę się utrzymać?

– Tylko przez jakiś czas. Potem wszystko już będzie w rękach Boga. – Spojrzał na setki wojów uformowanej armii, na wieżę oblężniczą i katapultę. Niedaleko czekał żółw oblężniczy – taran ukazujący swój koniec zza osłony obitej żelaznymi płytami. Dzięki temu urządzeniu szturmujący mogli zbudować nawet prowizoryczny most.

Stephen jest dobrze przygotowany, pomyślał z goryczą Ral, a wnętrzności ścisnęły mu się na myśl o tym, co ich czeka.

Spojrzał na Karynę, poczuł jej miękkie ciało przy swoim i na chwilę zapomniał o czekającym ich piekle. Dostrzegł słońce lśniące w purpurowych płomieniach jej włosów, ich piękny blask. Zadrżał, wspominając ich jedwabistą miękkość w dotyku, kiedy miał ją ostatni raz. Pragnął jej gorąco, a ona zaspokajała to pragnienie raz za razem, wzniecając pożądanie kobiecymi krągłościami, odwzajemniając pieszczoty, stając się jego częścią, tak że tworzyli doskonałą jedność.

Dotknął jej policzka i uniósł podbródek. – Jest coś, co chcę ci powiedzieć. Coś, co powinienem był powiedzieć ci już dawno temu. – Jej ciemna brew podniosła się, a on pogładził ją palcem.

– Co takiego, Ralu?

– To nie jest rzecz, która łatwo przejdzie mi przez gardło. Prawdę mówiąc, jakiś czas temu wierzyłem, że to uczucie nie istnieje. Od kiedy jednak cię spotkałem... kiedy zostałaś moją żoną... przekonałem się, że istnieje na pewno i że jestem najszczęśliwszym człowiekiem na ziemi, skoro go zaznałem. – Uśmiechnął się z największą czułością, która w tej chwili przepełniała jego serce. – Kocham cię, Karyno. Wiem to już od jakiegoś czasu, ale nie jest mi łatwo wyrazić to w słowach. Kocham cię i nie ma dla mnie innej kobiety na świecie. Teraz i na zawsze.

Oczy Karyny wypełniły się łzami. Miękko wypowiedziała jego imię i położyła mu rękę na policzku.
– Nigdy nie sądziłam, że to powiesz. Modliłam się, by nadszedł ten dzień, ale w głębi serca nie wierzyłam, że to się stanie.
– Powinienem był powiedzieć ci wcześniej. Może gdybym powiedział, nie zadalibyśmy sobie nawzajem tyle bólu.
– To ja powinnam była powiedzieć, ale bałam się, że cię stracę. Moje serce wybrało ciebie i będę cię kochać na wieki.
– Karyno... – Ral pochylił głowę i pocałował ją czule i delikatnie, by pokazać, co czuje jego serce. Kiedy skończył, trzymał ją w ramionach i spoglądał ponad jej głową na pole, które wkrótce miało się stać polem walki. Zbliżała się do nich śmierć, a mimo to czuł się szczęśliwy jak nigdy przedtem. Karyna wspierała się na nim, a on przytulił ją mocniej i trzymał tak przez długą chwilę.

Gdyby tylko mógł zapewnić jej bezpieczeństwo, to wydarzenia następnego dnia nie byłyby ważne. Wpatrywał się w oblegającą ich potężną armię, myślał o śmierci i zniszczeniach, jakie przyniesie, i wiedział, że swojej żonie niczego nie może zapewnić.

* * *

Wiatr uderzył w wieżę i balkon, targając włosy Karyny splecione w warkocz. Na chwilę udało jej się uciec od rzeczywistości, w której zaraz miała rozpocząć się wojna, zginąć mieli ludzie i miały dziać się straszne rzeczy.
– Już od dawna są gotowi – odezwała się w końcu, przerywając milczenie. – Dlaczego nie szturmują?

Ral potrząsnął głową.

– Nie wiem.

– Nasi ludzie są świetnie przygotowani. Dobrze ich wyszkoliłeś.

– A jakże. Przyda się teraz staranne wyszkolenie, to pewne.

Patrzyli i czekali tak jeszcze dość długo, aż strażnik na wieży krzyknął do Rala i z ożywieniem pokazał coś ręką. W tym momencie Karyna zrozumiała wszystko, gdyż za armią Stephena ukazała się jej oczom jeszcze jedna grupa rycerzy i koni.

– Dobry Boże – wyszeptała, a żołądek ścisnął się jej ze strachu. – Zwołał jeszcze więcej ludzi.

Czujny i skupiony Ral podszedł do balustrady, po czym ku jej zdumieniu uśmiechnął się szeroko.

– Nie, najmilsza. To armia króla Wilhelma, żadna inna.

– Wilhelm? Skoro tak, to dlaczego jest tam też Beltar?

Beltar jechał przez środek obozu ku Wilhelmowi, który dumnie siedział w siodle, wysoki, nieporuszony i dostojny. Król zbliżył się do Beltara i Stephena. Odbyła się rozmowa, podczas której najwidoczniej Beltar oddał się pod rozkazy króla, a Stephena związano.

– Chodźmy – rzekł Ral. – Skoro przyjechał Wilhelm, jesteśmy bezpieczni. Objął ją w pasie ramieniem i poprowadził do wnętrza zamku.

Czuła jego ulgę, która ogarniała go z każdym krokiem, i swoją własną rosnącą z każdym stopniem, gdy schodzili z wieży. Wspominając wypowiedziane przez niego słowa miłości, czuła, jak rozpala się jej uczucie. Ofiarował jej swoje serce i obiecywał wspólną przyszłość. Przyszłość, która wraz z przybyciem króla i końcem zdrad Malverna, właśnie się rozpoczynała.

Zeszli po schodach do wielkiej sali, a potem na dziedziniec.

– Zaczekaj tu na mnie – rzekł Ral, posyłając jej pełen otuchy uśmiech, i pocałował ją w usta.

Uprzedzając rozkazy, giermek już osiodłał Szatana, który niecierpliwie przebierał nogami. Ral lekko wskoczył na grzbiet konia, chociaż miał na sobie ciężką zbroję. Aubrey podał mu stożkowy hełm. Kiedy Ral go założył, podjechali do niego Odo i Girart oraz dwudziestu konnych rycerzy.

Ral zawołał, by spuszczono most zwodzony i popędził czarnego konia. Dudniąc kopytami Szatan przegalopował po ciężkich drewnianych belkach. Po drugiej stronie mostu rycerze uformowali kolumnę. Kiedy ostatni z nich opuścił most zwodzony, Karyna pobiegła do bramy. W tym samym czasie dotarła tam również Ambra.

– To Lambert i Hugh – krzyknęła smukła dziewczyna, z podnieceniem pokazując rycerzy na polu. – Zobaczyłam ich z okna. Wilhelm musiał ruszyć na Malverna, gdy tylko usłyszał wieść o jego zdradzie.

– Dzięki niech będą Błogosławionej Dziewicy. Nie ośmieliłam się nawet mieć na to nadziei.

– A co sądzisz o Beltarze? Wygląda na to, że trzyma z królem.

– Ten człowiek nie ma skrupułów, ale nie jest głupi. Nie wierzę, że kiedykolwiek miał zamiar działać na szkodę króla. Ma zbyt wiele do stracenia. Kiedy Wilhelm dowiedział się o układzie Stephena z Ferretem i o jego roli w napadzie na królewskiego poborcę, Beltar był zmuszony wycofać swoje poparcie.

– A i bez tego na wieść o takiej zdradzie ludzie Stephena odwróciliby się od niego – rzekła Ambra.

Karyna uśmiechnęła się.

– To pewne, że tak się stało.

Wspięły się po schodkach na wieżę bramną. Serce Karyny biło z podniecenia. Przyglądały się armiom uzbrojonych rycerzy. Król i skupieni wokół niego lordowie rozprawiali o czymś ożywieni, najwyraźniej się spierając. Kiedy skończyli, Ral zsiadł z konia. To samo uczynił lord Stephen. Ktoś uwolnił Malverna i – ku przerażeniu Karyny – wręczył mu miecz.

– Słodki Boże – wyszeptała, kiedy Ral wyciągnął zza pasa swój miecz.

– Mają zamiar walczyć – rzekła Ambra.

– Tak. – Słowo zabrzmiało niepewnie i cicho. Pomimo że Ral był najlepszym rycerzem w tym kraju, pomimo że miał ciało wspaniale przygotowane do walki, Stephen de Montreale nie stchórzył. Był hardy, silny i zdecydowany walczyć na śmierć i życie. Bóg tylko raczy wiedzieć, co mógł zyskać w razie porażki Rala.

Jej palce drżały, szukając oparcia w belkach podpierających dach wieży. *Błogosławiona Dziewico, pozwól mu zwyciężyć.*

Rycerze podnieśli naostrzone miecze i szczęk żelaza wypełnił ciszę bitewnego pola. Karynę dźwięk ten przenikał dreszczem. Rozpaczliwie bała się o męża i pragnęła, żeby nie przegrał. Ciosy Stephena były czyste i wymierzane z zapałem, chociaż niezbyt częste, jakby wydarzenia dnia nieco przyćmiły mu zmysły. Niemniej walczył jak szaleniec. Gdyby Ral nie parował każdego ciosu z chłodnym skupieniem, byłby już martwy.

Jednak walcząc w ten sposób, Malvern szybko się zmęczył, a potężne ciosy Rala wkrótce zaczęły dosięgać celu. Na tunice Stephena ukazała się krew, jaskrawoczerwony strumień widoczny nawet z tej odległości.

Kolejne uderzenie trafiło w udo, aż padł na kolano. Odwzajemnił się jednak potężnym ciosem, który Ral musiał przyjąć oburącz. Zablokował, lecz na chwilę się odsłonił. Karyna wstrzymała oddech, a kostki palców zaciskających się na podporze aż pobielały, kiedy Stephen wykonał pchnięcie w przód, pewna, że ostrze zaraz zatopi się w piersi Rala. Tymczasem Ral zdążył się cofnąć, po czym sam pchnął do przodu. Ostrze zatopiło się w ciele i utkwiło głęboko w bezdusznym sercu Malverna.

Przez chwilę piękny jasnowłosy lord stał bez ruchu, nie będąc w stanie odpowiedzieć ciosem i nie chcąc uwierzyć, że za chwilę będzie martwy. Po czym zachwiał się i padł na ziemię jak ułamana gałąź.

Karyna wydała z siebie westchnienie ulgi. Przyłożyła rękę do gardła, a w oczach pojawiły się łzy.

– Już dobrze, moja pani. – Uspokoiła ją Ambra z uśmiechem i uścisnęła jej rękę.

– Tak. Dzięki Bogu, jest już bezpieczny.

Jeszcze zanim sprzątnięto ciało Stephena, Beltar dał znak swoim ludziom, by wycofali się z zajętych pozycji. Król powiedział coś do Rala, po czym zwrócił się do swoich rycerzy i zaczął wydawać im rozkazy.

Ral dosiadł Szatana, skinął na swoich ludzi i ruszyli z powrotem w stronę zamku. Karyna pospiesznie zbiegła z platformy nad bramą i ruszyła na dziedziniec, by tam powitać Rala.

Serce waliło jej równie szybko, jak szybko przebierała stopami. Stanęła u podstawy schodów prowadzących do wielkiej sali i odwróciła się, by popatrzeć na swojego męża. Uśmiechnęła się, widząc jak jedzie na czarnym rumaku prosty i dumny. Po chwili stał już przed nią, a twarz rozjaśniał mu promienny uśmiech.

– Walka się skończyła – oświadczył. – I to zanim jeszcze na dobre się zaczęła.

– Tak. Wygląda na to, że Bóg wysłuchał naszych modlitw.

– Stephen nie żyje. Jego ziemie i ziemie jego siostry zostały skonfiskowane przez króla. Zostaliśmy raz na zawsze uwolnieni od tego diabła.

– A co z wieśniakami? – zapytała Karyna. – Wsie stały na jego drodze. Bardzo ucierpieli?

– Grabił, co się dało, lecz szczęśliwie nie ma ofiar w ludziach. Król zgodził się napełnić spiżarnie wieśniaków zapasami Malverna.

– A nagroda?

– Jest nasza. Ludzie Braxton dostali wreszcie ziemię, na którą zasłużyli.

Karyna rzuciła mu się na szyję, a on przytulił ją do piersi, ciągle okutej w zbroję.

– Kocham cię, Ralu!

Uśmiechnął się, oczy rozjaśniła mu radość, a uścisk zdradził gorące pożądanie.

– Największą przyjemność sprawi mi, jeśli pójdziesz ze mną na górę i pokażesz mi, jak bardzo.

– Przecież król...

– Wilhelm nie przybędzie przed wieczerzą. Richard dopilnuje, żeby przygotowano salę.

Karyna uśmiechnęła się i pocałowała go w same w usta.

– Zatem z przyjemnością dotrzymam ci towarzystwa, panie.

Ral dotknął palcami jej podbródka, pochylił głowę i pocałował długo i namiętnie.

– Kocham cię, wybranko mojego serca – powiedział cicho. Porwał ją na ręce i uśmiechnął się, zmierzając w stronę sypialni.